인섹타겟돈

올리버 밀먼Oliver Milman

인섹타겟돈

2022년 12월 15일 초판 01쇄 발행
2024년 06월 10일 초판 03쇄 발행

지은이 올리버 밀먼
옮긴이 황선영

발행인 이규상 편집인 임현숙
편집장 김은영
책임편집 강정민 교정교열 이정현
콘텐츠사업팀 문지연 강정민 정윤정 원혜윤 이채영
디자인팀 최희민 두형주
채널 및 제작 관리 이순복 회계팀 김하나

펴낸곳 (주)백도씨
출판등록 제2012-000170호(2007년 6월 22일)
주소 03044 서울시 종로구 효자로7길 23 3층(통의동 7-33)
전화 02 3443 0311(편집) 02 3012 0117(마케팅) 팩스 02 3012 3010
이메일 book@100doci.com(편집·원고 투고) valva@100doci.com(유통·사업 제휴)
포스트 post.naver.com/black-fish 블로그 blog.naver.com/black-fish
인스타그램 @blackfish_book

ISBN 978-89-6833-409-2 03300
블랙피쉬는 (주)백도씨의 출판 브랜드입니다.

* 잘못된 책은 구입하신 곳에서 바꿔드립니다.

곤충이 사라진 세계, 지구의 미래는 어디로 향할까

인섹타겟돈

THE INSECT CRISIS

올리버 밀먼 지음 황선영 옮김

Insectageddon
: Insect + Armageddon

블랙피쉬
Black Fish

프롤로그

만약 이 세상에서 곤충이 사라진다면

사방이 쥐 죽은 듯 고요했다. 대재앙이 일어났다는 첫 징후였다. 시골, 교외의 정원, 도시의 공원은 너무 조용해진 나머지 생명이 살지 않는 가짜 공간처럼 느껴졌다. 벌이 윙 소리를 내면서 지나가지도 않았고, 귀뚜라미가 규칙적으로 귀뚤귀뚤 울지도 않았다. 굶주린 모기가 귓가에서 끈질기게 윙윙거리지도 않았다.

주위가 갑자기 풍경화처럼 평평해진 듯한 느낌이었다. 색도 예전보다 덜 선명한 것 같았다. 색이 화려하고 현란한 나비와 딱정벌레가 사라지고 나니 생태계의 팔레트에서 색이 사라졌기 때문이다.

전 세계적으로 곤충은 사라지고 없었다. 하지만 인간이 굼뜨게 구는 바람에 공포의 비명을 처음 내지른 것은 기이하게도 우리가 아니라 새들이었다. 하늘과 숲에서 생활하는 파랑새, 쏙독새, 딱따구리, 참새는 점점 더 불안한 몸짓을 보였다. 아무리 찾아봐도 진딧물이나 나방처럼 먹을 수 있는 것이 없었기 때문이다. 결과는 참혹했다. 새끼 제비 한 마리가 성체가 되기까지는 곤충 약 20만 마리가 필요하다. 하지만 어디를 둘러보든 곤충을 찾을 수 없었다. 지구상에 있는 새 약 1만 종 중 절반이 굶주림을 견디지 못하고 멸종하고 말았다. 비쩍 마른 새의 사체가 땅바닥과 둥지 안에 널브러져 있었다.

새, 다람쥐, 고슴도치, 인간 등 이 땅에 발을 딛고 살고 목숨이 있던 생명체의 사체가 계곡, 언덕, 공원, 버려진 도시 아파트에 쌓이기 시작했다. 검정파리의 구더기는 일주일 안에 인간 시체의 60%를 분해할 수 있다. 하지만 이제는 검정파리뿐만 아니라 시체를 분해하는 일을 했던 송장벌레를 포함한 딱정벌레 등 온갖 종류의 벌레가 사라졌다. 박테리아와 곰팡이는 살아남아서 여전히 시체를 분해했지만 속도가 현저히 떨어졌다. 그 정도 속도로는 어림도 없었다. 사체가 썩어가는 모습과 그 고약한 냄새가 사람들에게 혐오감을 줬지만, 언제인가부터는 사람들이 그런 상황에 적응해버렸다.

주위에 있는 모든 것이 마치 우리의 속을 뒤틀려는 것처럼 썩지 못했고, 남은 사체의 뼈와 살도 모자라서 배설물까지 말썽이었다. 배설물이 떨어진 자리에 그대로 여기저기 남아 있는 것 같았다. 오스트레일리아 농부들은 옛날에 유럽 이주자들이 소를 들여왔을 때 땅에 적합한 종류의 쇠똥구리를 투입하는 것이 중요하다는 사실을 뼈저리게 느꼈다. 하지만 이제는 오스트레일리아 전역에 가축의 배설물이 말라붙은 쓸모없는 황무지가 광활하게 펼쳐져 있었다. 오스트레일리아 토종 딱정벌레는 캥거루나 코알라 같은 유대목 동물의 배설물에 더 익숙해서 가축의 배설물은 분해하지 못했다. 쇠똥구리는 아무도 감사하게 생각하지 않는데도 적어도 6,500만 년 동안 지구를 청소해왔다. 그런데 전 세계적으로 쇠똥구리 8,000종이 전멸하면서 동물의 배설물이 분해되지 않는 이 재앙은 훨씬 더 큰 규모로 반복되고 있었다. 야생동물과 가축의 배설물이 마치 억제되지 않은 몹쓸 전염병처럼 지구에 자국을 남겼다. 땅 수백만 에이커가 황폐해졌고, 쓰러진 나무와 떨어진 잎도 쌓이기 시작했다. 분해돼서 흙으로 돌아가기를 고집스럽게 거부한 것이다.

이런 일을 겪은 사람들은 처음에는 역겨움을 느꼈고 그다음에는 불안함을 느꼈다. 환경보호 단체들은 벌로 분장한 사람들을 동원해서 집회를 열었고, 정치인들은 긴급회의에 참석하고 행동에 나서겠다고 국민에게 성급하게 약속했다. 어떤 식으로든 성과가 날 것처럼 보였다.

그러다가 식량 공급 시스템이 무너졌다. 전 세계 식량 작물 생산량의 3분의 1 이상이 벌 수천 종과 나비, 파리, 나방, 말벌, 딱정벌레 같은 곤충의 수분 작용에 의지했다. 그런데 수분 매개자들이 사라지는 바람에 세계 식량 생산 시스템의 컨베이어 벨트가 멈추고 말았다. 과일과 채소가 나는 밭이 드넓게 펼쳐져 있었지만 먹을 수 있는 것은 전부 시들어버렸다. 농부들은 이제 해충을 죽이려고 살충제를 뿌릴 필요가 없었다. 어차피 해충이 망가뜨릴 만한 것도 별로 남아있지 않았다.

사과, 꿀, 커피 같은 식품은 슈퍼마켓에서 슬슬 자취를 감췄고 값비싼 사치 식품이 되었다. 엎친 데 덮친 격으로, 카카오나무의 잘 알려지지 않은 수분 매개자인 혹파리과 곤충Cecidomyiid Midge과 좀모기과 곤충Ceratopogonid Midge이 사라지자 초콜릿 공급도 끊겨버렸다. 사람들은 상실감을 견디지 못하고 길에서 펑펑 울었다. 우울증과 불안에 시달리는 사람들이 급격하게 늘었다.

벌이 사라지자 딸기, 자두, 복숭아, 멜론, 브로콜리처럼 바로 먹을 수 있는 식품도 함께 사라졌다. 남아 있는 과일과 채소는 모양이 이상하고 볼품없이 쪼글쪼글한 모습이었다. 다행히 바람이 수분 매개자 역할을 하는 밀, 쌀, 옥수수와 같은 기본 식료품 덕택에 인류가 굶어 죽을 위기에서 벗어날 수 있었다.

하지만 부유한 국가에서도 맛도 없고 영양도 없는 음식을 먹어야 했다. 과일, 채소, 견과류, 씨앗류 없이 수백만 명의 사람이 귀리와 쌀로 만든 형편없는 식사로 생계를 근근이 이어나갔다. 망고나 아몬드를 먹고 싶다는 생각은 사치스러운 환상이 되어버렸고, 그런 식품을 먹어본 경험은 사람들의 기억에서 완전히 잊혔다. 고추, 카르다몸cardamom, 고수, 커민이 없어지고 나니 카레 역시 역사 속으로 사라지고 말았다. 다양한 빛깔의 식재료를 사용하는 식당들은 토마토나 양파조차 구하기 어려워지면서 대거 문을 닫았다. 소는 원래 알팔파를 먹는데, 알팔파가 귀해져서 소의 개체 수도 줄어들었다. 이에 따라 우유와 유제품이 부족해졌으며, 치즈, 요구르트, 아이스크림도 먹기가 어려워졌다.

여러 국가의 정부가 농작물을 수동으로 수분하기 위해 일꾼들을 모으기 시작했다. 하지만 이 과정은 1억 년 동안 수분 매개자로 활동해온 곤충의 업적과 비교하면 비용도 너무 많이 들고 효율성도 너무 떨어졌다. 신생 기업들이 곤충을 흉내 낼 수 있는 드론과 로봇 벌을 생산했지만 원하는 결과를 얻지 못했다.

다른 재앙과 마찬가지로 이번에도 타격을 가장 많이 받은 것은 빈곤층과 취약 계층이었다. 곤충이 사라지기 전에도 전 세계적으로 8억 명이 넘는 인구가 영양을 충분히 공급받지 못했다. 농작물에 들어 있는 영양분이 줄어들자 그중 다수가 영양 결핍으로 아사하고 말았다. 시력을 잃는 아이들도 많이 늘어났다. 개발도상국에서는 눈에 좋은 비타민 A를 주로 과일과 채소를 통해 섭취하는데, 이런 식품을 더는 먹을 수 없게 되었기 때문이다. 사람들에게 미움받던 모기가 없어지자 말라리아와 웨스트나일West Nile 바이러스도 같이 없어졌다. 그 대신 감귤류 과일이 사라지면서 괴혈병이 다시 나타났다. 기아가 인류를 서서히 멸망시키는 동안 다른 질병들이 활개를 쳤다.

인도, 브라질, 중국, 아프리카 등 세계 각지에서 곤충은 대체 의학의 기반을 형성했다. 꿀은 심장 질환을 치료할 때 산화 방지제이자 항균 물질로 쓰였고, 말벌의 독은 암세포를 죽일 수 있다는 사실이 입증되었다. 항생 물질에 대한 내성이 점점 커지자 연구원들은 한때 광범위하게 쓸 수 있는 신약의 중요한 원료로 곤충을 꼽았다. 어쩌면 곤충이 그다음에 일어날 팬데믹을 물리치는 데 도움이 될 수도 있었다. 노바백스Novavax에서 개발한 코로나19 백신도 열대거세미 나방의 변형 세포로 만들었다. 하지만 곤충이 전멸하면서 그런 희망의 불씨는 꺼져버렸다.

얼마 지나지 않아 지구상에 있는 생명체 대부분을 지탱해주는 지주가 뽑혀나갔다. 꽃이 피는 식물의 약 90%가 수분 매개자에 의지해서 번성했다. 하지만 자연적인 수분이 불가능해지고 곤충이 영양분을 흙으로 돌려보내지 못하게 되자 식물들이 죽고 말았다. 정원은 사막처럼 변해버렸다. 야생 목초지는 사라졌고, 열대 나무들도 볼 수 없게 되었다. 전 세계 인구의 절반 이상이 꽃이 피는 식물로 만든 음식을 먹었던 만큼 굶주림이 몇 배로 심해졌다. 생태계가 통째로 무너졌고 기후변화가 가속화되었다. 황폐해진 지구에서 생명체가 연이어 멸종했다. 살아남은 생명체들의 고통은 마침내 끝났다.

1장

인섹타겟돈, 이 재앙이 지구의 '여섯 번째 대멸종'이 될지 모른다

"곤충이 없으면 지구상의 생명체 대부분이 사라질 것이고, 살아남은 사람들이 있더라도 예전과 같은 삶을 영위할 수 없을 겁니다. 모든 사람이 몇 달 만에 죽을 것이라는 예측은 과장되었다고 생각하지만, 수백만 명이 굶주리게 될 것은 분명합니다."

_서식스대학교 생물학 교수 데이브 굴슨(Dave Goulson)

곤충 없이 인류 문명이 얼마나 견딜 수 있을지 따져보는 일은 끔찍하고 깊이를 헤아리기 어려운 문제다. 생물학자 E. O. 윌슨E. O. Wilson은 곡식 농사가 불가능해지고 생태계가 무너져버리면 인류는 몇 달 동안 비참하게 살다가 멸종할 것으로 예측했다. 어류, 포유류, 조류, 양서류 대부분은 인류보다 먼저 사라질 것이고, 꽃식물이 그 뒤를 따를 것이다. 곰팡이류도 처음에는 죽음과 부패 덕택에 크게 번성하다가 곧 같은 길을 걸을 것이다. 윌슨은 이렇게 썼다. '세상은 몇십 년 안에 10억 년 전 상태로 돌아갈 것이다. 박테리아, 해조류, 매우 단순한 다세포 식물 몇 가지만 살아남을 것이다.'

이런 무시무시한 세상은 상상하기조차 어렵다. 곤충은 지난 4억 년 동안 다섯 번의 집단 멸종도 이겨내고 꿋꿋하게 생존했기 때문이다. 인류는 곤충 없이는 한 번도 존재해본 적이 없다. 따라서 곤충이 사라졌거나 개체 수가 줄어드는 상황을 심각하게 고려할 필요가 없었다.

하지만 최근에 이루어진 여러 연구를 살펴보면 세계 각지에서 곤충의 수와 종의 다양성이 급격하게 줄어들었다는 사실을 알 수 있다. 마치 아무런 이유도 없이 곤충이 전멸하는 것처럼 보인다. 각기 다른 연구 지역에서 놀랄 만한 속도로 곤충이 죽어가고 있다. 곤충의 개체 수가 절반으로 감소한 지역도 있고, 4분의 3이 줄어든 지역도 있다. 평화로울 것만 같은 덴마크의 한 시골 마을에서는 곤충이 무려 97%나 사멸하기도 했다. 곤충이 급감하고 있다는 증거가 점점 쌓이다 보니 인류는 역사상 처음으로 곤충의 전멸이 불러올 끔찍한 결과를 생각해보게 되었다. 이 책에서는 곤충 세계에 닥친 위기와 그 원인을 살펴볼 것이다. 소란스럽고 플라스틱으로 가득하지만 아름다운 지구에 있는 곤충 왕국의 멸망을 막을 방법이 있는지도 알아볼 것이다.

세상이 당황스러울 만큼 빠르게 변화하면서 한때 영원할 것 같았던 곤충의 삶이 매우 위태로워졌다. 곤충이 없어져도 부유한 사람들은 자원을 이용해서 현 상태와 비슷한 상황을 무기한으로 유지할 수 있을지도 모른다. 하지만 인류 대부분은 곤충의 멸종에 직격탄을 맞을 것이다. 그 어떤 전쟁도 여기에 견줄 수 없을 것이며, 인류의 고통은 곧 닥칠 것처럼 보이는 기후 파괴의 영향에 시달릴 때와 맞먹을지도 모른다. 서식스대학교 생물학 교수 데이브 굴슨Dave Goulson은 이렇게 말한다. "곤충이 없으면 지구상의 생명체 대부분이 사라질 것이고, 살아남은 사람들이 있더라도 예전과 같은 삶을 영위할 수 없을 겁니다. 모든 사람이 몇 달 만에 죽을 것이라는 예측은 과장되었다고 생각하지만, 수백만 명이 굶주리게 될 것은 분명합니다."

곤충은 수백만 년 동안 육지 환경의 거의 모든 측면과 함께 복잡한 춤을 춰왔다. 알아주는 사람은 적지만 곤충은 인류 문명을 위한 기반을 형성했다. 곤충은 우리의 식량을 늘려주고 우리 주변에서 살아가는 다른 생물들의 먹이가 된다. 그리고 악취 나는 쓰레기를 처리해주고, 해충을 제거하고, 토양에 영양을 공급하는 중요한 일을 수행하기도 한다. 토양은 깊이가 15cm밖에 안 되지만 지구를 감싸서 인류가 살아가게 해준다. 영국 이스트앵글리아대학교 환경생물학 교수 레이철 워런Rachel Warren은 곤충에 대한 우리의 높은 의존도를 인터넷에 비유한다. "생태계에서는 모든 것이 이런 상호작용으로 이루어진 망으로 연결되어 있습니다. 종種이 하나씩 사라질 때마다 네트워크 링크 몇 개를 끊어버리는 것이나 마찬가지죠. 링크를 많이 끊을수록 인터넷이 적게 남을 것이고, 결국 인터넷이 더는 작동하지 않을 겁니다."

수분 매개자가 없으면 식물은 죽고 대체되지 않는다. 그러면 그 식물의 열매를 먹던 새나 싹을 뜯어 먹던 사슴이 점점 줄어든다. 새나 사슴을 잡아먹는 동물들도 곧 그 뒤를 따른다. 워런은 이렇게 말한다. "먹이그물 전체가 무너진 세상에서는 인류가 결코 살아남지 못할 겁니다."

우리가 이렇게 곤충에 크게 의지하는데도 곤충을 좋아하는 사람은 많지 않다. 인간에게 알려진 동물 종을 전부 살펴보면 그중 4분의 3이 곤충이다. 곤충의 종류가 그렇게 다양한데도 나비만이 사람들에게서 애정에 가까운 긍정적인 감정을 끌어낸다. 말벌은 여름에 나타나는 악의적이고 위협적인 존재로 낙인찍혔고, 개미는 부엌에서 유독성 스프레이를 들고 맞서 싸워야 하는 적군처럼 여겨진다. 모기는 짜증 나는 골칫거리부터 치명적인 위협을 가하는 생명체에 이르기까지 갖가지 부정적 이미지를 쌓았다. 우리는 학자들이 밝혀낸 곤충 100만 종 중 대부분을 잘 알려지지 않았거나 별 의미 없는 생명체로 치부해버린다.

파리매만 하더라도 종류가 약 7,530가지나 된다. 파리매는 짧은 삶을 살면서 다른 곤충을 길고 단단한 주둥이로 찌른다. 상대 곤충을 마비시키고 내장을 액화하기 위해서다. 파리매의 종만 따지더라도 원숭이, 코끼리, 개, 고양이, 가축, 고래 등 포유류 전체를 합친 것보다 수가 많다. 말파리의 일종인 세팔로피나 티틸레이터Cephalopina Titillator는 낙타의 콧속에서 자란다. 말파리 150종을 연구하는 하나뿐인 전문가가 없었더라면 우리는 이런 사실을 알지 못했을 것이다. 기생벌은 적어도 50만 종이 있는데, 찰스 다윈Charles Darwin은 기생벌을 너무 싫어한 나머지 편지에 이렇게 적었다. '나는 선을 베푸는 전지전능한 신이 그런 생명체를 만드신 것을 이해할 수가 없다.' 그렇다면 이런 혐오스러운 말벌과 파리가 없어진다고 해서 크게 달라지는 것이 있을까?

에리카 맥앨리스터Erica McAlister는 이렇게 말한다. "파리를 없 앤다고요? 그러면 초콜릿도 사라집니다." 그녀는 영국 국립자연사 박물관의 수석 큐레이터이자 파리의 열렬한 옹호자다. 맥앨리스터 는 파리 분장을 하고 곤충학자들을 위한 고카트(go-kart, 레저용으로 타 는 소형 경주용 자동차 – 역주) 행사에 참석한 적도 있다. 마치 현실이 반 영된 것처럼 그녀는 똥 분장을 한 동료를 잡는 데 성공했다. "당근, 후추, 양파, 망고, 여러 과일나무가 자랄 때 파리는 정말 중요한 수분 매개자 역할을 합니다. 초콜릿도 마찬가지고요. 파리는 벌보다 더 오 랫동안 일하고 추위도 더 꿋꿋하게 이겨냅니다. 저희는 이런 사실을 이제야 알아차리기 시작했어요." 쌍시류(흔히 '파리'라고 불리는 목目)는 약 16만 종이 있는데, 집파리, 각다귀, 모기, 초파리 등이 여기에 속 한다. 파리 종은 전 세계적으로 대양에 사는 어류의 종을 전부 합친 것보다 4배 이상 많다. 이런 다양성을 생각하면 곤충은 우리 머리 위 를 빙빙 돌거나 바나나에 갈색 반점이 찍히게 하는 짜증 나는 해충이 아니라 고도의 기술을 갖춘 환경 공학자들과 비슷한 대우를 받아 마 땅할지도 모른다.

핀 대가리만큼 작은 각다귀는 아프리카와 남아메리카에서 자라 는 카카오나무의 작은 꽃 속으로 기어 들어가서 세계적으로 1,000억 달러어치에 달하는 초콜릿 산업의 붕괴를 막는다. 검정파리, 쉬파리,

동애등에 수천 종은 동물의 사체, 썩은 나뭇잎, 똥을 무료로 처리해 준다. 과학자들은 항생제 없이 구더기를 이용해 괴저 상처를 치료하고, 동애등에의 유충에서 추출한 기름은 자동차와 트럭에 주유하는 바이오디젤의 일종으로 활용된다. 맥앨리스터는 이렇게 말한다. "저희가 몰라서 그렇지 다들 온갖 임무를 아주 멋지게 수행하고 있습니다. 곤충들이 그런 일을 하지 않으면 어떻게 될지 상상해보셨어요? 그러면 똥물에서 수영하면서 돌아가신 제러미Jeremy 삼촌이 물에 둥둥 뜬 채 옆으로 지나가는 광경을 보게 되실 겁니다."

파리는 많이 알려지지 않은 비범한 수분 매개자다. 물결넓적꽃등에Volucella Zonaria는 무게가 제법 무겁고 호박벌처럼 배에 검은색과 노란색 띠가 있다. 맥앨리스터의 말에 따르면 이 파리는 '날아다니는 탱크나 마찬가지'라고 한다. 물결넓적꽃등에는 진동 수분buzz pollination을 할 수 있다. 꽃잎을 붙잡고 몸을 격렬하게 떤다는 말이다. 그러면 식물의 꽃밥에 낀 꽃가루가 떨어져 나온다. 이런 일을 할 수 있는 벌은 별로 없다. 따라서 파리가 없으면 토마토와 블루베리를 배부르게 먹기 어려워질 것이다.

특정한 파리에게 완전히 의존하는 식물도 있다. 남아프리카공화국의 서부 해안에는 어리재니등에의 일종인 모이기스토링쿠스 롱기로스트리스Moegistorhynchus Longirostris라는 놀라운 생명체가 산다. 이 파리는 주둥이 길이가 무려 7cm나 된다. 주둥이가 몸통보다 몇 배나 길어서 안으로 집어넣을 수가 없다. 그러다 보니 날아다닐 때 주둥이가 마구 흔들리는 불편함이 있다. 이 파리는 꽃대롱이 긴 식물 주변을 돌아다니는데, 신기하게도 꽃대롱의 길이와 주둥이의 길이가 완벽하게 맞아떨어진다. 이런 점은 다윈이 제시한 진화론에 힘을 더 실어준다. 다윈은 1862년에 마다가스카르산 난초를 선물 받았다. 그 난초는 목이 유달리 길어서 꿀이 매우 깊이 숨어 있었다. 다윈은 난초를 보고서 이 식물과 함께 진화한 생명체 중에 혀가 터무니없이 긴 나방이 있을 것으로 추측했다. 모이기스토링쿠스 롱기로스트리스는 다윈이 죽고 나서 수십 년 뒤에야 발견되었다. 맥앨리스터는 이렇게 말한다. "남아프리카공화국에 사는 그 파리만 없어지더라도 식물 8종이 곧바로 멸종할 겁니다. 사람들이 잘 몰라서 그렇지 파리는 수분 매개자로서 오랫동안 아주 큰 역할을 해왔습니다."

파리는 그 자체만으로도 사람들을 매료시킬 힘이 있다. 관심이 있는 짝에게 먹을 것을 선물하는 종도 있고, 복잡한 춤을 추는 종도 있다. 파리가 아름답다고 생각하는 사람들도 있다. 미셸 트라우트바인Michelle Trautwein은 미대생이었을 때 그녀의 삶에서 결정적인 순간을 경험했다. 파리의 일종인 강도래를 커다랗게 그려 과제로 공개했을 때다. 몸이 길쭉하고, 더듬이가 길며, 막으로 이루어진 날개 두 쌍이 달린 강도래를 생물학적으로 생생하게 표현한 그림이었다. "미대 교수님이 제 그림을 진짜 싫어하셨어요." 트라우트바인은 그렇게 회상했다. 교수는 하얀 캔버스에 축축한 고양이 사료를 발라놓은 학생의 작품을 훨씬 더 높이 평가했다. "그때 '아, 이제 끝났어. 그만둬

야겠다'라고 생각했던 기억이 납니다." 트라우트바인은 '파리에 완전히 매료되었다.' 그녀는 현재 캘리포니아 과학 아카데미California Academy of Sciences에서 일하는 뛰어난 곤충학자다.

강도래를 두고 사진이 잘 받는 곤충이라고 찬사를 늘어놓는 일은 거의 없다. 하지만 파리 중에도 사람들이 아름답다고 칭찬하는 종이 있다. 오스트레일리아 퀸즐랜드주에 서식하는 줄동애등에 Lecomyia Notha는 보는 각도에 따라 외골격 색이 달라 보이며 오팔 같기도 하다. 보라색과 파란색이 어우러져서 희미하게 빛난다. 비욘세말파리Plinthina Beyonceae는 가수 비욘세Beyoncé의 이름을 땄으며 배가 밝은 금색이다. 트라우트바인은 "곤충학은 정말 매력적이고 심미적으로 만족스러운 학문입니다"라고 말한다. 그녀가 파리를 비롯한 곤충에게 끌린 것은 그들이 '지구에서 사는 외계 생명체'를 닮았기 때문이었다.

"곤충은 셀 수 없을 만큼 개체 수가 많습니다. 저희는 곤충이 전부 몇 마리나 되는지 알지도 못합니다. 각 개체는 독특한 생명체입니다. 각각 생활사가 너무 특이해서 가짜로 생활사를 만들어보라고 해도 그렇게 하기 어려울 정도죠." 곤충의 종류는 놀라울 만큼 다양하지만 몸이 머리, 가슴, 배의 세 부분으로 이루어졌다는 공통점이 있다. 그뿐만 아니라 마디가 있는 다리 세 쌍, 겹눈, 더듬이, 외골격이 있다는 점도 똑같다.

이런 몸의 구조 덕택에 곤충들은 신기한 재주를 부릴 수 있다.

만일 몸집이 더 큰 동물들에게 이런 재주가 있었더라면 사람들은 분명히 감탄했을 것이다. 예를 들면 드라큘라 개미는 시속 322km로 턱을 움직일 수 있다. 지구에 사는 동물 중에서 가장 빠른 움직임이다. 드라큘라 개미의 사촌인 아프리카 마타벨레 개미는 다리가 여섯 개 달린 구급 대원처럼 다친 동료들을 서식처까지 후송한다. 쐐기벌레 중에는 추위와 맞서 싸우기 위해 자체적으로 부동액을 생성하는 종도 있다. 꿀벌은 숫자 0의 개념을 이해하고 덧셈과 뺄셈도 할 줄 안다. 곤충의 수가 너무 많다 보니 다 알 수도 없고 곤충 때문에 짜증도 난다. 공포 영화에 나오는 악역이 곤충을 본뜬 형상을 띠기도 하지만, 인간은 곤충 없이 살아가지 못한다. 그런데 곤충은 아무도 모르는 사이에 절멸할 위기에 처하고 말았다.

사실 곤충의 수가 급격하게 감소하는 데 대한 경종이 간간이 울리기는 했다. 지금처럼 크게 울리지는 않았더라도 말이다. 1936년에 미국 곤충학회의 첫 여성 회장 이디스 패치Edith Patch는 과일과 채소를 재배할 때 살충제 사용을 확대하는 행위를 비난하는 연설을 했다. "곤충이 인류에게 제공하는 서비스가 잘 알려지지 않은 것 같습니다. 우리가 곤충에게 얼마나 많이 의존하는지 아는 사람이 너무 적습니다. 식량과 의복 대부분과 다수의 기호 식품은 곤충 없이 누릴 수 없거든요. 식품업계와 의류업계는 산업에서 큰 비중을 차지하기도 하죠." 그녀는 당시에 앞을 내다보고 이런 말도 덧붙였다. "만일 인류의 목표가 위험한 곤충을 대량으로 멸종시키는 것이라면 시간이 지난 후 인간의 두뇌 덕택에 그런 목표를 달성할 수 있는 수단이 생길 겁니다."

　그 후로 수십 년 동안 인류가 여러 종의 곤충을 대량으로 살상하기 위해 '의식적으로' 머리를 맞대지는 않았다. 우리가 일부러 기후변화를 꾀해 해안 도시를 물에 잠기게 하거나 대규모 들불이 나도록 부채질하지 않은 것과 마찬가지다. 하지만 우리의 의지와 상관없이 그런 일이 일어나고 말았다. 곤충 서식지가 파괴되고, 유독한 화학물질이 살포되고, 지구 온도가 점점 높아지면서 인간은 자신도 모르는 사이에 그토록 의존하는 곤충들에게 끔찍한 환경을 만들어버렸다. 핀란드 자연사박물관에서 일하는 생물학자 페드로 카르도소 Pedro Cardoso는 이렇게 말한다. "저희가 만들어가는 세상은 곤충뿐만 아니라 인간에게도 문제가 되고 있습니다."

　곤충이 처한 위기가 정확히 어느 정도 규모인지는 알려지지 않았다. 규모를 파악하는 데 현실적인 어려움이 많기 때문이다. 이름이 있는 곤충만 해도 100만 종이나 된다. 하지만 곤충은 크기가 작고, 신비로우며, 광범위하게 추적되지 않아서 100만 종은 빙산의 일각에 불과하다. 아직 발견하고 이름 짓지 못한 곤충이 훨씬 더 많다. 그 수가 3,000만이나 된다고 예측하는 사람들도 있지만, 현실적으로는 550만에 더 가까울 것이다. "바깥세상에 뭐가 얼마나 있는지 저희가 어떻게 다 알겠습니까?"라고 굴슨은 말한다. "아마도 별의별 특이하고 멋진 생명체가 셀 수 없이 많겠죠."

종의 이름을 짓고 그 종이 생태계라는 큰 그림의 어디쯤 들어가야 하는지 알아내는 생물학자를 분류학자라고 부른다. 분류학자는 똑같은 듯 보이는 여러 종을 구분하려고 노력하는데, 이는 사실상 완수할 수 없는 일이다. 보통 사람은 어떤 개미는 까맣고 어떤 개미는 계피색이라는 것만 구분할 수 있다. 또 어떤 파리는 크고 어떤 파리는 작다는 정도만 구분할 수 있다. 하지만 그 이상은 구분하기 어렵다. 전문가들은 곤충을 분류하기 위해 생식기를 오랫동안 관찰해야 한다. 파리 전문가 맥앨리스터는 이렇게 말한다. "저희는 곤충 생식기를 만지작거리는 것을 좋아합니다. 파리를 해부하고 고환을 관찰하는 일을 가장 좋아하죠."

이 작업이 워낙 어렵고 분류학이 가면 갈수록 학생들이 옛날에 취미로 삼던 우표 수집의 자연사 버전 정도로 여겨지다 보니 지구상에 있는 모든 곤충을 파악하는 일은 절대로 끝나지 않을 것이다(학생들은 이제 분자생물학에 관심이 더 많다). 맥앨리스터는 "원숭이는 5만 명이 한 종을 연구하는데, 파리는 한 명이 5만 종을 연구합니다"라고 말한다. 분류학자들이 파리의 생식기를 관찰해서 어떤 종인지 한 마리씩 밝혀낼 때마다 그들의 책상에는 새로운 파리 종이 될 수 있는 잠재적 후보가 쌓여간다. 2016년에 캐나다 과학자들은 곤충 표본 100만 개 이상의 DNA 분석을 완료했다. 그러고 나서 캐나다에 곤충이 약 9만 4,000종이나 있을 것이라는 결론을 내리고 깜짝 놀랐다. 이는 처음에 예상했던 수치의 거의 2배나 되는 수치였기 때문이다.

캐나다 과학자들은 캐나다에 전 세계 곤충의 1%가 서식한다고 가정한다면 지구상에 곤충이 약 1,000만 종 있을 것으로 추정했다.

이미 알려진 곤충의 종만 따져보더라도 우리가 무척추동물의 세상에 살고 있다는 것은 확실하다. 인간에게 알려진 모든 동물 종의 5%만이 척추가 있다. 지구는 사람, 양, 쥐가 아닌 딱정벌레로 가득하다. 딱정벌레는 인간이 파악한 종만 무려 35만 가지다. 따라서 곤충을 떠올릴 때 곤충의 개체 수가 적어서 문제가 될 것이라는 생각은 쉽게 들지 않는다. 스미스소니언 박물관은 전 세계적으로 곤충이 약 1,000경 마리나 있을 것으로 추정한다. 메뚜기 떼에는 메뚜기가 10억 마리나 포함될 수 있다. 잉글랜드 남부에 서식하는 곤충 중 매년 날아서 이동하는 곤충만 하더라도 3조 5,000억 마리나 된다. 이 정도면 순록 2만 마리와 맞먹는 무게다.

만일 세상에 있는 흰개미를 전부 모아 거대한 공으로 만든다면 생물량이라고 불리는 이 무리는 지구상에 있는 모든 새를 합친 것보다 무게가 더 많이 나갈 것이다. 산업화가 이루어져 인구수가 급격하게 증가하기 전에는 이 세상에 있는 개미를 모두 모으면 인류 전체보다 무게가 더 많이 나갔을 것이다. 아이오와주립대학교의 두 과학자는 2009년에 이렇게 적었다. '오늘날 인류는 곤충의 바다에서 표류하는 중이다. 개체 수와 생물량만 따져보면 곤충이 지구상에서 가장 성공적인 동물이다.'

곤충은 놀라울 만큼 강하고 적응력도 뛰어나다. 사하라 사막

개미는 최고 70℃의 기온에서도 살아남을 수 있다. 반대로 남극깔따구 애벌레는 영하 15℃에서도 견디며 산소 없이도 최대 한 달이나 생존할 수 있다. 크기가 작은 물가 파리는 사람이 구워질 만큼 온도가 높은 옐로스톤 국립공원의 온천에서 서식하고 번식한다. 호박벌은 킬리만자로산 정상보다 조금 낮은 해발 5,500m에서도 볼 수 있으며, 잠자리는 최신형 헬리콥터를 추락시킬 정도로 강한 바람 속에서도 공중에 안정적으로 떠 있을 수 있다. 뿔이 있는 쇠똥구리는 힘이 워낙 세서 만일 사람이었으면 이층 버스 6대를 번쩍 들 수 있었을 것이다.

곤충에게는 특이한 특징이 많다. 곤충은 외골격에 있는 숨구멍을 통해 숨을 쉬고 복잡한 겹눈으로 세상을 본다. 그래서 잠자리 같은 곤충은 시야가 무려 360도에 이른다. 독침이 없는 벌은 인간의 땀과 눈물을 먹고 살며, 수컷 나비 중에는 생식기에 눈이 달린 종도 있다. 또 진딧물 중에는 알을 밴 새끼를 낳을 수 있는 종도 있다. 사실상 손주까지 낳는 것이다. 곤충은 대체로 급변하는 환경에서 지형의 특성과 관계없이 융통성 있게 길을 찾을 수 있다. 하지만 곤충은 수가 많다고 해서 쉽게 대체할 수 있는 생명체가 아니다. 어떤 식으로든 수분 매개, 유기물질 분해, 먹이사슬과 관련해서 각자 맡은 역할이 있다.

생태계에서 막대한 수의 곤충을 배제하면 인간이 포함된 생물망web of life 전체가 균형을 잃는다. 곤충계가 자체적으로 무너질 우려도 있다. 곤충의 약 10%가 주로 다른 곤충에 붙어사는 기생충이기 때문이다. 만일 특정한 말벌이 꼭두각시처럼 행동하고 알을 대신 낳아줄 애벌레를 찾지 못하거나 특정한 파리가 개미에 기생해서 뇌를 장악하고 목을 자르지 못하면 이들 역시 멸종 위기에 처할 수 있다. 과학자들이 곤충의 삶에 관한 퍼즐을 끼워 맞추기 시작하면서 이런 위험한 시나리오가 이제 뚜렷하게 드러나고 있다. 경종을 울린 문서가 2014년에 나오긴 했었다. 문서에는 여러 연구를 요약한 결과가 실렸는데, 국제자연보전연맹IUCN이 기록한 '무척추동물의 3분의 1이 개체 수가 줄어들고 있다'는 내용이었다. 이런 동물들은 지난 40년 동안 개체 수가 전 세계적으로 45%나 감소했다. 척추동물과 거의 2배나 차이 나는 수치다.

메뚜기와 귀뚜라미가 속한 메뚜기목 곤충은 거의 모두 쇠퇴의 길을 걷고 있다. 딱정벌레목도 사정은 마찬가지다. 연구 데이터를 내놓은 국제자연보전연맹은 "이런 동물들의 쇠퇴는 생태계의 기능과 인간의 행복에 막대한 영향을 미칠 것이다"라고 경고했다. 연구에서는 곤충계에서 시작된 이 재앙을 지구의 여섯 번째 대멸종이라고 알려진 사건의 범주에 포함시켰다. 공룡이 멸종한 이후 역사상 유례없는 수준으로 자연이 인간의 공장과 불도저에 의해 계속 파괴되고 있기 때문이다.

사람들에게 인기 많은 호랑이, 코뿔소, 코끼리, 북극곰이 대표적인 대량 멸종 위기 동물이다. 이런 동물들은 '카리스마가 있는 거대 동물charismatic megafauna'이라는 이상한 용어로 불리며 미디어와 환경 보전 모금 운동에 단골손님으로 등장한다. 지구의 생물 다양성을 보전하려는 노력의 성공 여부는 영화 캐릭터, 광고 모델, 동물 인형, 스포츠 팀의 로고 등으로 꾸준하게 쓰이는 거대 동물 몇몇 종의 운명에 달렸다고 해도 과언이 아니다.

곤충학자 사이먼 레더Simon Leather가 말하는 '척추동물 위주의 제도'는 조지 오웰George Orwell의 《동물농장》에 등장하는 '모든 동물이 평등하지만, 어떤 동물은 다른 동물보다 더 평등하다'라는 구절을 연상시킨다. 우리는 어떤 동물은 눈물을 글썽이면서 가여워하고, 어떤 동물은 신경도 쓰지 않는다. 애석하게도 곤충은 주로 두 번째 카테고리에 해당한다.

곤충은 연체동물, 벌레, 그리고 지구상에 있는 생물 종 중 대다수를 차지하는 다른 무척추동물과 함께 과학계와 대중의 관심을 많이 받지 못했다. 곤충학자들은 이런 상황을 반전시키기 위해 이따금 쇼맨십을 발휘하기도 했다. 새로 발견한 뿔매미 종은 가수 레이디 가가Lady Gaga의 이름을 따서 지은 것이다. 뿔매미 뿔의 '패션 감각이 독특했기' 때문이다. 영화배우 아널드 슈워제네거Arnold Schwarzenegger의 이름을 딴 딱정벌레도 있고, 밴드 핑크 플로이드Pink Floyd의 이름을 딴 말벌도 있다. 그런데도 사람들은 곤충에 정을 붙이기 어려워한다.

미국의 자연보호 단체 서세스 소사이어티Xerces Society의 전무

이사 스콧 호프먼 블랙Scott Hoffman Black은 정기적으로 학교에서 지원 활동을 한다. 블랙의 말에 따르면 어린아이들은 곤충에 매료되고 곤충과 시간을 보내길 원한다고 한다. 하지만 아이들이 중학생이 되면 이런 태도가 달라진다. 블랙은 이렇게 말한다. "여러 아이가 곤충을 매우 무서워하고, 싫어하고, 역겨워합니다. 저는 부모님, 친구, 심지어 선생님까지 그렇게 가르쳤기 때문이라고 생각합니다." 미디어도 곤충의 이미지를 부정적으로 만드는 데 한몫했다. 영국에서는 매년 개미들이 짝을 찾기 위해서 떼로 날아다닌다. 2020년에 〈리버풀 에코Liverpool Echo〉는 이 연례행사를 다룬 머리기사의 제목을 '공포 영화의 한 장면처럼 개미가 날아다니다—곤충 떼가 머지사이드주를 습격하다'라고 뽑았다. 기사에 따르면 아이들이 무서워서 소리를 질렀고 마치 히치콕Hitchcock 영화에 나오는 장면을 보는 것 같았다고 말한 남자도 있었다고 한다. 우리는 자연의 풍요로움을 두려워해야 한다고 배웠다. 사실 그 반대여야 하는데도 말이다.

우리는 인류가 무엇을 잃고 있는지 몰랐다. 신경을 별로 안 써서 그랬을 수도 있고, 위태로운 상황이 무엇인지 제대로 몰라서 그랬을 수도 있다. 언젠가부터 부주의와 무지가 혼란스럽게 뒤엉켜버렸다.

그러다 갑자기 모든 것이 달라졌다. 대중이 곤충의 위기를 자각하게 된 것이다. 마치 파도를 맞는 것처럼 여러 번에 걸쳐 대중이 위기를 인식하게 되었고, 이런 일은 계속 이어지고 있다. 곤충의 위기가 사람들에게 본격적으로 알려지기 시작한 시점은 2017년 10월 18일이라는 구체적인 날짜로 거슬러 올라간다.

그날 샌프란시스코에 본사를 둔 오픈 액세스 과학 학술지 〈플로스 원PLOS One〉은 논문 한 편을 발표했다. 네덜란드, 영국, 독일 과학자 십수 명이 함께 작성한 논문이었다. 논문 제목은 솜씨 좋은 학자들이 정한 티가 났고 간단명료했다. 바로 '27년 동안 동물 보호구역에서 날아다니는 곤충의 총 생물량이 75% 이상 감소하다'였다. 논문에서는 우리가 처한 이 절망적인 상황을 자세히 탐구했다. 한 연구는 독일의 자연보호구역 63곳에 서식하는 곤충의 개체군을 다루었는데 드물게 장기간에 걸쳐서 이루어졌다. 이 연구는 현재 상황이 재앙이나 다름없다고 주장했다. 1989년 이후 덫에 걸린 날아다니는 곤충의 연간 평균 무게가 76%나 감소했다는 것이다. 곤충의 개체 수가 정점을 찍는 한여름의 수치는 더 충격적이었다. 평균 무게가 82%나 줄어들었기 때문이다.

논문에 따르면 날씨와 토지 이용의 변화가 전체적인 개체 수 감소의 원인은 아니라고 한다. 곤충이 적극적으로 관리되는 보호구역에 서식하고 있었는데도 주변 농지에서 일어나는 활동(살충제 사용, 길가에 피는 꽃이 사라짐) 때문에 피해를 본 것으로 여겨진다. 하지만 이런 '생태학적인 덫' 이론이 옳다고 확실하게 결론이 난 것은 아니다. 더 긴급한 문제는 곤충이 독일 같은 선진국에 있는 보호구역에서 그렇게 급속도로 없어지고 있다면 지구상에 안전한 곳이 대체 어디일까 하는 것이다.

연구진의 전망은 어두웠다. 연구에 참여한 네덜란드 생태학자 한스 드 크룬Hans de Kroon은 이렇게 말했다. "우리는 이런 암울한 추세가 조금도 수그러지지 않으면 어떤 일이 일어날지 상상조차 할 수 없습니다." 그의 동료 연구원인 굴슨은 어떤 일이 일어날지 상상해 봤다. "우리는 광대한 땅을 생명체 대부분이 살아가기 어려운 곳으로 만들고 있는 것 같습니다." 그는 후손들이 '심각하게 빈곤해진 세상'을 물려받을 것으로 내다봤다.

이 연구 결과는 전 세계적으로 큰 반향을 불러일으켰다. 파리, 나방, 벌, 나비의 사투에 대해 대중의 유례없는 관심을 이끌어냈을 뿐만 아니라 언론이 성경에 나오는 단어를 사용하게 만들기도 했다. 〈가디언The Guardian〉은 머리기사 제목으로 '곤충의 급격한 감소에 따른 '생태학적인 아마겟돈'의 경고'를 선정했고, 더 힌두The Hindu는 '곤충의 멸종: 독일의 곤충 연구자들이 사이렌을 울리다'라는 제목의 기사를 실었다. 〈뉴욕 타임스New York Times〉 역시 '곤충 아마겟돈'을 언급하고 나서 1년 뒤 잡지 기사에서 '곤충의 멸종이 시작되었다'라고 분명하게 밝혔다. 〈내셔널 지오그래픽National Geographic〉은 딱정벌레와 나방이 가득한 사진을 표지에 싣고는 '막상 곤충이 사라지면 그리워하게 될 것이다'라며 애석해했다.

'인섹타겟돈insectageddon(곤충 멸종 사태)'이라는 합성어가 탄생했고, 이 용어는 금세 각종 미디어에 등장했다. 그러는 사이에 언론의 반응은 점점 절망의 끝을 향해 치달았다. 〈르 몽드Le Monde〉에 실린 '바구미에게 연민을!'이라는 기사에서 철학자 티에리 오케Thierry Hoquet는 이렇게 말했다. "곤충에게 화학 공격을 가하는 바람에 지구 상의 모든 생명체가 공격받았다."

이런 관심은 주목받기를 불편해하는 크레펠트 곤충학회Krefeld Entomological Society 회원들에게 주로 쏟아졌다. 크레펠트 곤충학회 는 다양한 분야의 실무 과학자('아마추어'라는 칭호가 널리 쓰이지만 사람들이 싫어하는 경우가 많다)로 구성되었다. 그들은 네덜란드, 독일, 영국 과학자 들이 추진하는 연구를 위한 자료를 수집했다. 방송 촬영진이 학회를 또 한 번 방문하자(이번에는 오스트레일리아 공영방송 ABC(Australian Broadcasting Corporation)사의 촬영진) 곤충학회 회장 마틴 소르그Martin Sorg는 이런 소동이 성가시다고 말했다. 그는 "세계 각 지에서 이메일과 질문을 이렇게까지 많이 보내주실 거라고 전혀 예 상하지 못했습니다"라고 인정했다.

소르그는 긴 회색 머리에 존 레넌John Lennon 스타일의 안경을 끼고 구겨진 옷과 샌들을 즐겨 착용한다. 그는 곤충 수의 급감을 다 룬 연구와 그런 현상이 나타나는 것에 대한 걱정을 상징하는 얼굴이 되었다. 자기도 모르는 사이에 벌어진 일이었다. 하지만 소르그는 신 중한 사람이다. 그는 왜 다른 사람들이 지금까지 곤충에 대한 표준화 된 장기 조사를 시행할 생각을 안 했는지 의아해했다. "눈을 감은 채 자동차를 운전하는 것이나 마찬가지죠. 그렇게 운전하면 운이 좋을 수도 있고 나쁠 수도 있습니다. 정보가 적을수록 위험 부담이 높아집니다. 왜 우리만 그런 생각을 했는지 모르겠습니다."

빅토리아 시대의 용기 있는 곤충 연구가들 이후로 과학자들은 곤충의 행동에 대한 의문을 해소하거나 흥미롭고 새로운 종을 찾아내려고 부단히 노력했다. 그토록 많은 곤충의 수를 실제로 세려고 시도하는 것은 힘들고 단조로운 일이며 의미가 없다고 여겨졌다. 덫을 일일이 확인하고, 각종 수치를 수집하고, 연구 비용이 지급되는 3년이라는 기간을 넘어 수십 년 동안 이런 작업을 해내야 하기 때문이다. 보즈텍 노보트니Vojtech Novotny는 체코의 생태학자다. 그는 1년의 절반을 파푸아뉴기니의 열대우림에서 보내며 커다란 대벌레와 나비를 연구한다. 노보트니는 "곤충에 관해서 할 수 있는 흥미로운 연구가 너무 많아서 곤충 수를 파악하는 일은 꽤 지루할 것 같습니다"라고 말한다.

하지만 소르그와 그의 동료들은 축구 경기에서 점수를 기록할 필요성을 깨달은 유일한 사람들이었다. 다른 사람들은 점수의 중요성을 뒤늦게 알아차렸다. 곤충에 사로잡힌 각양각색의 사람들이 이룩한 필생의 업적은 크레펠트의 오래된 학교 건물에 집중되어 있다. 독일 북서부에 있는 도시인 크레펠트는 한때 실크 생산지로 유명했다. 크레펠트 동쪽으로는 라인강 줄기가 가로지르며, 서쪽으로는 멀지 않은 곳에 네덜란드 국경이 있다. 크레펠트 곤충학회는 1905년부터 줄곧 덫을 설치하고, 곤충을 관찰하고, 관찰 사항을 기록으로 남겨왔다. 이 기간에 학회 회원들은 분류학과 동물의 행동을 다룬 출판물 수천 편을 잇달아 발표했다.

학회 건물 2층은 알코올이 담긴 병에 든 곤충 표본으로 가득하다. 소르그는 그 층에 곤충이 1억 마리나 있을지도 모른다고 추정했다. 쓰지 않는 교실에 무거운 커튼을 쳐서 빛을 차단하고 라벨이 붙은 병에 곤충을 보관한다. 곤충 약 100만 마리를 말려서 바늘로 절개하고 액자에 넣어둔 구역도 있다. 라인강 유역과 그 너머에 사는 나비, 딱정벌레, 벌, 꽃등에, 잠자리 등이 이곳에 있다.

결정적으로, 연구원들은 정확한 비교를 위해서 지난 40년 동안 시골 전역에 똑같이 통제된 환경을 만들어 덫을 설치했다. 이들이 설치한 덫은 말라이세 트랩Malaise Trap이라고 불린다. 스웨덴 곤충학자 레네 말라이세René Malaise의 이름을 땄기 때문이다. 말라이세는 1930년대에 덫의 기본적인 디자인을 개발했는데, 허공에 떠 있고 양쪽이 열려 있는 텐트처럼 생겼다. 덫이 날아다니는 곤충을 잡아 채광이 좋은 부분으로 올려보내면 곤충이 알코올에 갇히는 원리다. 이런 방식으로 곤충의 사체가 매일 몇 그램(0.5티스푼)씩 쌓인다.

크레펠트의 관찰 팀은 해마다 같은 자연보호구역에서 곤충을 채집하고 곤충의 무게를 기록했다. 자연보호구역은 독일 전역에 있는 농지에 속한 목초지이며 새, 작은 포유동물, 들꽃으로 가득하다. 그런데 2011년, 그리고 2012년에도 관찰 팀은 무엇인가가 잘못되었다는 것을 알아차렸다. "곤충이 1년 동안 1,000그램 넘게 있어야 할

곳에 매년 300그램이나 350그램밖에 없었습니다. 충격적이었습니다"라고 소르그는 말한다. 곤충의 풍부함에 관한 곤충학회의 기록은 시간의 흐름에 따른 기술 변화와 함께했다. 그래서 수기로 작성한 메모부터 타자기로 치거나 플로피디스크에 저장한 문서까지 형태가 다양하다. 소르그와 그의 동료들은 이 기록을 뒤져보면서 1989년과 비교했을 때 곤충 수가 한참 줄어들었다는 것을 알아차렸다. 1989년은 표준화된 덫을 사용하던 초창기에 해당한다.

그래서 그들은 외부 과학자들의 도움을 받아 점점 악화되는 곤충들의 상황을 파악하는 일에 나섰다. 그 전까지는 별난 괴짜 취급을 받았지만, 그들은 1만 년 전에 매머드가 유럽 대륙에서 사라진 이후로 멸종된 여러 동물에 대한 증거를 수집했다. 어쩌면 곤충은 공룡이 멸종되었을 때부터 개체 수가 줄어들고 있었을지도 모른다. 그런데도 소르그는 독일에서 곤충 수가 상당히 감소했다는 관찰 결과를 접하고 나서도 그리 크게 놀라지 않았다. 소르그와 다른 곤충학자들은 한참 전부터 곤충의 수가 급감하는 것에 대해 이야기를 나눴기 때문이다. 곤충학회 건물에 보관된 먼지 쌓인 두꺼운 책을 봐도 제2차 세계대전이 일어나기 전부터 곤충 수가 줄어들고 있었다. 소르그는 "하지만 저희도 곤충이 이 정도 규모로 줄어들 거라고는 예상하지 못했습니다"라고 인정한다.

감춰져 있던 곤충의 위기는 인간이 환경을 약탈하는 또 다른 슬픈 예처럼 보였다. "독일에서 진행한 연구가 발표되기 전에는 곤충에게 문제가 있다는 것을 대중이 전혀 몰랐습니다. 곤충이 어떤 식으로든 가치가 있다는 것도 잘 몰랐고요." 굴슨의 말이다. 그는 1990년대에 호박벌을 본격적으로 연구하기 시작했다. 한때 잉글랜드 남부에서 흔히 볼 수 있었던 여러 종이 사라졌다는 사실을 알아차린 것이 계기가 되었다. "이제 슬픔에 잠긴 곤충학자 몇 명만 걱정하는 것이 아니라서 좋네요. 사람들이 깨어나기 시작했습니다."

크레펠트에서 진행되는 작업은 생물량을 측정한다는 점에서 주목할 만하다. 이런 방법은 곤충 개체 수의 전반적인 변화를 추적하기에 유용하며 포획한 곤충을 일일이 구분하고 세는 까다로운 작업보다 속도도 더 빠르다. 하지만 새로운 질문을 낳기도 한다. 만일 덫에 걸린 곤충의 총 무게가 줄어들었다면 호박벌이나 무거운 딱정벌레처럼 크기가 큰 곤충의 수만 감소하고 다른 곤충의 개체 수는 비교적 안정적인 것일까? 아니면 모든 종의 개체 수가 급격하게 줄어들고 있는 것일까? 같은 종에서도 일부만 개체 수가 감소하는 것일까, 아니면 그 종이 전체적으로 위기에 빠진 것일까?

소르그는 단순히 생물량의 감소보다 '돌이킬 수 없는 종의 멸종'에 초점을 맞춰야 한다고 주장한다. 그는 100년 전에는 크레펠트 지역에 호박벌이 약 24종 있었다는 기록이 있는데 지금은 절반으로 줄었다고 지적한다.

곤충의 멸종은 인간이 환경과 관련해서 느끼는 행복감에 큰 타격을 입힌다. 종이 멸종되면 삶이라는 태피스트리를 구성하는 대체

불가능한 실이 빠지는 격이다. 중요한 기능을 수행하거나 세상을 더 활기차고 흥미로운 곳으로 만드는 생명체들이 사라지는 것이다. 페린Perrin 동굴 딱정벌레나 서세스Xerces 블루 나비처럼 사라져버린 곤충들은 도도새처럼 명성을 누리지 못하더라도 마찬가지로 고유한 생명체였으며 멸종된 이상 되살릴 수 없다.

절지동물(곤충, 거미, 지네 등이 포함된 광범위한 문門)의 감춰진 복잡한 본성을 생각하면 절지동물 몇 종을 통째로 없애버리는 것은 놀랍도록 쉬운 일이다. 땅을 걷다 보면 낙엽, 바위, 나무처럼 평범한 것만 눈에 띌 것이다. 하지만 그런 환경은 다양한 곤충이 살아가는 초소형 집이다. 시선을 위로 향하면 나무껍질과 우거진 숲이 보이는데, 이런 환경 또한 셀 수 없을 만큼 많은 종의 곤충이 서식하는 곳이다.

이런 땅을 평평하게 만들어 스타벅스 매장을 짓거나 콩을 집약적으로 경작하는 농지를 만들면 흔히 볼 수 있는 다수의 곤충이 죽어나간다. 특수한 환경에서 서식하는 다른 곤충들도 마찬가지다. 이런 보기 드문 곤충 중 일부는 다른 곳에서 살아가고 있을지도 모르지만, 나머지는 세상에서 사라졌을지도 모른다. 우리 눈에 보이지 않는 곤충이 너무 많다 보니 개체 수의 변동은커녕 멸종되는 종을 일일이 추적하기도 어렵다. 우리는 귀한 난초가 핀 들판을 마구잡이로 짓밟는 무스처럼 실수를 저지르는지도 모른 채 종의 멸종을 촉발했다.

셀 수 없이 많은 종의 곤충이 우리가 그런 종이 존재했다는 사실을 알아차리기도 전에 없어졌을 것이다. 이런 유형의 멸종을 일컫는 용어도 있다. 바로 센티넬라 멸종Centinelan Extinction이다. 이 용어는 안데스산맥 기슭에 있는 에콰도르의 산등성이를 따서 이름 지었다. 그곳에는 인간이 이름 붙이기도 전에 사라져버린 새로운 종이 넘쳐난다. 상황이 이렇다 보니 곤충의 위기가 얼마나 큰 규모로 일어나고 있는지 연구원들이 알아차리기 어렵다.

　　우리는 곤충의 멸종이라는 연극의 1막이나 2막을 보고 있는 건지도 모른다. 연구원 25명이 공동으로 작성한 한 논문에는 '과학자들이 곤충의 멸종에 대해 인류에게 보내는 경고'라는 불길한 제목이 붙었다. 이 논문에서는 지구상에 존재하는 곤충의 약 5분의 1만 이름이 있다는 내용이 나온다. 그나마도 과학자들이 표본 하나만 보고 지은 이름이다. 하지만 이 논문에서는 대규모 산업화 시대 이후 곤충 종의 5~10%가 멸종되었다는 사실을 밝혀냈다. 파리에 있는 프랑스 자연사박물관에서 일하는 클레르 레니에Claire Régnier의 이전 연구와 달팽이의 멸종을 바탕으로 만든 공식 덕택이었다. 이 말은 곤충 25만~50만 종이 사라졌다는 뜻이다. 증기기관과 백열전구가 발명되고 나서부터 현재까지 그토록 짧은 기간에 존재하고 이름도 붙은 종의 최대 절반이나 멸종한 것이다. 논문에는 이런 구절이 나온다. '우리는 여러 생태계를 회복할 수 없는 지경까지 밀어붙이고 있다. 그 결과가 곤충의 멸종으로 나타나는 것이다. 곤충의 감소는 인류에게 필수적이고 대체 불가능한 서비스의 부재로 이어진다. 곤충 종을 살리는 것은 생태계뿐만 아니라 인간의 생존에도 긴급한 일이다.'

우리는 어쩌면 이미 멸종된 종을 확인하기보다는 사라질 위기에 놓인 종을 알아내는 능력이 더 뛰어날지도 모른다. 하지만 이런 점은 별로 위안이 되지 않는다. 2019년에 유엔이 발표한 획기적인 연구 결과에 따르면, 수십 년 안에 무려 100만 종의 동물이 멸종될 위기에 처해 있다고 한다. 머지않아 사라질 종 중 절반은 곤충이 될 것이다. 전체적으로 봤을 때, 이 말은 19세기 후반부터 21세기 중반까지 다양한 딱정벌레, 나비, 벌, 다른 곤충 100만 종이 영원히 사라진다는 뜻이다. 이는 실로 엄청난 규모다. 상황이 실제로 이렇게 전개되면 현존하는 어류, 조류, 포유류의 변종을 전부 합친 것보다 더 많은 종의 곤충이 없어질 것이다.

전반적인 곤충 수가 감소하는 것도 문제다. 어쩌면 사라지고 있는 종의 수만큼 큰 문제일지도 모른다. 과학자 25명이 쓴 경고성 논문에 실렸듯이 멸종 위기에 처한 희귀종만 감소하는 것은 아니다. 흔히 볼 수 있는 곤충도 점점 사라지고 있으며, 이런 추세는 주변 환경에 심각한 영향을 미친다.

각기 다른 레버를 당기면 일련의 다양한 결과가 나타나기 시작할 것이다. 절지동물 중에는 쥐며느리, 노래기, 톡토기처럼 죽은 식물을 씹고, 식물의 뿌리 표면에 핀 곰팡이를 뜯어 먹고, 식물이 성장하도록 영양소를 배출하는 곤충도 있다. 쇠똥구리처럼 쓰레기를 먹는 곤충은 배설물, 썩어가는 식물, 사체에서 영양소를 뽑아낸다. 이런 곤충이 없다면 전부 그대로 썩어서 없어졌을 것이다. 무당벌레나

풀잠자리는 진딧물 같은 병충을 잡아먹는다. 흰개미의 건축 능력은 불모지를 비옥한 밭으로 변신시키는 데 도움이 된다. 흰개미는 딱딱한 땅을 뚫고 굴을 파서 땅이 물과 영양소를 흡수하도록 돕는다.

만일 이렇게 특수한 임무를 수행하는 곤충이 멸종해버리면 토양과 식물의 건강을 유지하는 것과 같은 생태계의 필수 기능이 약해질 것이다. 게다가 이런 곤충들을 대량으로 잡아먹는 동물도 있다. 예를 들면 푸른박새 어미는 새끼의 목구멍으로 애벌레를 100여 마리씩 밀어 넣어줘야 한다. 몇몇 곤충 종이 없어진다고 해서 새들이 큰 영향을 받지는 않을 것이다. 개체 수가 많은 다른 곤충을 잡아먹을 수 있다면 말이다. 그러나 전반적인 곤충 수가 크게 줄어들면 이야기가 달라진다. 우리는 곤충의 개별적 특성에 감탄하지만, 곤충은 생태계에서 대개 대규모로 집단을 이뤄서 임무를 수행한다. 곤충 세계의 폭뿐 아니라 깊이도 중요한 것이다.

물론 곤충만 박해를 당하는 것은 아니다. 앞서 살펴본 유엔 보고서(멸종 위기에 처한 동물이 100만 종에 이른다고 밝힌 보고서)에 따르면, 지구상에 있는 땅의 4분의 3이 인간의 활동 때문에 근본적으로 달라졌다고 한다. 또 플라스틱으로 인한 오염이 1980년대 이후로 10배나 증가했으며 산업화 시대에 삼림지대의 3분의 1이 사라졌다고 한다. 인류가 자연을 짓누르다 보니 우리 자신도 짓눌리고 있다는 것을 사람들이 깨닫기 시작했다. 유엔의 평가에 참여했던 공동 의장 요제프 세텔레Josef Settele는 이렇게 말했다. "지구상의 필수적인 생물망이 점점 줄어들고 소모되고 있습니다. 생물망의 손실은 인간의 활동에 따른 결과이며 전 세계 모든 사람의 행복에 직접적인 위협을 가합니다."

생물 다양성이 감소하는 현상은 기후 위기와 비슷한 수준으로, 어쩌면 기후 위기 수준이거나 더 심각한 문제일지 모른다. 기후 위기가 생물 다양성을 악화시키면서 두 문제가 서로 겹치는 부분도 있다. 최근에 여러 학자가 앞다퉈서 곤충의 위기에 대해 경고하는 상황은 기후변화가 중대한 문제로 부상한 것과 매우 유사한 과정을 거치고 있다. 알람이 몇 번 크게 울렸는데도 무시했다가 벼랑에 가까워지자 뒤늦게 걱정하게 된 것이다. 우리는 지금 이 불안정한 상황의 클라이맥스를 향해 조금씩 나아가고 있는지도 모른다. 생물학자 페드로 카르도소는 오랫동안 거미와 곤충에 집착했다. 그는 특히 기생벌에 관심이 많다. "기생벌의 생활 방식은 너무나 멋집니다. 숙주의 뇌를 조종하거든요." 하지만 지난 10년 동안 카르도소는 곤충이 감소하는 추세를 쓸쓸하게 연구했다. "포유동물과 새에 모든 관심이 쏟아지는 것을 보면 속상할 때도 있습니다. 작은 일이 모여 생태계에 중요한 사건이 일어나거든요."

하지만 최근에는 카르도소도 분위기가 달라진 것을 느꼈다. 그가 가나에서 초목 사이를 살펴보거나 핀란드에서 벌레를 잡고 있으면 현지인들이 더는 보이지 않는 곤충에 대해 이야기하려고 다가온다. 그들은 이곳에 모여들던 무당벌레가 사라진 것을 애석해하고 곳곳을 날아다니던 나비들을 그리워했다. "예상 밖의 사람들이 그런 반응을 보이더라고요. 자기가 곤충에 신경 쓰고 있다는 사실조차 알아차리지 못했던 사람들이죠." 그는 이렇게 덧붙인다. "요새 쏟아져 나오는 논문이 저희 일에 도움이 됩니다. 어떤 일이 일어나고 있는지 사람들이 드디어 깨닫기 시작했기 때문이죠." 물론 곤충에 관련된 환경 운동 규모는 여전히 기후변화와 비교할 수 있는 정도는 아니다. "어쩌면 저희 분야에도 그레타 툰베리Greta Thunberg 같은 인물이 나타날지도 모르죠"라고 카르도소는 말한다.

모두를 놀라게 한 크레펠트 연구가 출판되고 나서 거의 1년이 흐른 후 다른 연구가 부상했다. 한 곤충학자는 이 연구를 두고 "내가 읽은 논문 중 몹시 충격적인 것 중 하나였다"라고 언급했다. 곤충의 위기가 유럽을 넘어 아메리카 대륙으로 건너간 것처럼 보였다.

뉴욕주 북부에 사는 생태학자 브래드 리스터Brad Lister는 1970년 대 중반에 푸에르토리코의 열대우림으로 연구 원정대를 이끌었다. 그곳에 서식하는 곤충뿐 아니라 그런 곤충을 잡아먹고 사는 포식자들(새, 개구리, 도마뱀)을 기록하기 위해서였다. 엘 윤케El Yunque 열대 우림은 시에라 데 루키요Sierra de Luquillo산맥 산비탈에 있다. 푸에르 토리코의 동쪽 끝에서 가까운 곳이다. 이 열대우림은 풍부한 생물 다양성을 자랑하며, 여기에는 멸종 위기에 처한 푸에르토리코 앵무새, 떨리는 소리로 우는 코키Coquí 개구리, 다양한 뱀이 서식한다. 리스 터는 이 원정을 떠나기 위해서 방수 재킷을 준비해야 했다. 엘 윤케에는 매년 비가 약 6,050억 리터나 내리기 때문이다.

리스터는 곤충을 잡기 위해서 앨프리드 러셀 월리스Alfred Russel Wallace와 찰스 다윈이 살던 시절에 쓰던 것과 크게 다르지 않은 원시적인 끈끈이를 이용했다. 그는 끈적끈적한 탱글풋(Tanglefoot, 국화과의 잡초 – 역주)을 여러 개의 플라스틱 접시에 발랐다. 그러고는 숲에 들어가서 땅바닥과 수풀 여기저기에 접시를 놓아두었다. 해가 질 때가 되면 접시는 곤충이 하도 많이 들러붙어서 시커메졌다. 그러면 횃불을 이용해 곤충을 접시에서 떼어내고 말린 다음 무게를 측정했다. "그 당시에는 그렇게 하는 데 시간이 오래 걸렸습니다"라고 리스터는 회상한다. 그는 35년 뒤에 후속 작업을 하기 위해 엘 윤케로 돌아갔다. 이번에는 동료 안드레스 가르시아Andrés García와 동행했다. 가르시아는 멕시코국립자치대학교의 생태학자였다. 리스터는 엘 윤케에 돌아갔을 때 무엇인가 달라졌다는 것을 곧바로 알아차렸다. 동물들이 사라진 것이다. 한때 나비로 가득했던 커다란 물웅덩이는 텅 비어 있었고, 머리 위로 날아다니는 새도 별로 없었다.

두 사람은 끈적거리는 접시로 테스트해보고 나서 의심이 깊어졌다. "첫날이 지났을 때 안드레스가 '곤충이 다 어디 갔죠?'라고 물었습니다. 그래서 제가 '좋은 질문입니다'라고 대답했습니다. 주변에 아무것도 없는 것 같았거든요. 무엇인가 잘못되었다는 징조가 보였습니다."

1970년대에는 플라스틱 접시에 곤충이 잔뜩 들러붙었지만, 이

번에는 고작 표본 2개만 붙어 있을 뿐이었다. 이런 추세는 나날이 이어졌고, 두 사람은 사기가 떨어졌다. 관찰 결과가 발표되자 첫 번째 연구 원정 때 얻은 결과와 더 명백하게 비교되었다. 땅에 사는 곤충의 생물량이 98%나 사라져버렸다. 땅보다 위에 있는, 잎이 무성한 수풀에 사는 생물은 80%가 없어진 상태였다. "정말 놀라운 결과였습니다"라고 리스터는 말한다.

리스터와 가르시아는 아놀도마뱀도 잡았다. 아놀도마뱀은 몸이 가느다랗고 초록색이며 목이 새빨간 파충류다. 두 사람은 포획한 아놀도마뱀의 총 무게가 1970년대 이후 30% 이상 감소했다는 사실을 알아냈다. 리스터는 이것이 열대우림이 '상향식 영양 종속upward trophic cascade'에 따른 붕괴 상태임을 알려준다고 말한다. 상향식 영양 종속은 전형적인 영양 종속(먹이사슬이 연쇄적인 효과를 일으켜 작은 변화로 생태계 전체가 달라지는 현상 – 역주)이 아래에서 위로 일어나는 것을 뜻한다. 참고로 늑대나 호랑이 같은 지배적인 포식자 때문에 포식자 아래에 있는 먹이사슬이 뒤틀리고 주변 환경이 변화를 겪는 경우가 바로 일반적인 영양 종속이 일어났을 때다.

이와 반대로 상향식 영양 종속인 곤충의 멸종은 젠가Jenga 게임을 하다가 밑에 있는 나무 블록을 너무 많이 빼낸 것이나 마찬가지였다. 젠가 탑 아랫부분이 흔들려서 위에 있는 블록들이 떨어진 것이다. 새, 개구리, 도마뱀이 먹을 것이 없어서 굶어 죽는 바람에 개체수가 줄어들었다. 엘 윤케는 푸에르토리코가 스페인의 식민 지배를 받던 시절부터 보호구역으로 지정되었다. 그래서 리스터와 가르시아는 인간의 개입을 곤충이 멸종하는 원인에서 제외해도 된다고 판단했다. 화학물질을 이용한 농사 같은 인간의 행위가 곤충이 감소하는 현상을 촉발하지 않았다고 본 것이다. 그 대신 두 사람은 지구가 점점 뜨거워지는 현상을 이 사태의 주범으로 꼽았다.

연구가 발표됐을 때 리스터는 처음에 이 연구에 대한 언론의 보도가 과장되었다고 생각했다. 리스터는 이렇게 말한다. "〈워싱턴 포스트Washington Post〉가 '곤충의 파멸'이라고 썼길래 저는 '아이고, 이제 내 평판이 안 좋아지겠네'라고 생각했습니다. 하지만 지금 생각해보면 그것이 정확한 표현이었던 것 같습니다. 저는 훨씬 더 급진적으로 변했거든요. 우리는 전 세계적으로 곤충의 세상이 무너지는 모습을 지켜보고 있습니다. 그런데도 이런 사태가 우리에게 큰 영향을 미친다는 위기의식을 여전히 느끼지 못하고 있습니다."

곤충에게 닥친 위기에 대한 세 번째 경고는 리스터와 가르시아의 연구가 발표된 지 불과 몇 달 후 세상에 모습을 드러냈다. 오스트레일리아 출신의 과학자 2명, 즉 생태학자 프란치스코 산체스-바요Francisco Sánchez-Bayo와 크리스 웨익Kris Wyckhuys이 현 상황을 분석한 결과를 발표한 것이다. 이 논문은 전 세계적으로 곤충이 처한 위기를 가장 대담하게 묘사했다. 지금껏 지구상에 존재한 수많은 생명체 중 이렇게 큰 위기에 놓인 동물은 많지 않다. 메타 연구 결과, 핵심은 놀랍게도 전 세계 곤충 종의 40%가 감소하고 있으며 3분의 1이 당장 멸종 위기에 놓였거나 '향후 몇십 년 안에' 그런 위기에 처하리라는 것이었다. 이 분석에 따르면, 곤충이 멸종되는 속도는 포유동물이나 새보다 8배나 빠르다고 한다. 또 세계적으로 곤충의 총량이 매년 2.5%씩 맹렬한 속도로 감소하고 있다고 한다.

연구원들은 전 세계 곤충의 감소를 다룬 보고서 73편을 살펴보고는 인시목(나비와 나방 포함)과 막시목(벌, 말벌, 개미)이 쇠똥구리와 함께 가장 큰 타격을 입었다는 결론을 내렸다. 잠자리목(잠자리와 실잠자리)과 강도래목(강도래로도 알려져 있음) 같은 수서곤충은 '이미 종의 상당 부분을 잃었다'라고 논문은 밝히고 있다.

연구 결과는 절망적인 국제 상황을 여실히 보여준다. 미국 전역에서 호박벌이 사라졌고, 일본에서는 나비의 수가 줄어들고 있다고 한다. 또 이탈리아에서 쇠똥구리가 사라졌고, 핀란드에 있는 개울에서는 더 이상 잠자리를 볼 수 없다. 논문은 직설적이고 어두운 언어로 쓰여 있는데, 동료 심사를 거친 과학 논문에서 보기 어려운 언어다. '우리가 식량을 생산하는 방식을 바꾸지 않으면 몇십 년 안에 곤충은 전체적으로 멸종의 길을 걷게 될 것이다'라고 논문은 예측한다. 이 논문에서는 곤충의 생물 다양성이 '끔찍한 상태'가 된 원인으로 서식지 파괴, 살충제 사용, 침입종, 기후변화를 꼽는다. '이 사태가 지구의 생태계에 미칠 영향은 아무리 적게 평가해도 비극적일 것이다.'

논문에 따르면 가장 걱정스러운 점은 제한된 서식지에 의존하거나 특정한 식물에 기생하는 특이한 곤충뿐만 아니라 '한때 여러 국가에서 흔히 볼 수 있었던 일반적인 종'도 곤충의 위기로 영향을 받는 것이라고 한다. 멸종 위험 지역에 서식하는 곤충뿐 아니라 모든 곤충에 엄청난 압박이 가해지는 것이다. 논문에서는 곤충의 급격한 개체 수 감소가 다른 여러 생물이 처한 대량 멸종 위기와 비슷한 맥락에서 다뤄지고 있다. 하지만 연구원들은 곤충 세계의 붕괴가 현대에 일어난 모든 멸종 사태를 능가하며 6,600만 년 전에 공룡을 멸종시킨 사건보다도 심각하다고 말한다.

논문에서는 이런 주장이 펼쳐진다. '우리가 후기 페름기와 백악기 이후에 지구상에서 규모가 가장 큰 멸종 사태를 목격하고 있다는 것은 자명하다.' 해당 시기는 2억 5,200만 년 전으로 거슬러 올라간다. 어쩌면 이때가 지구의 역사 중에서 생물에 가장 끔찍한 시기였을지도 모른다. 화산 폭발이 수차례 일어나 '대멸절Great Dying'이라고 알려진 대량 멸종 사건이 일어났기 때문이다. 이 사건으로 해양생물 종의 96%와 육지에 사는 척추동물의 70%가 사라지고 말았다. 이것이 지금까지 곤충이 대규모로 멸종한 최악이자 어쩌면 유일한 사건인지도 모른다. 논문은 이런 대재앙이 반복될 가능성이 있다며 '자연 생태계의 비극적인 붕괴를 막을 수 있는 결정적인 행동을 촉발해야 한다'고 경고한다. 연구진은 이 논문에서 곤충의 수가 엄청나고 곤충이 거의 모든 생물을 위해 지구상의 생명이 이어지도록 무수히 많은 역할을 한다고 강조하기도 한다. 산체스-바요는 이렇게 말한

48

다. "지금은 모든 곤충이 위험에 처한 시기입니다. 우리가 여전히 특정한 곤충 군집의 현황에 대해 많이 알지 못하는데도 말이죠. 아무도 그런 연구를 하지 않아서 그렇습니다." 그는 벌이나 나비 같은 곤충이 어려움에 맞닥뜨린 것은 알고 있었지만 딱정벌레, 잠자리나 다른 곤충들 역시 이와 비슷한 위험에 놓인 것을 보고 '매우 놀랐다고' 인정한다.

이처럼 재앙을 논하는 시나리오는 곤충이 완전히 사라질 처지에 있다고 미디어와 대중에 분명하게 경고했다. 곤충학자들은 자신의 전문 분야가 갑자기 주류 언론에 등장하는 것을 보고 깜짝 놀랐다. 그래서 그동안 쌓아뒀던 곤충 개체 수에 대한 오래된 자료를 뒤적이거나 수년 동안 논의한 내용을 뒤늦게 인정받는 듯한 기분을 즐겼다.

제바스티안 자이볼트Sebastian Seibold도 그런 과학자 중 한 명이었다. 그는 2017년까지 10년 가까이 한 연구 팀의 일원으로 활동했다. 이 연구 팀은 독일의 브란덴부르크주, 튀링겐주, 바덴-뷔르템베르크주에 있는 거의 300개에 달하는 초원과 삼림의 생물 다양성이 건강한지 관찰하는 일을 했다. 그러다가 크레펠트 연구가 발표되고 나서 큰 관심을 끌자 연구 팀은 자기들에게도 풍부한 곤충 자료가 있다는 사실을 깨달았다. 뮌헨공과대학교 연구원인 자이볼트는 이렇게 말한다. "저희는 크레펠트 연구 결과를 읽으면서 '우리 연구 기간은 그렇게 길지는 않지만, 좋은 표본이 많으니 쓸 만한 게 있는지

한번 살펴봐야겠네요'라고 이야기했습니다."

　연구진은 삼림에서 비행 간섭 트랩flight interception trap을 이용했다. 크고 투명한 비닐을 나무와 나무 사이에 걸어두면 곤충이 날아와서 부딪히는 원리였다. 곤충은 깔때기를 통과해 밑에 있는 병 안으로 떨어졌다. 연구진은 초원에서는 매년 7월과 8월에 포충망을 이용했다. 이 작업에는 많은 시간이 필요했다. 수집한 곤충을 뮌헨에 있는 실험실로 보내 에탄올에 넣어 보관하고 종에 따라 분류해야 했기 때문이다. 연구진은 거미와 다른 곤충을 포함해 100만 마리가 넘는 절지동물을 포획해서 분류학자들에게 보냈다. 그 결과 곤충 표본을 2,700개의 서로 다른 종으로 분류할 수 있었다.

　자이볼트는 곤충의 개체 수가 지난 10년 동안 어떻게 달라졌는지 살펴보면 놀랄 수밖에 없다고 말한다. 그의 동료 볼프강 바이서 Wolfgang Weisser는 '무섭다'라는 표현을 사용했다. 초원에서는 곤충 종이 3분의 1이나 줄었고 곤충의 전체 생물량이 3분의 2나 급감했다. 삼림에서도 종의 수가 약 3분의 1 감소했으며 생물량은 41% 줄어들었다. 연구에서 곡식을 경작하는 농지에 둘러싸인 초원이 성적이 가장 나쁜 것은 놀라운 일이 아닐지도 모른다. 하지만 종을 따져보면 육식동물, 초식동물, 생태 분해자(세균, 곰팡이 등) 할 것 없이 수가 모두 감소했다. 삼림에서는 초식동물을 제외한 모든 동물의 개체 수가 줄어들었다. 하지만 이는 침엽수 대신 활엽수가 많아지면서 초식동물이 먹을 것이 풍성해졌기 때문이다.

이번에는 미디어가 처참한 결과를 받아들일 준비가 되어 있었다. 이 연구는 크레펠트 연구가 발표된 지 거의 2년이 지난 어느 날 저녁 7시에 발표되었으며, 1시간 안에 독일 전역에 방송되는 TV 뉴스에 보도되었다. 그 후로 며칠 동안 독일, 프랑스, 스위스, 오스트리아의 주요 신문에서도 이 연구 결과를 보도했다. 자이볼트는 물밀듯이 밀려드는 트윗을 읽으면서 사람들이 자신이 소중히 생각하는 무엇인가가 위험에 처했다고 느낀다는 사실을 알아차렸다. 그는 이렇게 말한다. "호랑이와 코뿔소도 당연히 아름다운 동물이지만 다른 곳에 살고 있습니다. 사람들이 신경 쓰는 것은 자기 정원이나 자기가 사는 지역에 서식하는 생물입니다. 사람들이 일상적인 결정을 어떻게 내리는지 스스로 인식하는 것이 중요합니다."

대중의 주목을 받는 곤충 연구가 쏟아져 나오자 연구계에서는 비과학적인 수준의 히스테리가 난무한다는 우려 섞인 목소리가 나왔다. 국제자연보전연맹이 보존 상태를 평가한 곤충의 수가 1% 미만밖에 안 되는데 곤충이 위기를 맞았다고 비상사태를 선포하는 것은 시기상조처럼 보일 수 있다(참고로, 척추동물은 3분의 2가 평가를 마쳤다). 자이볼트의 연구에도 다른 관련 연구와 마찬가지로 경고의 메시지가 담겨 있으며 해소되지 않는 궁금증이 뒤따른다. 자이볼트는 앞에서 살펴본 독일의 일부 주 외에는 곤충이 사라지는 속도가 얼마나 빠른지 알려주지 않는다. 또 10년이 이런 연구를 진행하기에 긴 시간이 아닌 만큼 딱정벌레, 파리, 벌의 사정이 10년 뒤에 나아질 수도 있지 않을까?

이 연구를 크레펠트 연구와 함께 생각해보자. 독일의 일부 지역에서 곤충이 4분의 3이나 사라졌고, 다른 지역에서는 기간이 더 짧기는 하지만 생물량이 그와 비슷한 수준으로 감소했으며, 3종 중 하나꼴로 멸종하고 말았다. 만일 의료 검사, 항공 안전, 학교 시험 결과 등의 분야에서 이런 참혹한 추세가 나타났다면 비상 절차가 발동되었을 것이다. 그런데 우리는 마치 오지 않을 고도Godot를 기다리는 것처럼 곤충에 대한 다음 연구가 발표되기를 무작정 기다렸다.

어찌 됐든 곤충의 위기는 어떤 형태로든 이제 공개 담론에 편입되어 있다. 이제는 발밑에서 기어 다니고 정원에서 서성이는 생명체를 절대로 간과할 수 없을 것이다. 발견하고 크게 소리쳐주기를 기다리는 증거가 전 세계적으로 많다는 사실이 분명해졌다.

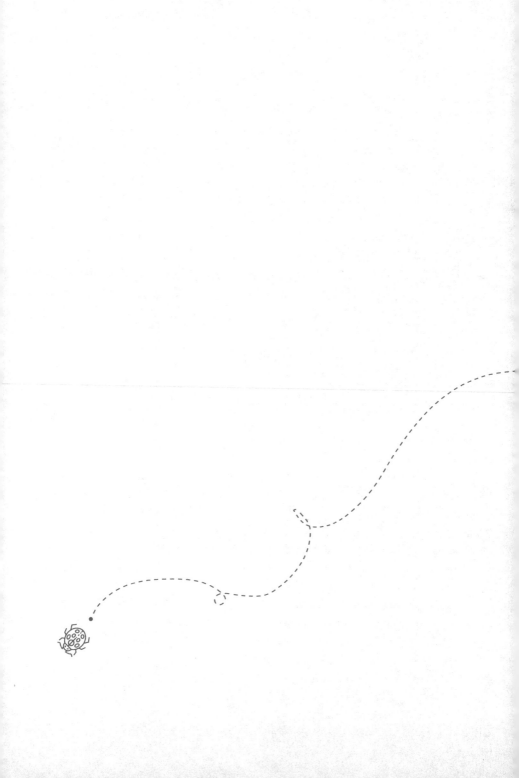

2장

세　　　　상　　　　이
단 조 로 워 지 고　있 다

정원에 있는 돌을 뒤집어보면 개미 몇 마리나 쥐며느리를 찾을지도 모른다. 이번에는 나무껍질 안을 살펴보자. 거미나 딱정벌레를 발견할지도 모른다. 과학자들은 이것보다 더 체계적이고 과학적인 방식으로 곤충의 세계에서 어떤 일이 일어나는지 밝혀내려 노력하고 있다. 안타깝게도 그들이 지금까지 알아낸 것 중 좋은 소식은 별로 없었다.

미국은 박물관과 현장에 있는 표본을 분석한 결과 지난 몇십 년 동안 호박벌 4종의 개체 수가 무려 96%나 감소했다는 사실을 알게 되었다. 벌의 지리적인 활동 범위 역시 거의 80%나 줄어들었다. 2017년에 러스티 패치드Rusty Patched 호박벌은 미국 정부가 공식적으로 멸종 위험 종으로 지정한 첫 호박벌이 되었다. 이 호박벌은 대초원과 풀밭이 농지로 바뀌고, 도시가 무분별하게 교외로 확장되고, 도로가 생기면서 큰 타격을 받았다. 사실 이 호박벌의 자리를 넘볼 수 있는 후보는 많았다. 예를 들면 프랭클린 호박벌Franklin's Bumblebee은 오리건주 남부와 캘리포니아주 북부의 좁은 지역에서만 발견할 수 있는데 2006년 이후로 완전히 자취를 감춰버렸다.

특수한 환경의 서식지에 의존하는 벌들은 생존을 위해 투쟁 중인 것처럼 보인다. 푸른탑꽃벌Blue Calamintha Bee의 배는 광채가 나는 파란색이다. 이 벌은 주 서식지인 플로리다주 중심부의 사퇴砂堆에서 완전히 멸종된 것으로 여겨졌다가 최근에 다시 발견되었다. 이 사퇴는 플로리다주에 남아 있는 가장 오래된 관목 지대 중 하나다. 하지만 농사와 주택 개발 때문에 거의 없어진 상태이며, 푸른탑꽃벌은 이제 고작 41km²밖에 안 되는 좁은 지역에서 살아간다.

캐나다에 서식하는 아메리칸 호박벌Bombus Pensylvanicus은 100년 전과 비교했을 때 개체 수가 89%나 줄어들었다. 캐나다에서는 이 호박벌 외에도 곤충이 많이 사라지고 있다. 캐나다 국립곤충전시관Canadian National Collection of Insects에서 일하는 한 관계자는 이렇게 인정했다. "저희 컬렉션에서 사라져버린 종이 수천 개나 됩니다. 그런 종은 수년째 모습을 드러내지 않고 있습니다."

미국 이야기로 잠깐 돌아가보면, 과학자들은 1970년대 중반 이후 뉴햄프셔주에 있는 삼림 보호구역의 딱정벌레가 '급격하게 감소했다는' 사실을 알아차렸다. 놀랍게도 종마다 개체 수가 평균 83%나 줄어들었고, 딱정벌레 19종은 아예 사라져버렸다. 종 다양성을 나타내는 곤충의 가짓수는 약 40%나 감소했다. 바위투성이인 뉴잉글랜드 지역은 화이트산맥White Mountains이 있는, 미국 북동부에서 가장 청정한 삼림지대 중 하나다. 자작나무, 단풍나무, 전나무가 빽빽하게 차 있고, 나방, 말벌, 딱정벌레 등의 곤충뿐 아니라 사슴, 곰, 무스와 같이 덩치 큰 짐승도 자주 찾는 지역이다. 딱정벌레를 추적하는 연구원들은 그곳에 창문 형태의 덫을 9개 설치했다. 나무틀에 유리를 끼운 뒤 땅에서 약 50cm 위에 놓고, 덫 아래쪽에는 비누나 부동액을 물에 섞은 액체를 놓아둔 것이다. 숲의 바닥에 서식하는 딱정벌레는 닭과 비슷하게 잠깐이나마 날 수 있다. 그래서 유리에 부딪힌 후 액체에 떨어진다.

이 작업은 곤충의 수가 놀라울 정도로 줄었다는 것을 보여주었다. 1970년대에는 덫에 개미사돈아과Pselaphinae 딱정벌레가 수천 마리씩 잡혔다. 하지만 2016년에는 딱정벌레가 '완전히 자취를 감춰버렸다.' 그것이 바로 제니퍼 해리스Jennifer Harris의 주장이다. 해리스는 현재 펜실베이니아주립대학교에서 근무하지만 연구가 이루어지던 당시에는 웰즐리칼리지에 있었다. 그녀는 "곤충이 줄어드는 규모가 실로 엄청났습니다"라고 말한다. 곤충은 낮은 고도에서 가장 많이 사라졌다. 숲에서 고도가 높은 곳보다는 온도는 2℃ 높고 고도는 낮은 곳이 취약 지역이었다. 따라서 푸에르토리코와 마찬가지로 농업, 도시 확장, 기후변화가 곤충이 감소한 원인으로 꼽힌다.

딱정벌레는 이 숲뿐 아니라 다른 숲에서도 중요한 역할을 한다. 나무가 쓰러지면 딱정벌레는 나무를 씹어서 쉽게 분해되게 한다. 딱정벌레 덕택에 분해를 돕는 곰팡이가 나무에 자리 잡을 수 있다. 그러면 나무의 질소와 인이 퍼져나가면서 숲을 나무로 다시 채우는 데 도움을 준다. 몇몇 딱정벌레는 다른 곤충을 먹고 살면서 그런 곤충의 수가 너무 많아지지 않도록 해준다. 이런 복잡한 상호관계 속에서 딱정벌레는 톡토기라고 불리는 톡토기목 곤충을 잡아먹는다. 톡토기는 숲의 바닥에 쌓이는 낙엽이 빨리 분해되도록 돕는다. 딱정벌레가 없으면 톡토기가 급증해서 낙엽을 너무 빨리 분해하는 바람에 숲 바닥의 탄소 저장량이 부족해진다. 톡토기는 탄소를 분해하는 미생물을 잡아먹기도 한다. 생물 간의 이런 관계는 복잡하고 우리가 여전히 모르는 면도 많지만, 딱정벌레가 사라지면 기후 위기를 극복하기가 더 어려워질 수도 있다.

"딱정벌레는 숲에서 수많은 역할을 합니다. 제가 아는 한 그런 일을 해내는 다른 곤충은 없습니다." 해리스와 함께 연구를 진행한 베테랑 생물학자 니컬러스 로덴하우스Nicholas Rodenhouse는 이렇게 말한다. 생태계에서 이런 곤충 대부분이 없어지면 정확하게 어떤 일이 벌어지는지 알기까지 시간이 오래 걸린다. 하지만 로덴하우스는 확실하게 예측할 수 있는 위험 요인은 '근본적으로 흔들리는 먹이그물'이라고 말한다. 그는 삼림지대에서는 긴꼬리산누에나방을 보고 뒤뜰에서는 사슴벌레를 보며 자란 기억이 있다. "우리는 지금 대단히 훼손된 세상에서 살고 있습니다. 매우 슬픈 일이죠. 세상이 예전보다 덜 흥미롭고 덜 다채로워졌으니까요."

　로덴하우스는 이 새로운 세상이 '근본적으로 다르고' 타락했다고 언급한다. 과학자들은 곤충이 사라지는 이런 상황의 여파를 아직도 연구하고 있다. 하지만 크레펠트 연구가 발표되기 수십 년 전에도 미국 연구원들은 곤충이 급격하게 줄어들고 있다는 사실을 알았다. 로덴하우스는 이렇게 말한다. "독일 연구가 발표되었을 때 '이런, 나도 연구를 일찍 발표할걸 그랬네'라고 생각한 사람이 많았습니다."

　미국에서는 지역에 따라서 각기 다른 인섹타겟돈이 연달아 일어나고 있다. 오하이오주에 서식하는 나비는 20년 동안 3분의 1이 사라져버렸다. 캔자스주에서도 메뚜기 개체 수가 20년 동안 이와 비슷한 감소세를 보였다. 캘리포니아주에서 매년 무리를 지어 해안으로 이동하는 제왕나비의 수는 1980년대에 기록된 수의 약 1%에 불과하다.

　천하무적처럼 보이는 곤충 무리가 여기저기에서 쓰러지고 있다. 막으로 이루어진 날개 한 쌍이 있는 하루살이는 연약해 보이는 수서곤충이다. 하루살이는 여름마다 유충 상태에서 벗어나 대규모 무리를 이룬다. 무려 800억 마리나 되는 엄청난 규모일 때도 있다. 모여 있는 곤충의 수가 워낙 많다 보니 기상 레이더에 포착될 정도다. 미시시피강과 북미 5대호(미국과 캐나다의 국경에 있는 5대 호수 – 역주)의 북부 유역에 서식하는 곤충 떼가 특히 규모가 크다. 제설기를 동원해 도로에 쌓인 하루살이 떼를 치워야 하는 도시도 있다. 따라서 레이더 데이터를 살펴본 과학자들은 경악했다. 미시시피강 북부와 이리호 지역에 서식하는 하루살이 개체 수가 2012년 이후 50% 이상 감소했기 때문이다. 하루살이에 대한 연구에 따르면 원인은 수질 오염일 확률이 높다고 한다. 연구는 '만일 현재의 추세가 이어진다면 북미 여러 지역에서 역대 최대 규모로 광범위한 멸종이 일어날 우려가 있다'라고 경고한다. 곤충의 멸종 위험은 북미에 국한된 것은 아니며, 산체스-바요와 웨익이 발표한 논문에 의하면 전 세계적으로 수서곤충(날도래, 잠자리, 수생 갑충 등)의 3분의 1이 멸종 위기에 처했다고 한다.

수서곤충 중에는 물고기처럼 아가미가 발달한 곤충도 있다. 물방개의 일종인 콩알물땡땡이Regimbartia Attenuata는 개구리에게 잡아먹혀도 살아남는다. 수영해서 개구리의 위를 통과하고 항문으로 기어 나갈 수 있기 때문이다. 수서곤충은 먹이사슬의 근본적인 토대를 형성한다. 유충일 때는 해조류와 낙엽을 먹다가 성장하면 여러 물고기, 섭금류(두루미, 학, 백로 등 다리가 긴 물새 – 역주), 잠자리, 박쥐의 먹이가 된다. 수서곤충은 수질을 나타내는 중요한 지표 역할도 한다. 수질이 오염되면 수서곤충이 개울과 강을 떠나기 때문이다. 실제로 수질 규제 덕택에 영국에서는 민물 곤충의 분포 구역이 50년에 걸쳐서 늘어났다. 코넬대학교의 곤충학자 코리 모로Corrie Moreau는 "각각의 종은 환경을 위해 참신한 역할을 하고 절대로 혼자 움직이지 않습니다. 모든 유기체가 걸어 다니거나 날아다니는 하나의 열대우림이라고 생각해보세요. 종이 하나씩 없어질 때마다 그 종과 관련된 다른 여러 생물도 함께 없어집니다"라고 말한다.

유럽에 사는 곤충들은 북미보다 더 어려운 상황에 놓였다. 1890년과 1980년 사이에 포획한 나비 12만 종을 검토한 자료와 나비 수백만 마리를 관찰한 더 최신 데이터를 종합해보면, 네덜란드에 서식하는 나비의 수가 최소 84% 감소한 것을 알 수 있다. 네덜란드 연구원들은 수치상으로 나타나는 것보다 실제 상황이 더 안 좋으리라고 추정한다. 한 연구에서는 네덜란드 북부와 남부 지역에 있는 자연보호구역에 덫 수십 개를 설치하고 관찰했다. 그 결과 2017년까지 20년이 넘는 기간에 걸쳐서 곤충이 광범위하게 줄어들었다는 사실이 확인되었다. 연간 감소율을 보면 곤충의 개체 수는 0을 향해서 꾸준히 하락하는 모양새다. 매년 커다란 나방은 평균 3.8%, 딱정벌레는 5%, 날도래는 무려 9.2%나 줄어들었다.

반시류(진딧물과와 매밋과 등이 속한 목)나 하루살이 같은 곤충은 개체 수가 안정된 것처럼 보였지만 실상은 암울하다. 커다란 나방의 생물량이 61% 감소하고 딱정벌레의 생물량이 42% 감소했기 때문이다. 연구원들은 "다른 곤충들을 관찰한 결과도 최근에 독일과 다른 국가에서 발표한 곤충 생물량의 추세를 엇비슷하게 반영한다"라고 언급했다.

세상에서 곤충에 대한 가장 상세한 기록을 보유한 국가는 바로 영국이다. 곤충에 대한 영국의 열성적인 관심은 1700년대 초로 거슬러 올라간다. 곤충 채집가aurelians라고 불리던 사람들은 주로 유충이 성충으로 변신하는 기적 같은 과정에 열광하는 시인과 화가였다. 빅토리아 여왕 시대에는 곤충 수집이 인기가 많은 취미이자 사회 활동이었다. 곤충 수집에 열성적인 사람들은 포충망을 들고 시골을 찾았다. 그중에는 난로의 연통 아래에 포획한 곤충을 보관하는 사람들도 있었다.

빅토리아 여왕 시대를 생각하면 나비를 좋아하는 괴짜 목사의 이미지가 떠오른다. 하지만 곤충은 20세기에도 영국에서 영향력을 행사한 인물들의 상상력을 자극했다. 소설가 버지니아 울프Virginia Woolf의 작품에는 나비가 등장하고, 시그프리드 서순Siegfried Sassoon의 시에는 나방이 등장한다. 제2차 세계대전 당시 영국 총리를 지낸 윈스턴 처칠Winston Churchill과 네빌 체임벌린Neville Chamberlain은 나비를 수집했다. 영국 은행 가문의 자손 월터 로스차일드Walter Rothschild는 작은 의상을 입은 벼룩을 수집했다. 그중에는 신랑과 신부처럼 차려입은 벼룩도 있었다.

곤충을 잡아 핀으로 꽂아두는 활동은 곤충을 단순히 관찰하는 것으로 바뀌었다. 영국에서는 곤충 연구가 다른 국가와는 다른 방식으로 발전했다. 경험이 많은 곤충학자와 열정이 넘치는 '시민 과학자'가 힘을 합쳐서 우리가 곤충의 동향에 대해 알고 있는 여러 사실을 윤색했다.

이런 노력에 앞장선 기관은 로담스테드 연구소Rothamstead

Research였다. 로담스테드 연구소는 세상에서 가장 오래된 농업 연구 기관이다. 연구소는 런던 북부의 베드타운 하르펜덴Harpenden에 16세 기에 지은 저택 구내에 있으며 브로드벌크Broadbalk 실험으로 유명하다. 이 실험은 1843년부터 비료가 농작물에 미치는 영향을 측정한 것인데 가장 오랫동안 진행된 과학 실험으로 세계기록을 세웠다.

로담스테드 연구소에서는 1964년부터 곤충 트랩 네트워크 2개를 운영해오고 있다. 이곳의 곤충 연구는 처음에는 나방과 진딧물처럼 주기적으로 이동하는 곤충에 초점을 맞췄지만 이제는 더 광범위하게 여러 종류의 곤충을 골고루 다룬다. 영국과 아일랜드에는 매년 조명 트랩 네트워크에 트랩이 80여 개 있다. 트랩은 대부분 로담스테드 연구소와 협업하는 자원봉사자들이 운영한다. 이런 트랩이 방출하는 빛은 파장이 길어서 지나가는 나방을 유혹하기에 안성맞춤이다. 나방뿐만 아니라 다른 곤충도 덫에 걸려든다. 연구가 시작된 이후로 약 1,500개의 서로 다른 곤충 종이 포획되었다. 흡입 트랩 네트워크는 시각적으로 더 인상적이다. 이런 장치는 잉글랜드와 스코틀랜드 곳곳에 총 16개 설치되어 있다. 마치 뒤집어놓은 거대한 진공청소기처럼 생겼으며, 높이가 12m에 이른다. 트랩 안에 있는 팬이 돌아가면서 공기를 아래로 빨아들이면 지나가던 곤충(주로 진딧물)이 통 안으로 빨려 들어가는 원리다.

이런 노력은 안타깝게도 곤충의 참혹한 실상을 확실하게 보여줬다. 1968년부터 2007년까지 덫에 걸린 나방의 수는 4분의 1 이상

감소했다. 사정이 가장 나빴던 영국 남부에서는 나방이 무려 40%
나 줄어들었다. 더 최근에 로담스테드 연구원들이 포획한 곤충 2억
2,400만 마리를 조사한 결과, 47년에 걸쳐서 나방은 거의 3분의 1이
사라진 것으로 밝혀졌다. 1960년대 이후 수치가 오르락내리락하기
는 했지만 말이다. 진딧물의 개체 수도 조금 줄어들었지만, 연구원들
은 장기적으로 봤을 때 진딧물이 상대적으로 안정된 추세를 보인다
는 결론을 내렸다.

　　나방의 수가 영국의 해안, 도시, 삼림에 있는 서식지에서는 줄
어들었지만 놀랍게도 농업 지역에서는 예외였다. 기후변화가 불러
온 기온 상승이 영국에 서식하는 나방의 수를 늘려줄 것으로 예상했
는데(기온이 높아지면 나방이 다른 지역에서 영국으로 이주할 것으로 여겨졌기
때문) 그러지 못한 것도 의외였다. 예를 들면 저지Jersey 호랑이나방
은 런던이 따뜻해졌다고 느껴서 원래 서식하던 채널제도에서 런던
으로 이주했다. 하지만 연구원과 자원봉사자들의 헌신적인 노력에
도 때로는 당혹스러운 이 퍼즐을 완전히 맞추는 데 필요한 자금이 충
분하지 않다. 어찌 됐든 곤충이 사라지는 현실은 뚜렷하게 드러난다.
로담스테드 연구소에서 곤충 연구를 이끄는 제임스 벨James Bell은
"곤충 종이 사라지고 있습니다. 정말로 비극적인 일이죠. 곤충의 수
가 줄어들고 있다는 데 과학자들이 동의할 것으로 생각합니다. 의문
의 여지가 없습니다. 전혀 없어요"라고 말한다.

　　날개가 가루로 덮여 있는 나방은 옷장에 걸어둔 옷을 갉아 먹

길 좋아하는 파괴자로 낙인찍히는 경우가 많다. 하지만 이는 중상모략이나 마찬가지다. 옷을 갉아 먹는 것은 나방의 성충이 아니라 유충이며, 극소수의 나방만이 이런 행동을 한다. 예를 들면 미국에는 나방이 약 1만 5,000종 있는데, 그중에서 단 2종만이 양모 스웨터나 캐시미어 스카프에 위협을 가한다.

우리가 벌을 워낙 좋아하기 때문에 나방은 관심을 많이 받지 못한다. 하지만 나방도 중요한 수분 매개자다. 벌이 놓친 식물들이 살아갈 수 있도록 돕기 때문이다. 연구원들은 영국 노퍽Norfolk주에 서식하는 나방 중 거의 절반이 식물 수십 종으로부터 꽃가루를 운반한다는 사실을 알아냈다. 그중에는 벌, 꽃등에, 나비가 거의 찾지 않는 식물도 여러 종 있었다. 애석하게도 잘 알려지지 않은 나방의 노동뿐만 아니라 나비의 화려한 아름다움도 점점 고조되는 위기에 직면했다.

로담스테드 연구소의 제임스 벨은 표범나비Fritillary Butterfly를 구경하길 좋아했는데, 이제는 보기가 대단히 어려워졌다(표범나비는 '체스보드'를 뜻하는 라틴어 단어 'fritíllus'에서 파생된 이름이다). 벨은 여전히 정원에서 흰나비를 발견하지만 산네발나비Comma Butterfly는 많이 보지 못한다. 산네발나비의 날개에 있는 갈색 얼룩은 낙엽 속에서 겨울잠을 잘 때 포식자의 눈에 띄지 않게 해준다. 벨은 어린 시절에 알았던 세상이 완전히 변한 것 같은 느낌이 들었다. "어렸을 때는 밖에 나가서 자전거를 타면 얼굴로 달려드는 곤충을 잘못해서 삼키곤 했습니다. 이제 그런 일은 더 이상 일어나지 않죠. 저는 옛날에 말벌에 여러 번 쏘였는데 이제는 전혀 안 쏘입니다." 벨뿐 아니라 여러 사람이 이와 비슷한 일화를 들려줄 것이다. 전부 곤충의 왕국이 무너지고 있다는 생각이 들게 하는 이야기다.

벨과 같은 과학자들은 이런 생각이 사실인지 실제로 확인해볼 수 있는 선택받은 집단에 속한다. 곤충이 죽거나 사라진 이유를 알아낼 수 있기 때문이다. 하지만 곤충 연구원 대부분은 연구 자금을 마련하는 데 어려움을 겪는다. 매번 곤충보다 큰 포유동물에 대한 논문을 쓰려는 사람이 자금을 따낸다. "이런 일은 수십 년째 일어나고 있습니다. 이것이 우리가 지구상에 있는 곤충 대부분에 대해 아는 것이 별로 없는 이유이기도 하고요." 오스트레일리아에 있는 뉴잉글랜드 대학교의 생태학자 마누 손더스Manu Saunders는 이렇게 말한다. "악순환이 계속됩니다. 연구 자금을 따내려면 자금이 필요하다는 증거를 제시해야 합니다. 하지만 연구 자금을 따내지 못하면 그런 증거를 제시할 수 없습니다."

곤충에 관한 장기적인 연구가 워낙 부족하다 보니 곤충의 감소 규모를 두고 학자들 간에 이견이 생기고 곤충이 대거 사라졌을 때 일어날 일에 대한 궁금증도 많아졌다. 곤충이 다량으로 사라지면 크기가 더 큰 다른 동물에게는 어떤 일이 일어날까? 숲, 개울, 도시에서는 어떤 일이 벌어질까? 식량 생산에는 어떤 영향을 줄까? E. O. 윌슨과 다른 과학자들은 재앙의 규모를 추측할 수는 있지만 정확한 결론은 내리기 어렵다고 말한다. "만일 영국에 서식하는 곤충 종의 3분의 2가 멸종되면 어떤 일이 벌어질까요?" 벨은 이런 질문을 던져본다. "어떤 일이 일어날지 정확하게 말씀드릴 수는 없습니다. 상황이 아주 안 좋을 것이라는 대답만 드릴 수 있습니다."

영국에서는 '아주 안 좋은 상황'임을 보여주는 증거가 점점 쌓이고 있다. 요크대학교 과학자들이 2019년에 진행한 나방 연구에서는 영국에 서식하는 나방이 10년마다 10%씩 줄어들고 있다는 사실이 밝혀졌다. 나방의 개체 수가 극적으로 정점을 찍거나 저점을 찍은 일도 있었다. 1976년에 무더위가 찾아왔을 때 나방의 수가 급증했다가 1980년대 이후 점차 감소하는 패턴을 보였다. 2014년에 진행한 다른 나방 연구는 1970년대 이후 나방 260종은 눈에 띄게 개체 수가 줄어들었고, 160종은 눈에 띄게 개체 수가 늘어났다고 보고했다.

영국의 나비 수는 지난 50년 동안 거의 절반으로 줄었고, 벌과 꽃을 찾는 말벌 20종 이상은 빅토리아 여왕 시대 이후 영국에서 완전히 자취를 감춰버렸다. 다른 종들은 점점 좁은 지역에 모여 산다. 예를 들면 큰 노란 호박벌은 한때 영국 전역에서 볼 수 있었지만 이제는 스코틀랜드의 북부와 서부 외곽에서만 겨우 볼 수 있다. 수분 매개자 역할을 하는 다양한 곤충이 영국 전역에서 사라지고 있는 것처럼 보인다. 연구에 의하면 야생벌과 꽃등에 353종 중 3분의 1은 1980년과 비교했을 때 활동 범위가 더 좁아졌다고 한다. 특히 희귀종의 개체 수가 급감하고 있다. 농작물을 수분하는 곤충은 식량 안보에 꼭 필요하다. 하지만 연구 논문은 '이런 곤충들의 현재와 미래의 보호 상태를 두고 크게 걱정하는 학자가 많다'라고 경고했다.

'영국 국립 생물 다양성 네트워크'의 개괄적 평가에 따르면 영국에 서식하는 곤충의 분포 구역이 1970년대 이후 평균 10% 줄었다고 한다. '영국의 무척추동물과 식물은 포유동물과 새만큼 관심을 받지 못한다. 곤충이 그 어떤 분류군보다도 빠른 속도로 사라지고 있다는 증거가 점점 늘어나는데도 말이다.'

서식스대학교의 생물학 교수 데이브 굴슨은 야생동물기금 Wildlife Trusts을 위해 2019년에 작성한 보고서에서 곤충이 이렇게 방치되는 것을 '눈에 띄지 않는 대재앙'이라고 묘사했다. 그는 이 보고서를 통해 전 세계적으로 곤충의 수가 지난 50년 동안 50% 또는 그 이상 감소했을 것이라고 밝혔다. 굴슨은 이렇게 적었다. '곤충이 점점 줄어드는 원인을 두고 논란이 많다. 하지만 그 원인에 서식지 파괴, 살충제 혼합물에 대한 만성적인 노출, 기후변화가 포함되어 있다는 것은 거의 확실하다. 결과는 명백하다. 만일 곤충이 줄어드는 속도를 늦추지 못하면 땅과 민물의 생태계가 붕괴되고 인간의 행복도 큰 타격을 받을 것이다.' 여기서 말하는 붕괴는 단순히 다른 동물 종, 식물, 유기물과 관련된 복잡한 상호작용이 분열되는 것만을 뜻하지 않는다. 생태계의 붕괴는 다양한 곤충이 가득한 세계를 납작하게 눌러 더 균일한 집단으로 만들기도 한다. 여러 흥미로운 종이 고통스러운 인류세에 살아남기에 적합한, 규모가 더 작고 단조로운 집단으로 대체되는 것이다.

생물의 유전적 다양성을 파악하는 과학자들은 인구밀도가 높아지면 곤충이 다른 동물보다 유전 형질의 다양성에 타격을 더 크게 받는다는 것을 알아냈다. 한 연구에 따르면 전 세계적으로 벌의 다양성이 1990년대부터 급격하게 감소했다고 한다. 이제는 박물관과 다른 기관들이 벌을 포획하면 1950년대와 비교해 종의 약 절반만 발견하게 된다. 1950년대에는 매년 약 1,900종이 모습을 드러냈다.

인간이 최소한으로 개입하는 가장 외진 지역에서도 곤충의 개체 수가 줄고 있다. 연구원들은 최근에 잡초가 무성한 유럽산 식물이 남극대륙 근처 남빙양의 외딴 섬에 들어온 이후로 곤충의 다양성이 감소했다는 것을 알아냈다. 곤충학자 사이먼 레더는 이렇게 말한다. "우리는 환경을 균일하게 만들고 있습니다. 콩을 많이 키우면서 제초제를 사용하면 '콩 전문가들은 여기로 오세요'라고 써 붙이는 것이나 마찬가지입니다. 그러면 콩을 먹고 사는 해충, 딱정벌레, 진딧물이 한곳에 모여들게 됩니다. 다양한 천적에게는 다양한 서식지가 필요한 경우가 많습니다."

자연계를 이런 식으로 재구성하면 세상 모든 곤충이 없어지는 것이 아니라 인간이 초래한 변화에 적응하지 못하는 일부 곤충만 사라지게 된다. 문제는 인류 문명에 큰 도움이 되는 여러 곤충이 여기에 속한다는 것이다. 우리는 어리석게도 익충이 아니라 우리가 혐오하는 동물에게 호의적인 환경을 만들고 있다. 루이지애나주립대학교의 곤충학자 티모시 쇼발터Timothy Schowalter는 이렇게 말한다. "곤충이 완전히 사라지지는 않겠지만, 바퀴벌레와 모기로 가득한 세상이 될지도 모릅니다. 우리는 인간이 살기에는 어려워도 곤충이 살아남을 수 있는 세상을 만들지도 몰라요."

따라서 곤충의 위기를 그래프로 나타내면 밑으로 향하는 선 한 개가 아닌, 여러 방향으로 향하는 선 여러 개를 그리는 것이 적합하다. 선 중에는 일자로 나아가는 것도 있고, 지그재그를 그리는 것도 있고, 위로 향하는 것도 있을지 모른다. 애석하게도 우리가 흥미롭거나 중요하게 생각하는 종의 선은 밑으로 향한다. 설령 특정 벌과 나비가 사라지고 집파리와 메뚜기가 늘어나 곤충의 전체적인 수가 비슷하게 유지된다고 하더라도 이런 사태가 널리 환영받지는 못할 것이다. 수치만으로는 상황을 정확하게 파악하기 어려운 면이 있다. "이것이 바로 언론이 다루지 않는 과학의 골치 아픈 부분입니다. 우리는 대중이 간단한 답을 원한다고 생각합니다. 하지만 정말로 그럴까요? 사람들의 관심을 끌려고 과학을 필요 이상으로 단순화해서 설명할 필요는 없습니다"라고 마누 손더스는 말한다.

과학계가 곤충이 멸종하지 않도록 애쓰는 동안에도 곤충은 계속 사라지고 있다. 대부분 인간이 개입하지 않아서 벌어지는 일이다. 인간의 이런 무력한 행동은 2013년에 오스트레일리아 생태학자 데이비드 린덴마이어David Lindenmayer가 쓴 논문에 잘 요약되어 있다. 그는 사람들이 멸종 위기에 처했던 종을 보호하기 위해 모니터했으나 아무런 조치도 취하지 않는 바람에 그 종이 일부 지역에서 사라지거나 완전히 멸종된 사례를 살펴보았다.

크리스마스섬에 살던 집박쥐가 이런 사례 중 하나다. 집박쥐는 무게가 약 3g인 작은 박쥐이며 나무에 난 구멍 안에서 산다. 크리스마스섬은 인도양에 있는 오스트레일리아령 섬이다. 집박쥐는 한때 이 섬에서 쉽게 볼 수 있었지만 1994년부터 2006년 사이에 개체 수가 80%나 감소했다. 집박쥐를 모니터하던 야생동물 관계자들은 너무 늦기 전에 포획 사육 프로그램을 마련해달라고 오스트레일리아 정부에 간청했다. 하지만 사육 프로그램 대신 여러 선택 사항을 고려할 위원회가 마련되었다. 그렇게 수개월 동안 집박쥐에 대한 모니터링만 강화되었다. 집박쥐를 포획해서 사육하도록 허가가 났을 때쯤에는 반향 위치 측정을 통해 집박쥐를 단 한 마리만 찾아냈다.

연구원들은 이 박쥐를 포획하려고 백방으로 노력했지만 실패하고 말았다. 박쥐의 마지막 울음소리가 녹음된 것은 2009년 8월 26일이었다. "이는 아마도 야생에서 특정한 종이 멸종된 날짜를 정확하게 알게 된 드문 경우 중 하나일 것이다." 국제자연보전연맹은 집박쥐에 대해 설명하면서 이렇게 언급했다. 린덴마이어가 쓴 논문의 제목은 '도서관이 불타는 동안 책의 권수 세기'다. 인간이 늑장을 부리는 바람에 집박쥐뿐 아니라 다른 종도 멸종한 경우를 잘 표현한 제목이다. 생물 다양성이 파탄 난 시대에 이 제목은 큰 반향을 불러일으킨다. 곤충 세계 일부는 불타고 있으며, 걱정스럽게도 아직 세어야 할 책이 많이 남아 있다. 제바스티안 자이볼트는 이렇게 말한다. "우리가 아직 모든 것을 알지는 못하지만 그래도 무엇인가 해야 합니다. 10년이나 20년 더 기다렸다가는 너무 늦을지도 모릅니다. 곤충이 별로 없는 세상이 어떨지 상상할 수는 없지만 그런 세상을 보고 싶지는 않습니다."

린덴마이어는 오스트레일리아에서 빅토리아주에 있는 마가목 숲을 보호해야 한다고 강하게 주장했다. 리드비터 주머니쥐 Leadbeater's Possum의 멸종을 막기 위해서다. 이 주머니쥐는 희귀한 유대목 동물이며 오스트레일리아에서만 볼 수 있다. 벌목꾼들이 노리는 나무에 난 구멍 안에서 산다. 이 작은 주머니쥐는 인간의 서투른 개입 때문에 멸종을 향해 나아가고 있는 오스트레일리아의 수많은 동물 종 중 하나일 뿐이다. 오스트레일리아 동물들의 서식지는 걷잡을 수 없이 파괴되었고, 야생 고양이 같은 침입종이 토종 새와 포유동물을 1년에 수십억 마리씩 잡아먹는다. 오스트레일리아는 사람이 거주하는 대륙 중 가장 건조한데, 기후변화까지 영향을 미치기 시작했다.

하지만 최근까지 곤충은 오스트레일리아에서 아무런 위험에 처하지 않은 것처럼 보였다. 이 나라에는 파리가 너무 많아서 얼굴로 달려드는 파리를 손으로 내쫓는 동작이 '오스트레일리아식 경례'라고 불릴 정도다. 오스트레일리아는 곤충을 성공적으로 보존한 경험이 있다. 로드하우제도Lord Howe Island에 서식하는 대벌레는 사람 손만큼 크며 '나무에 사는 바닷가재'라고도 알려져 있다. 이 대벌레는 곰쥐의 침입 때문에 멸종된 것으로 알려졌다가 몇 마리가 동쪽 해안에 튀어나와 있는 외진 바위에서 발견되었다. 결국 이 대벌레는 사람의 손에 사육되어 멸종된 것으로 알려진 지 수십 년 후에 개체 수가 안정을 되찾았다.

하지만 오스트레일리아에 서식하는 곤충들의 삶은 우리가 생각했던 것보다 더 위태로운 것처럼 보인다. 풍뎅잇과에 속하는 크리스마스 풍뎅이는 몸이 희미하게 빛나는 빨간색과 초록색을 띠어 크리스마스를 연상시킨다는 이유로 이런 이름이 붙었다. 이 풍뎅이는 매년 11월과 12월에 나타나며 한때 쉽게 볼 수 있었다. 1936년에 퀸즐랜드주의 한 지역신문은 크리스마스 풍뎅이가 너무 많아져서 '건물과 건물 사이에 있는 꽉 막힌 좁은 공간에서 크리스마스 풍뎅이의 날개가 윙윙거리는 소리가 마치 멀리 지나가는 비행기 소리처럼 들렸다'라고 보도했다.

여러 오스트레일리아인이 크리스마스 풍뎅이를 보면서 자랐지만 신문 기사에 난 것처럼 많이 보지는 못했다. 겨울방학 때 두세 마리 정도 봤을 것이다. 하지만 이제는 오스트레일리아에서 크리스마스 풍뎅이를 아예 찾아볼 수 없는 지역이 생긴 것 같다. 이 풍뎅이에 대해 철저한 연구가 이루어진 적은 없다. 따라서 특정 지역에서 크리스마스 풍뎅이가 거의 사라진 것 같다는 걱정은 사람들의 목격담에 바탕을 두고 있다. 한편 리드비터 주머니쥐의 사촌인 꼬마 주머니쥐의 경우에는 과학 데이터가 더 풍성하다. 2018년에 발표된 연구에 따르면 꼬마 주머니쥐의 50~95%가 새끼를 전부 잃었다고 한다. 새끼들이 굶어 죽었기 때문이다. 꼬마 주머니쥐는 주로 보공나방 Bogong Moth을 먹고 산다. 보공나방은 오랫동안 날아서 주머니쥐가 서식하는 고산 지대로 가는 것으로 알려져 있다. 그런데 보공나방의 개체 수가 급감했다. 오스트레일리아에는 곤충 약 25만 종이 서식한다. 그중에서 보공나방, 초록목수벌Green Carpenter Bee, 키즈 성냥개비 메뚜기(Key's Matchstick Grasshopper, 요가 자세 중에서 얼굴을 위로 향한 개 자세와 비슷한 자세를 취하는 메뚜기)처럼 선택받은 몇 종만이 체계적인 모니터링의 혜택을 누린다. 하지만 이제는 벼랑 끝에 몰린 오스트레일리아의 야생동물을 상대로 새로운 전투가 벌어지는 것처럼 보인다. 이런 위협은 선택된 동물들에게 파문을 일으킬 것이다. "걱정스러운 점은 곤충의 수가 줄어들고 있다면 그런 곤충을 잡아먹는 새와 도마뱀처럼 몸집이 더 큰 동물의 수도 줄어들고 있다는 겁니다." 오스트레일리아 국립 곤충 전시관의 데이비드 예이츠David Yeates는 이렇게 말한다.

곤충이 어려움을 가장 많이 겪는 지역 중 한 군데는 오스트레일리아 북동부에 있는 열대와 아열대 지역이다. 이곳에는 무시무시할 정도로 큰 곤충이 다양하게 있다. 동쪽 해안을 따라 쭉 펼쳐진 열대우림에는 세상에서 가장 큰 나방이 산다. 헤라클레스 나방은 날개폭이 큰 접시처럼 넓고 입이 없다. 포식자들을 혼란에 빠뜨리기 위해 뒤에 가짜 눈이 2개 달려 있기도 하다. 이 나방은 덩치 큰 애벌레일 때 비축해둔 식량에 의지해서 살아간다.

비가 자주 오는 퀸즐랜드주의 열대 지역에는 오르니토프테라 호랑나비도 서식한다. 이 나비는 오스트레일리아에서 가장 큰 나비이며 날개폭이 18cm나 된다. 대눈파리도 이곳에 사는데, 긴 눈자루에 달린 눈이 만화 캐릭터처럼 튀어나와 있다. 호리병벌은 새끼들이 간식으로 먹을 수 있도록 진흙으로 만든 보금자리에 마비시킨 애벌레를 집어넣는다. 한편 무시무시한 보석침개미는 나무와 관목이 우거진 곳에 자리 잡는다. 유충으로부터 명주실을 뽑아내 나뭇잎을 묶고 운 나쁘게 걸려든 동물을 꼼짝 못하게 잡은 뒤 사체를 해체하기 위해 팀워크를 발휘한다.

마치 살아 있는 곤충을 전시하는 박물관 같은 오스트레일리아에서 잭 하센푸시Jack Hasenpusch는 약 30년 전에 곤충을 수집하기 시작했다. 그리고 이니스페일Innisfail 북쪽의 저지대 열대우림에 있는 자신의 땅에서 특이한 나비들을 사육했다. 하센푸시는 곧 이 취미로 돈을 벌 수 있다는 사실을 알아차렸다. 그래서 아내와 아들과 함께 '오스트레일리아 곤충 농장'을 운영했다. 그는 수집가들을 위해 다양한 곤충을 사육한다. 하센푸시의 회사는 매년 곤충 수백 마리를 수출하도록 허가받았고, 교육적인 목적으로 곤충 컬렉션을 전시하기도 한다. 그가 학교에 가면 학생들은 장엄한 율리시스 제비나비의 파란색 날개나 길이가 50cm나 되는 거대한 대벌레Ctenomorpha

Gargantua를 보려고 아우성을 친다. 하센푸시는 씁쓸해하지 않고 이렇게 말한다. "우리는 그게 세상에서 가장 큰 대벌레인 줄 알았는데, 중국에 더 큰 게 있더라고요. 하지만 오스트레일리아에서는 제일 크답니다."

하센푸시가 사육하는 곤충 중에는 주목할 만한 것이 많다. 그중 한 가지가 큰땅굴바퀴Giant Burrowing Cockroach다. 놀랍게도 퀸즐랜드주 사람들은 이 바퀴벌레를 반려 곤충으로 키우길 좋아한다. 큰땅굴바퀴는 몸이 단단하고 갈색 갑옷을 입은 것처럼 생겨서 걸어 다니는 헬멧을 연상시킨다. 무게는 약 35g인데, 세상에서 가장 무거운 바퀴벌레다. 큰땅굴바퀴는 이름처럼 깊이 1m짜리 땅굴을 판다. 그굴은 집 역할을 하며, 바퀴는 거기서 10년 내내 살아간다. 하센푸시는 "너무 커서 아르마딜로처럼 보이기도 합니다. 인상적인 곤충이죠"라고 말한다.

하센푸시는 선사시대에 야생에서 사는 것 같은 소박한 생활을 하면서 곤충이 매년 꾸준히 늘어나는 것을 지켜봤다. 그래서 그는 곤충 개체 수의 규칙적인 변화를 감지할 수 있었고, 상황이 절대로 나아지지 않으리라고 확신했다. 하지만 지난 5년 정도는 평소와 다른 점이 있었다. 하센푸시가 조명을 켜면 곤충이 수백 마리씩 달려들더니 이제는 대여섯 마리만 나타난다. 벌뿐만 아니라 나방도 개체 수가 줄었다. 하센푸시는 크리스마스 풍뎅이의 경우 개체 수가 무려 90%나 감소한 것으로 추정한다. 그는 "정말 충격적인 일입니다"라고 말한다.

최악의 순간은 2018년에 찾아왔다. 곤충만 사라진 것이 아니라 나무에서도 씨앗을 얻을 수 없었다. 이런 상황은 생태계 전체를 긴장시킬 만한 일이었다. 화식조라고 불리는 현지 아이콘도 위험에 노출되어 있었다. 날지 못하는 화식조는 타조 다음으로 무거운 새다. 이 새는 면도칼처럼 날카로운 발톱이 있는 것으로 유명해서 다소 과장해서 인간에게 가장 위협적인 새로 여겨진다. 화식조는 과일을 먹어 씨앗이 넓은 지역에 흩어지도록 돕는 중요한 역할도 한다. 생태계가 붕괴하면 화식조도 같이 사라질 것이다. 그러면 화식조가 번식을 돕는 식물들도 멸종 위기에 놓인다.

하센푸시는 곤충이 사라지는 것을 보고 크게 당황했다. 그가 사는 지역의 더 넓은 땅에 바나나, 사탕수수, 파파야를 재배하는 농장이 있기는 하지만 그가 운영하는 곤충 농장과는 거리가 있다. "여기 있는 땅은 거의 자연이 그대로 보존된 숲 지대입니다. 곤충의 개체 수가 줄어들 실질적인 이유가 없습니다. 이런 사태가 계속 이어지면 걱정할 수밖에 없습니다. 저희가 무엇을 하면서 살아야 할지 모르겠습니다. 다른 일을 찾아봐야 하겠죠. 하지만 가장 걱정스러운 것은 환경입니다." 하센푸시는 최근에 현지에 비가 내리지 않은 것이 원인일 수 있겠다고 생각했다. 하지만 오스트레일리아의 곤충 수집가, 곤충학자와 이야기를 나누다 보니 불안해졌다. "그분들도 딱정벌레가 많이 사라졌다고 말씀하시더라고요. 아무도 그 원인을 설명하지 못합니다. 그냥 일시적인 현상이길 바랄 뿐이죠."

곤충 위기의 규모를 더 잘 이해하기 위해서는 열대지방이 간직한 비밀을 밝혀내는 것이 중요하다. 열대지방에 곤충 종이 가장 다양하게 포진되어 있기 때문이다. 열대지방에 서식하는 곤충에 대한 연구가 많이 이루어지지 않았고 과학계가 아직 이름을 짓지 못한 종도 무수히 많다. 그렇다고 하더라도 기후변화, 서식지 파괴, 기업식 농업으로 인한 환경의 질적 저하가 곤충의 위기에 영향을 미치는 것을 걱정할 이유는 분명하다.

인간에게 감춰진 곤충의 영역인 열대지방을 살펴보려는 시도가 몇 차례 있었다. 한 연구에서는 브라질 아마존에 있는 파라주에 서식하는 100종에 달하는 쇠똥구리를 관찰했다. 이 연구에 따르면 2015년에 엘니뇨 현상이 나타난 후로 쇠똥구리의 개체 수가 눈에 띄게 줄었다고 한다. 동태평양의 온도가 주기적으로 높아지면서 기후 패턴에 영향을 미치는 것이다. 쇠똥구리가 가장 많이 사라진 지역은 열대우림에서 산불 피해를 본 곳이었다. 또 다른 연구에서는 코스타리카에 있는 저지대 열대우림을 더 장기적으로 살펴봤다. 그 결과 이곳에서 20년에 걸쳐 애벌레의 밀집도와 다양성이 감소했다는 사실을 밝혀냈다. 연구원들은 그 원인으로 과도한 강우량과 기온의 상승을 꼽았다. 애벌레가 줄어들면서 애벌레의 천적도 줄어들고 있으며 애벌레가 생태계에 제공하는 서비스도 타격을 받는 실정이다.

미국 생태학자 대니얼 잰즌Daniel Janzen은 1950년대부터 멕시코와 중앙아메리카에서 다양한 곤충 종을 연구했다. 그는 1963년에 코스타리카를 처음 방문했는데, 그 후에도 똑같은 연구 지역을 정기적으로 찾아갔다. 잰즌의 아내이자 연구 파트너 위니프레드 할박스 Winifred Hallwachs도 생태학자다. 그녀의 이름을 딴 나방 여러 종과 말벌 한 종이 있다. 두 사람은 곤충 수천 종을 꼼꼼하게 기록했고, 과나카스테 보존 지역Área de Conservación Guanacaste의 설립을 돕기도 했다. 이곳은 코스타리카 북서부에 있으며 유네스코 세계 유산으로 지정되었다. 잰즌은 서식지 환경의 질적 저하와 기온 상승이 곤충의 멸종으로 이어지는 것은 자명한 사실이라고 말한다. 그가 주유소에서 일하는 나이 든 분들과 이야기를 나눴을 때 그분들은 청소년 시절 이후로 사라진 귀뚜라미, 하루살이, 나방, 깔따구 같은 곤충을 언급했다고 한다.

"그렇다고 해서 제가 곤충의 수를 세면서 살지는 않습니다. 길에서 보행자나 자동차 수를 세면서 인생을 보내는 사람은 없잖아요. 하지만 보행자나 자동차가 줄어들면 알아차릴 수 있죠." 잰즌과 할박스는 2019년에 학술지 〈바이올로지컬 컨서베이션Biological Conservation〉에 '열대지방에 서식하는 곤충이 어디에 많이 있을까?'라는 제목의 논문을 실었다. 두 사람은 이 논문에서 열대지방의 산 위에 있는 메말라가는 운무림에서 곤충이 사라지는 모습을 봤다고 언급했다. 곤충은 저지대에 있는 열대지방의 토양과 물에서도 자취를 감추고 있다고 했다. 잰즌과 할박스는 이렇게 적었다. '우리가 절지동물, 식물, 곰팡이, 선충의 세계와 전쟁을 이어간다면 인간 사회는 크게 패할 것이다.' 그들은 경보를 울리기 위해서 증거가 더 필요하다는 의견은 말도 안 되는 소리라고 생각했다. '집이 불타고 있다. 이럴 때는 온도계가 아니라 소방 호스가 필요하다.'

하지만 곤충의 위기가 어느 정도 규모인지 확실히 파악하기 어렵다는 점이 과학자들을 힘들게 한다. 현재 상황을 위기로 규정해야 하는지 의심하는 학자들도 있다. 곤충이 위험에 처했다는 경보가 울리기 시작한 지 얼마 안 됐을 때 이런 경보에 반대하는 의견이 쏟아져 나왔다.

다양한 성향의 과학자들이 크게 두 가지 이유를 들어 곤충이 위기를 맞았다는 이론에 대항했다. 첫 번째 이유는 곤충의 개체 수가 감소하고 있다고 주장한 연구는 오류가 있거나 특정 지역에 국한되었다는 것이다. 두 번째 이유는 곤충이 사라지고 있다고 해서 지나치게 격한 반응을 보이는 것은 과장된 행동이며 증거가 확실한 다른 과학 이론에 치명적일 수 있다는 것이다. 반대하는 학자들은 곤충의 위기에 반박하는 글을 써서 과학 학술지에 실었다. 그중에는 과거에 곤충이 줄어들고 있다고 주장하는 논문을 발표했던 학자들도 있었다. '이런 논문들은 상대적으로 질이 떨어진다. 연구원들이 데이터를 잘못 해석했거나 주장을 펼치는 데 지나치게 열성적이기 때문이다.' 과학자 13명이 〈곤충의 보호와 다양성Insect Conservation and Diversity〉에 실은 글에 이런 구절이 있다. 그들은 대중이 곤충을 보호하는 문제를 예전보다 분명하게 인식하고 있다고 언급했다. 하지만 '곤충이 감소하고 있다는 주장에 철저한 조사가 뒷받침되지 못하면 이런 스포트라이트가 양날의 검처럼 작용할 수 있다.'

이 비평은 곤충 비상사태를 선포할 때 주의할 점이 몇 가지 있다고 강조했다. 우리는 곤충의 개체 수가 역사적으로 어떻게 달라졌는지 잘 모른다. 따라서 장기적으로 곤충의 수가 감소할 것이라고 주장하기 위해서는 인간이 자연을 본격적으로 괴롭히기 전의 곤충계 상황을 추측한 내용에 의존할 수밖에 없다. 당연한 말이지만 곤충을 개별적으로 조사하기란 사실상 불가능하다. 그렇다 보니 표본만 살펴봐서는 잘못된 결과가 나올 가능성도 있다. 곤충 연구가 이루어지는 지역이 지리적으로 드문드문 있는데, 연구가 이루어지지 않는 지역에서 곤충이 어떤 일을 겪고 있는지 어떻게 알겠는가?

언론의 보도 문구를 비판한 학자들도 있었다. 그들은 한 예로 BBC의 머리기사 제목인 '세계 곤충 수의 급감으로 해충이 전염병처럼 창궐할 것이다'라는 문장이 '과장되었고 실제로 일어날 확률도 낮다'고 지적했다. 이 비평은 과학자 3명이 학술지 〈바이오사이언스 BioScience〉에 함께 게재한 글이다. 그들은 주로 북아메리카와 유럽에 한정된 연구가 곤충이 전 세계적으로 '암울한 상태'에 놓였다는 사실을 잘못된 방식으로 보여주고 있다고 한탄했다. 이런 방식으로는 곤충 보호에 대한 대중의 지지를 끌어내기 어렵다는 것이다.

세 번째 반론은 '지구상에 있는 여러 지역에서 다양한 곤충 분류군의 수가 감소하는 것은 명백한 사실이다'라고 인정한다. 하지만 비판론자들은 데이터 대부분이 애초에 곤충에게 호의적이지 않은 환경을 갖춘 인간 점령 지역에서 수집되었다는 사실을 잊지 말아야 한다고 경고한다. 그들은 왜 포유동물이나 어류를 비롯해 생존 위기를 겪는 다른 동물들보다 곤충이 특히 더 많이 줄어들고 있는지 의문을 표하기도 했다.

연구 지역이 한정적이고 모든 곤충 종이 줄어드는 것은 아닌 만큼 곤충이 전 세계적으로 감소하고 있다고 주장하는 건 위험하다. 핀란드의 숲에 사는 나방, 스페인 남동부에 사는 수분 매개자, 오스트레일리아의 사막에 사는 개미는 개체 수가 늘어났다고 보고한 연구가 여러 건 있다. 오리건주립대학교의 생물학자 타이슨 웨프리치 Tyson Wepprich는 이런 사례들은 "곤충이 전반적으로 감소하고 있는 현상의 예외에 해당한다"라고 말했다. 그는 이런 논란 자체가 곤충의 미래를 결정하는 요소가 서로 얼마나 복잡하게 얽혀 있는지 잘 보여준다고 주장했다.

비판론자들은 특히 푸에르토리코의 열대우림에 서식하는 곤충의 수가 급격하게 감소하고 있다고 밝힌 연구와 세계적으로 곤충 종의 40%가 사라졌다고 주장한 분석을 문제 삼았다. 리스터와 가르시아의 푸에르토리코 연구는 기후변화에 따른 스트레스를 곤충의 수가 장기간에 걸쳐서 줄어드는 원인으로 꼽았다. 하지만 비판론자들은 연구에 쓰인 2개의 기온이 합쳐진 기록이 미심쩍다고 주장한다.

1989년에 허리케인 '휴고Hugo'의 영향으로 망가진 기상관측소와 더 따뜻한 지역으로 옮겨 간 관측소에서 기록을 측정했기 때문이다.

티모시 쇼발터는 수십 년 동안 루키요 열대우림에서 연구를 진행했다. 그는 리스터와 가르시아가 캐노피 절지동물에 대한 자신의 연구 결과를 인용하면서 이런 결과가 숲 전체를 대표한다고 생각했다고 밝혔다. 하지만 쇼발터는 표본으로 쓸 나무를 무작위로 선택한 것이 아니었다. 그는 케크로피아Cecropia속에 해당하는 특정한 나무만 노렸기 때문에 리스터와 가르시아의 생각은 틀렸다. 쇼발터의 말에 의하면 열대우림에 서식하는 곤충의 수는 가뭄과 허리케인의 영향으로 오르락내리락한다고 한다. 놀라운 이야기일 수도 있지만, 허리케인이 지나가고 나면 곤충의 수가 늘어나는 경우가 많다. 허리케인 덕택에 새로운 식물이 빠른 속도로 자라기 때문이다. 쇼발터는 "어떤 면에서는 이 연구가 데이터를 제대로 확보해야겠다고 다짐하게 하는 계기가 되었습니다. 연구에서 우리 데이터를 잘못 사용했다는 점이 너무 아쉽습니다"라고 말한다.

이에 대한 응답으로 리스터는 기상관측소의 데이터를 기존 데이터와 비교할 수 있도록 1992년 9월부터 정정했다고 밝혔다. 게다가 근처에서 독립적으로 측정한 기온도 연구에 사용했다고 덧붙였다. 그는 쇼발터가 이전 연구에서 나무 표본을 무작위로 선택한 것처럼 발표했다고 주장하기도 했다.

"열대 폭풍우가 숲의 생태계에 다양한 영향을 미친다는 사실은 아무도 부인할 수 없습니다. 하지만 저희가 연구한 결과, 열대 폭풍우는 금방 사라지고 가차 없는 지구온난화의 영향과 함께 작용합니다." 리스터는 이렇게 말하면서 자신과 가르시아가 데이터를 잘못 이용했다는 주장에 '강하게 반발한다'고 밝혔다. 리스터와 가르시아는 이 지역과 다른 지역의 데이터가 추가로 필요하다는 의견에는 동의한다.

문제가 되는 또 다른 연구는 산체스-바요와 웨익의 연구다. 이 연구는 날카로운 표현과 암울한 결과로 여러 과학자에게 충격을 안겨주었다. 핀란드 환경 과학자로 구성된 한 연구 팀은 산체스-바요와 웨익이 신중한 어조를 사용하지 않았다고 비판했다. 연구 팀은 두 학자가 곤충의 개체 수가 감소하고 있다고 밝힌 연구만 '뭉뚱그려서' 실제 상황을 왜곡했다고 주장하기도 했다. '곤충이 줄어들고 있다는 증거를 찾으려고 하면 쉽게 찾을 수 있을 것이다.' 핀란드 연구 팀은 '잘못된 연구 방식으로 곤충이 위기에 빠졌다고 주장하는 사람들'이라는 제목의 반박문에 이렇게 적었다. 마누 손더스 역시 핀란드 과학자들과 같은 입장이다. 그는 산체스-바요와 웨익의 연구는 '출판 단계까지 가지 말았어야 했다'라고 언급한다.

문제의 논문이 원래 실렸던 학술지 〈바이올로지컬 컨서베이션〉에는 이 연구를 공격하는 글과 옹호하는 글이 번갈아 발표되었다. 논쟁은 과학계 관례대로 대체로 정중하게 진행되었고, 데이터 및 통계의 남용과 편향적인 표본 추출 문제를 다룬 기술적인 내용으로 가득했다. 하지만 이것은 맹비난의 대상이 된 산체스-바요에게 기분 좋은 경험은 아니었다. "곤충이 위기에 직면했다는 사실이 이런 변화가 실제로 일어나고 있다는 것을 받아들이지 못하는 곤충학자와 생태학자에게서 고약한 반응을 끌어낸다는 데는 의심의 여지가 없습니다." 그는 이렇게 말하면서 곤충학자 '대다수'가 자신의 연구 결과에 동의한다고 강조한다. 산체스-바요는 웨익과 자신이 곤충이 전 세계적으로 꾸준히 감소하고 있다는 포괄적인 주장을 펼치지는 않았다고 말한다. 그저 증거를 검토했을 뿐이라는 것이다. "사실을 받아들이지 못하는 사람만이 우리가 과장했다고 생각할 겁니다."

이 문제는 전문가로서의 엄격한 태도나 학자로서의 명성을 둘러싼 단순한 자존심 싸움이 아니었다. 곤충학자 대부분(다 그런 것이 아니라면)은 곤충이 서서히 없어지고 있다는 것을 알아차렸고, 이런 상황을 다른 사람들이 인정하게 할 방법을 찾느라 고생하고 있었다. 손더스는 이렇게 말한다. "이 이야기에서 자주 간과되는 요점은 위기가 찾아왔다는 사실을 우리가 알고 있었다는 겁니다. 무려 수십 년 동안 알고 있었습니다." 하지만 그렇다고 해서 '인섹타겟돈' 같은 용어를 남발해도 된다는 뜻은 아니다.

말을 삼가는 태도는 모든 과학 분야에 적용되는 관례다. 기후학에서도 마찬가지다. 기후학은 30년 전부터 갈수록 심각한 연구 결과가 나오고 있는 분야다. 하지만 과학자들은 빙상의 붕괴나 가공할 허리케인을 두고도 큰 소리로 주장하기를 꺼린다. 과학자들은 그런 성향의 사람들이 아니다. 영국 왕립곤충학회 회장 크리스 토머스 Chris Thomas는 곤충의 감소와 관련된 대중과 언론의 문의가 곤충과 관련된 다른 문의보다 훨씬 많다고 말한다. 하지만 토머스는 두 과학자와 함께 발표한 글에서 뒤죽박죽이거나 편향된 데이터를 바탕으로 "곤충의 감소세를 과장했다가 주장의 일부가 부풀려진 것으로 밝혀지면 오히려 역효과가 날 수 있다"라고 경고하기도 했다.

이런 입장은 말을 삼가는 과학계의 관례에서 비롯되었다. 하지만 기후변화를 둘러싼 소모적이고 악의로 가득한 싸움 역시 과학자들이 말을 조심해야 한다는 생각을 더 확고하게 만드는 전례를 남겼다. 토머스는 이렇게 말한다. "제가 걱정하는 것은 곤충이 줄어들고 있느냐 아니냐가 아닙니다. 평균적으로 봤을 때 분명히 줄어들고 있거든요. 하지만 학자들이 '곤충이 70% 감소했다'라고 말했다가 알고 보니 20%밖에 감소하지 않았다는 사실이 밝혀지면 모두가 '아, 그렇다면 별문제 없네'라고 생각할까 봐 걱정됩니다. 저는 기후변화도 마찬가지라고 생각합니다. 사람들이 '기온이 5℃ 올랐을 수도 있는데 2℃밖에 안 올랐으니까 괜찮아'라고 생각할까 봐 우려됩니다."

토머스는 우리가 직접 경험한 다양한 현실과 앞으로 나타날 잠재적인 결과를 비교하는 경향이 있다고 말한다. 특정한 부정적 영향에 대비해 마음의 준비를 해뒀다가 그것보다 나은 결과가 나오면 그정도는 받아들일 만하다고 느낄 수 있다. 곤충 종의 20%가 멸종한다면 분명 재앙일 것이다. 하지만 곤충의 40% 이상이 사라질 위기에 놓여 있다고 생각했다가 20%만 없어졌다는 소식을 들으면 좋은 결과처럼 느껴질 것이다.

손더스는 아마겟돈을 주장하는 학자들을 비판하는 글을 여러 편 발표했다. 그녀는 곤충학자들의 지지를 받고 있지만 '격렬한 비판'도 받는다고 한다. 손더스의 의견에 반대하는 사람들은 대중이 곤충 보호에 관심을 보이게 하려면 파멸을 논하는 것이 유용하다고 주장한다. 손더스는 그런 스포트라이트를 받는 것의 대가(음모론자들에게 왈가왈부할 거리를 제공하거나 의도적으로 잘못된 정보를 전달하려는 사람들에게 길을 열어주는 일)가 대중의 인식을 높임으로써 얻는 이득보다 클까 봐 걱정한다. 농약 산업은 곤충이 줄어들고 있다고 주장하는 보고서에 오류가 있다며 현재의 살충제 사용량을 옹호하고 있다. 손더스는 "이것이 바로 대중의 관심을 끌 수만 있다면 과학적인 사실을 과장해도 된다고 생각할 때 벌어지는 일입니다. 위험한 연쇄반응의 일종이죠"라고 말한다.

물론 언론이 머리기사의 제목을 대담하게 정하는 것이 놀라운 일은 아니다. 밴쿠버아일랜드대학교의 진화 생물학자 재스민 제인스Jasmine Janes는 이렇게 말한다. "인정할 것은 인정합시다. '인섹타겟돈'이 '아이슬란드에 서식하는 곤충이 줄어들고 있다'라는 표현보다 훨씬 쉽게 사람들의 관심을 끌 수 있죠. 사실 그래서는 안 됩니다. 대중은 제목이 어떻든지 간에 이런 기사에 신경 써야 합니다. 하지만 여러 이유로 '인섹타겟돈'을 언급한 기사가 관심을 더 많이 받습니다." 제인스는 대중의 걱정을 부추기는 행동이 역효과를 낼까 봐 걱정한다. 대중이 공포에 압도되어 곤충의 감소가 해결하기에 너무 큰 문제라고 인식한 나머지 신경을 아예 끊어버릴지도 모른다. 이때 덜 자극적이고 더 부드러운 어조의 메시지가 대안이 될 수 있다. 제인스는 이렇게 제안한다. "곤충이 실제로 부분적으로나마 감소하고 있다는 증거가 있습니다. 따라서 우리가 다음에 할 일을 계획하기 위해서는 그 증거를 더 자세히 살펴봐야 합니다."

곤충의 멸종을 두고 과학계가 영원히 만장일치에 이르지 못할 가능성도 있다. 이유는 여럿이겠지만, 크기도 작고 잡기도 어려운 100만 종 이상의 곤충에 대한 데이터를 수십 년 동안 수집하는 일이 쉽지 않다는 것도 한 가지 이유일 것이다. 곤충의 위기는 앞으로 더 분명하게 드러날지도 모르지만, 종 간에 미묘한 차이는 있을 것이다. 곤충이 전부 사라지지는 않고 승자와 패자가 생길 것이며, 곤충을 보호하기 위한 노력도 어느 정도 성과를 거둘 것이다. 만일 최악의 사태가 벌어지면 우리의 생활 방식을 주변 환경으로부터 부분적으로 격리하는 유토피아적이고 기술집약적인 방법이 통할지도 모른다.

학자들이 곤충에게 재앙이 닥쳤다고 선언하길 주저하는 것은 우리가 기후변화와 비슷한 방식으로 대응할까 봐 두렵기 때문이다. 지구의 온도가 상승하는 현상을 이해하기 위해서는 추가적인 연구가 필요하지만, 우리는 이미 보유하고 있던 정보를 바탕으로 빠르게 행동에 나서는 일에 처참하게 실패했다. 온실효과의 기본 원리는 빅토리아 여왕 시대에 이미 알려져 있었다. 그 이후 과학계는 수십 년에 걸쳐 상황이 점점 더 위급해지고 있다고 포괄적으로 경고했다. 하지만 지금도 여러 국가의 정부가 머뭇거리고 있다. 과학자들이 그린란드의 얼음이 정확히 얼마나 녹았는지 측정할 수 있고, 미래에 방글라데시, 플로리다주 남부, 상하이가 부분적으로 물에 잠길 판인데도 말이다.

기후 위기로 인한 끔찍한 화재와 홍수는 히로니뮈스 보스(Hieronymus Bosch, 네덜란드의 화가. 상상 속의 풍경을 담은 작품들로 유명하다 - 역주)의 그림을 닮아가고 있다. 한편 곤충의 감소는 부분적으로 감춰진 피카소 그림과 비슷하다. 일부는 안 보이고, 나머지 부분은 모양이 약간 이상하고 모호하다. 하지만 기본적인 윤곽은 볼 수 있어서 전문가 대부분은 자신이 무엇을 보고 있는지 안다. 언제 공개적으로 경보를 울리는 것이 적합한지는 과학적인 답이 필요한 문제다. 하지만 도덕적이고 실용적인 측면도 고려해야 한다.

이런 논쟁에 조바심을 내는 전문가들도 있다. 곤충 전문가 3명은 학술지 〈동물 보호의 과학과 실행Conservation Science and Practice〉에 이렇게 적었다. '불완전한 지식을 바탕으로 행동에 나서는 것은 우리가 일상생활에서나 일할 때나 늘 하는 일이다.' 그들은 우리가 완전히 이해하지 못하는 질병에도 치료법이 효과를 보이는 것을 예로 들었다. 세 학자는 곤충이 감소하는 추세가 남극대륙을 제외한 모든 대륙에서 나타난다고 지적하면서 이렇게 덧붙였다. '구체적인 연구 몇 건에 대해 비판이 있기는 했지만, 곤충이 감소하는 전반적인 추세는 분명하다. 어쩌면 이 위기의 가장 어려운 점은 지리적으로 너무 넓은 지역에서 일어난다는 점일 것이다.'

우리에게 필요한 것은 '신속한 대응'이다. 과학자들은 "곤충 개체 수의 감소와 관련된 여러 문제(생리학적, 통계학적, 행동상의 문제)가 완전히 해결될 때까지 기다려서는 안 된다"라고 입을 모은다. 게다가 곤충을 살리기 위해 노력하자고 요구하는 일이 대중에게 쓴 약을 삼키라고 요구하는 일도 아니라고 말한다. 곤충의 서식지가 서로 연결되어 있을 때 살충제를 사용하지 않으면 일부 종의 개체 수가 증가할 뿐만 아니라 수질이 개선되고 생태계의 다른 기능도 활성화될 것이다. 또 연약한 농작물을 공격하는 침입종의 확산도 막을 수 있다. 기후변화를 막기 위한 노력은 사실상 모든 곳에서 모든 일에 도움이 될 것이다.

만일 곤충이 보호받아서 더 활기찬 환경이 조성되고, 해안선이 현재와 비슷하게 유지되고, 식량이 계속 풍부할 것이라고 가정해보자. 그러면 처음에 학자들의 예상이 조금 과했다고 해서 신경 쓰는 사람이 얼마나 있을까?

스콧 호프먼 블랙은 앞에서 언급한 세 전문가 중 한 명이다. 그는 자신이 이런 상황에 처하리라고는 전혀 생각하지 못했다. 서세스 소사이어티에 처음 들어갔을 때 블랙은 언컴파그레 표범나비 Uncompahgre Fritillary Butterfly(서식지인 미국 콜로라도주에서 사라질 위기에 같은 희귀 곤충 몇 종을 대신해서 투쟁하게 될 것으로 예상했다. 하지만 그는 한때 흔하게 볼 수 있었던 곤충들을 보호하기 위해 전면전을 펼치고 있다. 블랙은 네브래스카주에서 자라면서 우르릉거리는 1971년형 포드 머스탱Ford Mustang을 몰았다. 그는 이 차가 내는 소리를 '고성능 자동차가 내쉬는 마지막 숨'이라고 불렀다. 어린 블랙은 자동차에 부딪혀서 죽은 곤충을 떼어내면서 많은 시간을 보냈다. 하지만 그가 2000년대에 자녀들과 고향에 돌아갔을 때는 자동차에 부딪힌 벌레가 한 마리도 없었다. 블랙은 과학자로서 이 경험에 별다른 의미를 두지 않다가 관련 연구를 접하고 나서 곤충이 사라지고 있다는 사실이 있다고 인정했다. 그는 곤충이 처한 현실을 미국의 기후학이 겪고 있는 현실에 비유한다. 기후학 전문가들은 명백한 위협이 있다고 경고하지만, 이 경고는 주기적으로 무시당하고 있다. 블랙은 기후 위기로 인한 피해가 점점 더 커지는 상황을 두고 이렇게 말한다. "우리가 1980년대에 행동을 취했더라면 오늘날 이런 사태를 맞이하지 않았을 것이라는 증거가 있습니다. 저는 생물 다양성이 감소하는 상황도 마찬가지라고 생각합니다. 10년 안에 행동을 개시해야 합니다."

　　블랙은 지금 나타나는 커다란 변화가 자녀들이 노인이 되었을 때 지구가 완전히 다른 상태에 이르게 할 위험이 있다고 주장한다. "곤충의 감소세가 이 추세대로 이어진다면 우리가 그동안 감당해야 했던 여러 문제는 생태계의 붕괴와 비교했을 때 새 발의 피 같을 겁니다. 학자들이 발표한 사실상 모든 연구에서 종의 다양성, 개체 수, 생물량의 급격한 감소가 두드러지는 현상을 볼 수 있습니다."

곤충 위기의 전체적인 그림이 점점 또렷해지고 있다. 산체스-바요와 웨익의 연구를 잇는 한 연구에서는 과학자 12명이 곤충의 감소를 다룬, 역대 최대 규모의 연구를 진행했다. 그들은 약 1,700개 지역에서 장기적으로 진행된 연구의 결과를 담은 논문 166편을 샅샅이 훑었다. 논문이 전부 곤충의 감소세를 다룬 것은 아니었다. 연구진은 땅에 사는 곤충의 개체 수가 산체스-바요와 웨익의 연구 결과만큼은 아니더라도 가파르게 감소하고 있다는 사실을 알아냈다. 1990년 이후 10년에 평균 9%씩 감소하는 것이다. 다행히 수서곤충은 개체 수가 늘어나고 있는 것으로 보인다. 10년에 약 11%씩 증가하는 것으로 나타났는데, 아마도 호수, 개울, 강의 수질 오염도를 낮추려는 노력 덕택일 것이다.

여러 곤충학자가 수서곤충의 증가세는 최근에 개체 수가 많이 줄었다가 다시 반등하는 중이기 때문이라고 추측한다. 설령 그렇다고 하더라도 이런 분석은 곤충의 파멸에 숨겨진 뒷이야기가 있을 수 있다는 사실을 알려준다. 일부 언론은 이 논문에 대해 보도하면서 연구 결과가 희망적이라고 언급하기도 했다. 곤충을 포함한 자연계에 대한 우리의 기대치가 얼마나 낮은지 알 수 있는 대목이다. 곤충이 실제로 10년에 9%씩 감소하고 있고, 이런 추세가 이어진다면 지금의 유아들이 황혼기에 접어들어 호박벌을 본 이야기를 들려줬을 때

손주들이 감탄할 것이기 때문이다.

2019년 11월에 세계적인 곤충 전문가들이 미주리주 세인트루이스에 모이면서 곤충의 위기를 둘러싼 논쟁에 큰불이 붙기 직전이었다. '곤충학회 2019Entomology 2019'에는 60개국이 넘는 국가의 대표 3,600명이 참가했다. 학회는 흐린 날씨에 미시시피강에서 불어오는 살을 에는 듯한 찬 바람 속에서 열렸다. 참가자들은 세인트루이스 시내에 있는 아메리카스 센터America's Center로 줄지어 입장했다. 1970년대에 지어진 휑뎅그렁하고 실용적인 컨벤션 장소였다. 행사 로고는 파리 한 마리가 세인트루이스의 유명한 아치형 구조물 아래를 통과하는 재미있는 그림이었다. 현지 언론은 이 행사를 조롱하는 분위기였다. 방송국 KMOV4의 TV 리포터는 "벌레 때문에 짜증이 납니다"라고 말하고 나서 컨벤션에 참석한 뒤 거미가 알고 보면 곤충이 아니라는 사실을 접하고 깜짝 놀랐다.

'곤충학회 2019'가 괴짜들의 모임처럼 보이는 이유를 쉽게 이해할 수 있다. 대표들은 주로 백인 남성이었으며 수염을 길렀고, 편한 신발을 신었고, 카키색 옷을 입었다. 양쪽에 나무가 늘어선 개울로 급하게 물벌레라도 찾으러 가야 할 것 같은 차림새였다. 컨벤션 장소에는 곤충을 소재로 만든 상품을 판매하는 공간도 있었다. 그중에는 '침착해라. 그냥 벌레일 뿐이다'라는 문구가 적힌 티셔츠도 있었고, 딱정벌레beetle 네 마리가 영국 애비 로드Abbey Road의 횡단보도를 두 다리로 건너는 가짜 앨범 표지도 있었다.

학회의 하이라이트는 유명한 곤충학자들이 의견을 밝히는 시간이었다. 이미 2년 동안 언론이 서로 앞다투어 곤충의 쇠퇴를 보도하고 난 후였다. 토론은 사람들이 꽉 들어찬 홀에서 코네티컷대학교의 곤충학자 데이비드 와그너David Wagner의 주재로 이루어졌다. 와그너는 수염이 깔끔하고 머리 위에 안경을 얹어 마치 배우 우디 해럴슨Woody Harrelson의 학구적인 형제처럼 보였다. 그는 곤충의 멸종을 너무 성급하게 주장하면 안 된다고 경고한 과학자 중 한 명이었다. 하지만 여기서는 곤충의 미래를 진심으로 걱정하는 것처럼 보였다. 와그너의 말에 의하면 곤충의 감소세는 북극부터 열대지방에 이르기까지 다양한 분류군에 걸쳐서 나타나고 있다고 한다. 여기에는 하늘, 땅, 물에서 서식하는 곤충이 모두 포함된다. 와그너는 "우리는 희귀종을 걱정하는 경우가 많습니다. 하지만 이번에는 상황이 다릅니다. 먹이 그물에서 중요한 역할을 하는 흔한 종도 줄어들고 있습니다"라고 말했다. 그리고 크레펠트 연구(마침 마틴 소르그가 책상다리를 하고 첫 줄에 앉아 있었다)가 끌어낸 격렬한 반응을 반기며 이렇게 덧붙였다. "우리는 2017년이 되어서야 곤충학계 밖에 있는 사람들의 관심을 제대로 끌 수 있었습니다. 크레펠트 연구는 분명 사람들의 주의를 촉구하는 계기가 되었습니다."

몇몇 연사는 곤충의 위기가 이미 오랜 걱정거리였다고 밝혔다. 메이 베렌바움May Berenbaum은 일리노이대학교 곤충학과에서 40년 동안 근무했다. 그녀는 2006년에 북아메리카에 서식하는 수분 매개자가 감소하고 있다는 점을 알아낸 연구 팀에 속해 있었다고 설명했다. 그 당시에도 벌의 미래를 걱정하는 사람들이 있었다는 것이다.

베렌바움 다음에 연사로 나선 사람은 잰즌이었다. 그의 옆에는 할박스가 서 있었다. 잰즌은 얼굴에 수염이 나 있었고 패딩 재킷을 입고 있었다. 그는 무대 조명에 대해 불평하고는 자신의 자동차가 찍힌 사진 한 장을 보여주었다. 차는 다리 위에 세워져 있었고, 다리 밑으로는 작은 시내가 흐르고 있었다. 잰즌은 사진이 1955년 자신이 고등학생일 때 고향인 미네소타주에서 찍은 것이라고 했다. 잰즌의 차는 앞부분이 거의 곤충으로 뒤덮여 있었다. 헤드라이트에서 나오는 불빛이 잘 보이지 않을 정도였다. 그는 "저는 이런 곤충들과 함께 자랐습니다. 하지만 요새는 곤충을 보기가 힘듭니다"라고 말한다.

잰즌은 그리고 나서 코스타리카의 외딴곳에 있는 낙원이 사라지고 있다는 이야기를 들려주었다. 그곳에 사는 곤충 수는 미국 동부 지역 전체에 서식하는 곤충 종을 전부 합친 것과 같다고 했다. 잰즌은 또 다른 사진을 한 장 더 보여주었다. 이번에는 코스타리카의 열대우림에서 조명을 받은 하얀색 천을 찍은 사진이었다. 1986년 6월에 달이 뜨지 않은 밤이었다. 날아다니는 곤충이 하도 많이 붙어 있어서 천이 하얀색보다는 갈색에 더 가까워 보였다. 그다음 사진은 2019년 5월에 똑같은 배경에서 찍은 것이었다. 이 사진에서는 천에 커다란 나방 몇 마리와 작은 벌레 여러 마리가 붙어 있기는 했지만, 나머지 부분에는 아무것도 없었다.

젠즌은 변화가 뚜렷하고 파급 효과도 크다고 느꼈다. 숲으로 뒤덮인 산 위에 걸쳐진 구름은 점점 더 강렬해지는 열기에 양이 현저히 줄어들었다. 코스타리카를 방문하는 생태 관광객들은 타는 듯이 더운 날을 좋아한다. 하지만 젠즌의 말에 의하면 그런 환경은 산에 서식하는 생물에게는 '죽음의 계곡'과 같다고 한다. 군대개미가 산비탈을 올라가서 땅에 살던 생명체들을 없애버린 것이다. 그 여파로 새부터 말벌에 이르기까지 다양한 생물이 고통받았다.

여러 전문가에게는 곤충의 정확한 감소 현황보다 곤충을 구하려는 인간의 나태한 태도가 더 큰 수수께끼다. 식물학자이자 미주리 식물원의 전 책임자 피터 레이븐Peter Raven은 이렇게 말한다. "곤충은 빠른 속도로 사라지고 있습니다. 곤충이 직접 토론에 나설 수 없으니 우리가 곤충을 변호해줘야 합니다. 그러니까 바쁘게 일해야죠." 와그녀는 청중에게 투표권을 행사하거나 스스로 변호할 수 없는 곤충 수백만 종의 사절단 역할을 그들이 하고 있다고 상기시켰다. "행동에 나서기 위해서 데이터를 더 수집할 필요는 없습니다. 곤충 입장에서는 지금 로마가 불타고 있는 것과 같습니다. 당장 시도해볼 수 있는, 위험 요소가 적거나 전혀 없는 선택 사항도 많습니다."

곤충이 위험에 처했다는 메시지가 소수만 이해하는 곤충학의 영역을 넘어 널리 전파되고 있다는 조짐이 여기저기 보인다. 하지만 세상은 재앙으로 가득해 경쟁을 뚫고 대중이 곤충의 위기에 격분하게 하기는 쉽지 않다. 현대인은 정신없이 바쁘게 지내며 집중할 수 있는 시간이 그 어느 때보다 짧다. 인간의 공감 능력은 유용하지만 대중의 행동을 촉구하기에는 부족한 경우가 많다. 특히 사람들이 그 문제가 자신의 삶에 실질적으로 영향을 끼치지 않는다고 생각하면 상황이 더 어려워진다. 많은 사람이 곤충에 혐오감이나 두려움을 느낀다는 점도 문제다. 우리는 곤충을 죽이기 위해 만든 화학약품을 찬장에 쌓아둔다. 대중문화 역시 곤충을 살충제나 괴물과 연관시킨다. 언어조차 곤충에게 적대적이다. 우리는 곤충을 두고 '기어 다니는 소름 끼치는 벌레' 같은 모욕적인 표현을 사용한다. 곤충이 사람들을 짜증 나게 한다고 생각하기도 한다. 곤충학자들이 곤충 홍보에 나서기에 호의적인 환경이 아니다.

다행히 대중도 상황이 달라졌음을 체감할 때가 있다. 어떤 사람들은 자동차 앞 유리에 벌레가 예전보다 덜 달라붙고 야외 조명에 벌레가 전만큼 자주 우글거리지 않는 데 불안감을 느낀다. 그들은 벌이 사라지고 있다는 기사가 자꾸 나오는 것이 좋은 징조가 아니라는 사실도 안다. 하지만 이런 사람들에게 일부 농작물에 살충제를 살포하거나 비행기를 타고 대서양을 횡단하는 행위를 딸기가 잘 안 열리고 나무에서 새소리가 들리지 않는 현실과 연결 짓게 하기는 더 어렵다. 그래도 어쩌면 이런 전반적인 불안감만으로도 곤충의 위기에 제동을 걸기에 충분한 도움이 될지도 모른다.

사실 이것보다 일어날 확률이 더 높은 일은 우리가 새로운 세상에 대한 기대치를 조정하는 것이다. 지금 중년인 사람들은 어린 시절에 방학 때 시골에 놀러 갔다가 자동차에 벌레가 마구 들러붙었던 경험을 기억할 것이다. 하지만 이 기억, 즉 '정상적인' 환경에 대한 인상은 그들과 함께 늙고 죽을 것이다. 지금은 쉽게 구할 수 있고 가격도 저렴한 식품도 훗날 귀해지고 비싸질지 모른다. 처음에는 사람들이 크게 반발하겠지만, 그 이후에 태어나는 세대는 별다른 맛이 나지 않는 특색 없는 음식에 익숙해질 것이다. 시골은 침체되고, 더 조용해지고, 쓰레기로 더 지저분해질 것이다. 하지만 우리는 전쟁이 끝나고 산업화된 농업 때문에 땅이 평평해졌을 때도 적응했고, 그런 곳에서 번성하기까지 했다. 인류는 이번에도 난관을 타개할 방법을 찾을 것이다.

뛰어난 적응 능력은 인간이 지구를 점령하는 데 핵심적인 역할을 했다. 하지만 적응 능력이 뛰어나다는 것은 특정한 기억을 쉽게 잊어버린다는 뜻이기도 하다. 기준점이동증후군Shifting Baseline Syndrome은 우리 주변에서 사람들이 받아들이는 표준이 점진적으로 바뀌는 현상을 나타낸다. 이 용어는 어쩌면 해양 생태학자 로렌 매클레나첸Loren McClenachan이 2008년에 발표한 논문에서 가장 인상 깊게 쓰였을지도 모른다. 매클레나첸은 플로리다주 키웨스트에서 낚시하는 사람들이 자기가 잡은 물고기와 함께 찍은 역사적인 사진들을 조사하기로 했다. 키웨스트는 플로리다주 남쪽 끝에 있는 여러 섬 중 육지에서 가장 멀리 떨어진 곳이다. 이곳에서는 낚시 투어를 온 고객들이 물고기를 잡은 뒤 줄을 서서 찍은 의기양양한 사진을 '현판'에 붙이는 전통이 있다. 매클레나첸은 1950년대에 찍은 사진들을 찾아보았다. 그 당시 사람들은 자신보다 키가 더 큰 2m짜리 물고기와 함께 포즈를 취했다. 1970년대가 되자 물고기는 낚시꾼들과 키가 비슷해졌다. 그러다가 매클레나첸이 2007년에 1일 원양어선 투어를 신청했을 때는 현판에 걸린 사진 속 물고기의 길이가 30cm밖에 되지 않았다.

매클레나첸은 2007년에 키웨스트에서 잡힌 상어의 크기가 평균적으로 1950년대에 잡힌 상어의 절반밖에 되지 않았을 것으로 추정했다. 다른 물고기도 사정은 마찬가지다. 50년 전에는 큰 그루퍼가 많이 잡혔지만, 이제는 훨씬 작은 도미가 많이 잡힌다. 키웨스트에 있는 산호초 군락의 상태가 계속 나빠지면서 이 지역에서 큰 물고기가 살아가기가 훨씬 어려워졌다. 그런데도 사진 속 사람들은 시대와 관계없이 모두 활짝 웃고 있었다. 다들 자신이 잡은 물고기와 함께 기쁜 마음으로 사진을 찍은 것이다. 사람들이 점점 더 작은 물고기를 잡는데도 (물가 상승률을 고려한) 보트 투어의 가격도 크게 달라지지 않았다. 1950년대에 낚시를 한 사람들의 기대치는 오래가지 않았고, 새로운 세대에게는 새 기준이 생겼다. 나이 든 사람에게는 자연계가 규모가 작아진 것처럼 보일 수 있지만 젊은 사람에게는 그렇지 않다.

곤충의 세계도 마찬가지다. 곤충은 1조 마리나 되는 규모로 사람들을 공포에 떨게 할 수 있지만, 곤충 때문에 무서웠던 경험이 후

대에는 잘 알려지지 않은 역사로 남을지도 모른다. 로키산맥 메뚜기
는 한때 미국 서부에서 맹위를 떨쳤다. 이 메뚜기는 19세기 말 농촌
에 일종의 디스토피아를 불러왔고, 메뚜기 떼 때문에 햇빛이 몇 시간
씩 차단될 정도였다. 한 시민은 그 광경을 보고 이렇게 적었다. '메뚜
기 떼는 커다랗고 하얗게 반짝이는 구름처럼 보였다. 날개에 햇빛이
닿아서 흰색 증기로 이루어진 구름처럼 보인 것이다.' 로키산맥 메뚜
기 떼는 한번 나타나면 덤불, 나무, 옥수숫대를 보이는 대로 먹어치
웠다. 잔디와 나뭇잎뿐 아니라 채소밭에 덮어둔 퀼트마저 해치워버
렸다. 또 농가에 침입해 찬장을 비우고 카펫을 조각냈다. 심지어 사
람이 입고 있는 옷에 달라붙어서 갉아 먹었다는 이야기도 있었다.

1875년에 학자들은 메뚜기 떼가 캘리포니아주보다 더 넓은 지
역을 뒤덮을 수 있을 만큼 개체 수가 많은 것으로 추정했다. 로키산
맥 메뚜기가 세상을 호령할 것만 같았다. 하지만 1902년이 되자 이
메뚜기 종은 멸종 위기에 처했다. 아마도 농사를 짓는 방식이 달라졌
거나 메뚜기의 유전적 다양성이 부족했기 때문이었을 것이다. 최근
의 역사를 살펴보면 미국인 중에는 성경에 나오는 장면을 연상시키
는 곤충 떼의 습격을 꾸준히 받은 세대도 있다. 하지만 미국 서부에
사는 사람들은 이제는 그런 장면을 상상하기도 어려울 것이다.

곤충학자들은 앞으로 무엇이 그런 식으로 잊힐지 불안하기만
하다. 이런 추세를 반전시키려면 어떻게 해야 할지 고민되기도 한다.
다행스럽게도 곤충은 정상적인 상황에서도 개체 수가 오르락내리락

하며 엄청난 번식력 덕택에 빠른 속도로 멸종 위기에서 벗어날 수 있다. 제왕나비는 하루에 알을 수백 개씩 낳을 수 있고, 여왕벌은 알을 1,000개 이상 낳을 수 있다. 곤충은 회복 능력이 있다. 그저 숨 돌릴 틈이 필요할 뿐이다.

우리가 곤충의 회복을 돕기 위해서는 성공의 척도를 구체적으로 정하기 어려운 다양한 일을 해야 한다. 객관적으로 봤을 때 나쁜 결과가 나오지 않으면 성공한 셈이다. 현 상황을 유지하기라도 하려면 땅을 개발하고 식량을 생산하고 에너지를 생성하는 방식에 크고 작은 변화를 주면서 꾸준히 노력해야 한다. 사람들은 대체로 이런 작업이 눈에 들어오지 않을 것이다. 하지만 제일 먼저 해야 할 일은 우리가 이런 문제에 신경 쓴다는 사실을 보여주는 것이다.

3장

농 작 물 부 터
질 병 치 료 까 지 ,
곤 충 의 역 할

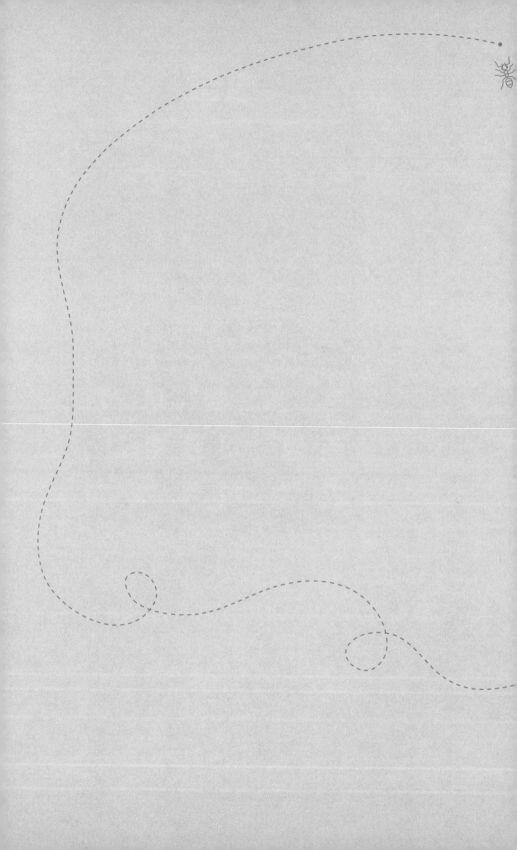

안데르스 파페 묄러Anders Pape Møller는 새를 좋아한다. 그 중에서도 가장 좋아하는 새는 제비다. 그는 특히 제비가 움직이는 모습을 보면서 희열을 느낀다. 제비가 간식으로 먹을 곤충을 공중에서 능숙하게 낚아채는 재빠른 움직임을 좋아한다. 이런 매력 때문에 묄러는 50년 동안 제비를 연구하게 되었다.

제비는 등과 날개가 검푸른색이고, 이마가 계피색이며, 꼬리 끝이 길게 갈라져 있다. 제비는 덴마크 북쪽 유틀란트Jutland 지역의 평평하게 펼쳐진 농지에 활기를 불어넣는다. 이 지역은 67세가 된 묄러가 어린 시절에 자란 곳이다. 묄러의 생태학 경력은 15세에 시작되었다. 그는 새의 생활사를 추적하기 위해 가족 농장을 벗어나서 새 다리에 꼬리표를 붙였다. 제비는 그 지역에서 흔히 볼 수 있는 새였고 잡아서 꼬리표를 붙이기도 쉬웠다. 이를 계기로 묄러는 칼새나 흰털발제비 같은 다른 새의 습성도 연구하게 되었다. 가끔은 초목 여기저기를 뒤져 그곳에 서식하는 나비나 무당벌레를 관찰하기도 했다.

크라게데(Kraghede, 'd'를 부드럽게 발음해야 한다. 묄러는 "영어 사용자에게는 좀 어려울 수 있습니다. 스페인 사람들은 쉽게 발음할 수 있고요"라고 말한다.)에서의 삶은 평화롭게 흘러갔다. 이 지역에는 밀, 호밀, 감자를 재배하는 밭이 깔끔하게 나뉘어 있고, 하얗게 회칠한 집과 개울이 듬성듬성 보인다. 묄러가 학자로 일하기 위해서 덴마크에서 두 번째로 큰 도시인 오르후스Åarhus로 가려고 남쪽으로 향했을 때도 풍경은 거의 달라지지 않았다. 하지만 묄러는 무엇인가가 크게 잘못되었다는 느낌이 들기 시작했다.

제비는 놀라울 정도로 식성이 좋다. 부모와 새끼가 한 계절 동안 잡아먹는 곤충의 수가 약 100만 마리나 된다. 유틀란트반도에 있는 농장마다 제비가 많게는 50쌍이나 60쌍씩 산다. 따라서 곤충이 어마어마하게 많은 환경일 것으로 짐작해볼 수 있다. 묄러는 농장 일꾼들이 건초를 트럭에 실을 때 딱정벌레가 건초에서 우르르 쏟아져 나와 도망가던 모습을 기억한다. 그는 풀이 나 있는 길가에서 호박벌이 윙윙거리고 부모님의 농가에서 늦은 오후에 파리가 감당하지 못할 정도로 떼 지어 날아다니던 모습도 기억한다.

하지만 시간이 지나면서 곤충이 점점 사라지는 것 같았다. 1980년대와 1990년대에는 묄러 같은 생물학자가 아니더라도 누구나 곤충의 감소세를 눈치챌 수 있었다. "시골에 사는 사람들은 거의 다 곤충의 수가 줄어들었다는 것을 알아차렸습니다." 제비처럼 곤충을 먹고 사는 새도 수가 감소하는 것처럼 보였다. "너무 확실하게 보였습니다. 굳이 무엇인가를 측정하지 않아도 눈에 빤히 보이더라고요."

하지만 측정은 엄연히 과학자가 즐겨 사용하는 중요한 도구다. 그래서 묄러는 쉽게 반복할 수 있는 곤충의 개체 수 연구를 진행할 방법을 두고 고심했다. 곤충의 수가 변하는 것이 새에게 어떤 영향을 미칠지도 알고 싶었다. 묄러는 1996년에 대담하기는 하지만 과학 실험치고는 단순한 아이디어를 생각해냈다. 차를 타고 똑같은 도로를 계속 달려 자동차 앞 유리에 부딪히는 곤충의 수를 세어보기로 한 것이다.

묄러는 실험에 적합한 길을 몇 개 골라 털털거리는 자신의 포드 앵글리아Ford Anglia를 타고 직접 달려봤다. 이 차는 1960년대에 생산이 중단된 모델이다. 묄러는 박사 과정을 밟고 있는 학생 2명의 도움으로 사촌이 운영하는 중고차 대리점에 가서 저렴한 차를 몇 대 빌렸다. 묄러는 "롤스로이스 같은 차는 아니었습니다"라고 말한다. 그는 같은 길을 하루에 최대 아홉 번씩 달리고 나서 차를 세우고 차 앞 유리에 부딪혀서 죽은 곤충의 수를 열심히 세었다. 묄러는 이런 작업을 1997년 이후 매년 5월에서 9월까지 꾸준히 해오고 있다.

이 말은 묄러가 20년이 넘는 시간 동안 차를 타고 일자로 난 볼품없는 도로를 천천히 달리거나 곤충의 으깨진 내장을 살펴봤다는 뜻이다. 이런 색다른 실험은 현지 농부들을 당황하게 했다. 그들은 뮐러가 여름휴가 때 차를 타고 편하게 놀러 다닌다며 놀렸다. "그분들은 제가 하는 일을 업무라고 생각하지 않으십니다. 요즈음에도 제가 하는 일이 무엇인지 설명하면 고개를 젓는 분이 많더라고요. 생물학과 관련된 일을 하는 사람들은 좀 괴짜 같다는 소리를 자주 듣습니다."

다른 사람들에게는 뮐러의 실험이 아픈 곳을 건드렸다. 곤충의 세계에 위기가 찾아왔다는 이야기는 어느 정도 이해가 가더라도 추상적이거나 우리와는 동떨어진 일처럼 느껴질 수 있다. 하지만 자동차 앞 유리에서 죽은 곤충을 긁어낸 기억을 떠올리면 이 일이 요즈음의 운전자들이 경험하는 일이 아니라 우리가 어린 시절에 방학 때 겪은 일이라는 사실을 알아차리게 된다. 이미 한참 지난 시대의 경험이다.

자동차 앞 유리에 부딪힌 벌레가 없는 것은 곤충의 감소를 나타내는 상징이 되어간다. 기운 없는 북극곰의 모습이 기후 위기를 상징하는 것과 비슷한 상황이다. 뮐러는 사람들에게서 똑같은 일화를 수도 없이 들었다. "사람들이 옛날에는 여름방학 때 놀러 가다가 차를 여러 번 세워야 했다고 얘기하더라고요. 밖을 내다볼 수 있게 앞 유리를 닦아야 했거든요." 하지만 이제 그런 일은 거의 일어나지 않습니다." 뮐러는 연구를 위해서 길 2개를 골랐다. 하나는 크라게데에 있는 1.2km짜리 길이었고, 다른 하나는 판드루프Pandrup 서쪽에 있는 25km짜리 길이었다. 묄러는 자동차 앞 유리를 닦고, 차에 시동을 걸고, 시속 60km까지 속도를 냈다. 이것이 묄러가 연구를 시작하기에 적합하다고 생각한 환경이었다.

묄러는 곤충이 자동차 앞 유리에 부딪히는 것을 예민하게 인식했다. 주로 모기와 깔따구 같은 작은 파리목 곤충이 부딪혔다. 하지만 가끔 호박벌이나 딱정벌레가 부딪혀서 더 큰 소리가 들리기도 했다. 연구 지역으로 선택한 길이 끝나면 묄러는 차를 세우고 앞 유리에 들러붙은 곤충의 수를 세었다. 날씨가 어떤지 기록하는 것도 잊지 않았다. 그는 근처에 있는 들판에 곤충이 얼마나 있는지 알아보려고 끈끈이 트랩과 포충망(1m짜리 막대기에 뜰채가 달린 형태)을 이용해 곤충의 수를 추가로 확인하기도 했다. 이 일은 특이할 뿐만 아니라 상당한 노동량을 요구하기도 했다. 그런 노력이 무색하지 않게 묄러가 발표한 연구 결과는 실로 놀라웠다.

생물학자들은 연구를 진행하면서 작고 미묘한 변화를 기록하는 경우가 많다. 그런데 묄러는 지진과 맞먹는 위력을 지닌 변화를 발견했다. 20년이 넘는 기간 동안 자동차를 타고 진행된 묄러의 연구를 살펴보면 길이가 더 짧은 첫 번째 도로에서 곤충의 80%가 줄어들었다는 것을 알 수 있다. 두 번째 도로는 상황이 더 나빠서 곤충이 사실상 전멸되다시피 했다. 곤충의 개체 수가 무려 97%나 감소한 것이다. 환경이 별로 달라지지 않고 안정적으로 보였던 덴마크 지역에서도 곤충이 거의 다 사라지고 말았다. 묄러는 이렇게 수집한 수치가

'극적인 감소세'를 보인다고 말한다. 그는 연구 결과를 보고 많이 놀라지는 않았다고 한다. 연구를 시작했을 때만 하더라도 그는 자동차 앞 유리에서 곤충 최대 30종의 내장을 주기적으로 청소해야 했다. 하지만 최근에는 앞 유리가 아예 깨끗한 경우도 많았다. "곤충이 없는 날이 많았습니다. 정말 많았습니다."

게다가 뮐러가 연구에서 언급한 것처럼 '곤충을 먹고 사는 새 3종의 개체 수가 같은 연구 지역에서 같은 기간에 자동차 앞 유리에 부딪혀서 죽은 곤충의 개체 수와 비례했다.' 즉 곤충이 사라지자 새도 함께 사라졌다. 아마도 먹이가 부족해서 그랬을 것이다. 현지 생태계가 밑에서부터 무너져버렸다. 뮐러가 고른 농지가 특별한 점이 전혀 없다는 사실도 놀랍다. 이곳의 풍경은 식량을 생산하는 북유럽과 중앙 유럽의 시골을 닮았다. 따라서 곤충의 충격적인 감소세가 덴마크 최북단 지역에 국한된 일은 아닐 것이다.

점점 더 많은 국가에서 곤충을 먹고 사는 울새, 제비, 파랑새 같은 새가 까마귀나 찌르레기 같은 잡식성 새보다 개체 수가 더 많이 줄어들고 있다. 유럽 전역에 서식하는 새들을 분석한 한 연구에 따르면, 벌레만 먹는 새는 1990년부터 2015년까지 개체 수가 13% 감소했다고 한다. 한편 잡식성 새는 큰 감소세 없이 안정적인 추세를 보였다. 연구진은 농지에 서식하는 새들이 개체 수에 가장 큰 타격을 받았다고 말한다. 초원에 있는 서식지가 파괴되고 집약적인 농업이 발달하면서 먹이를 더 골고루 먹는 새에게 호의적인 환경이 조성되었다. 서식지와 곤충의 감소 때문에 우리가 소중하게 여기는 새도 사라질 위험에 처했다. "사람들이 곤충에는 관심이 전혀 없을지도 모릅니다. 하지만 집에 있는 정원에 예쁜 새가 오는 건 좋아하겠죠." 서식스대학교 생물학 교수 데이브 굴슨의 말이다.

2017년에 크레펠트 연구(마틴 소르그와 그의 동료들이 독일 시골에서 곤충이 사라지고 있다고 경고한 내용)가 발표된 지 하루 만에 깜짝 놀랄 만한 연구가 등장했다. 연구 내용은 크레펠트 연구 결과와 딱 들어맞았다. 연구에 의하면 10년이 조금 넘는 기간에 새끼를 낳는 새가 독일에서 1,270만 쌍이나 사라졌다고 한다. 이는 독일에 서식하는 야생 조류의 약 15%에 해당하는 수치다. 희귀한 새도 개체 수에 영향을 받았지만, 제비, 상모솔새, 되새류, 종달새, 노랑턱멧새처럼 흔한 새가 주로 자취를 감췄다. 이런 새들의 공통점은 바로 곤충을 먹는다는 것이다. 독일 '자연 및 생물 다양성 보존 연합Nature and Biodiversity Conservation Union'의 라르스 라크만Lars Lachman은 독일 언론 매체 DW에 이렇게 말했다. "영향을 받은 거의 모든 종이 새끼에게 곤충을 먹입니다."

프랑스에서는 걱정에 사로잡힌 연구원들이 자국에서 새가 사라지는 현상을 애도하다시피 했다. 2018년에는 프랑스 시골에 서식하는 새의 개체 수가 2000년 이후 3분의 1 이상 감소했다는 연구 결과가 발표되었다. 참새, 회색머리멧새, 종다리같이 흔히 볼 수 있는 새가 대량으로 사라졌다. 프랑스 생물학자들은 이런 상황을 '재앙'이라고 표현했다. 농작물에 살충제를 살포하는 행위가 재앙의 원인으로 지목되고 있다. 하지만 연구원들은 새가 단순히 잡아먹을 곤충이 없어서 떼죽음을 당했을지도 모른다고 지적했다.

스웨덴에서는 연구원들이 음향으로 생박쥐를 추적했다. 생박쥐는 한때 스웨덴에서 가장 흔하게 볼 수 있는 종이었지만 이제는 대규모로 사라지고 있다. 생박쥐를 발견하는 횟수는 매년 3%씩 줄어들어서 1988년과 2017년 사이에 절반 이상 감소했다. 연구원들은 이런 "극적인" 감소세가 생박쥐가 가장 좋아하는 먹이인 나방이 부족해졌기 때문일 수 있다고 적었다.

잡아먹을 곤충이 부족한 것은 영국 농지에 서식하는 새가 감소하는 원인으로도 꼽혔다. 날아다니는 곤충을 공격하는 회색딱새는 개체 수가 현저히 줄어들었다. 커다란 딱정벌레를 먹고 사는 붉은등때까치는 1990년대 이후 영국에서 멸종되었다. 한편 도시에서 살아가는 새들은 곤충이 부족해짐에 따라 개체 수가 통제되고 있다. 연구원들은 도시 박새가 시골 박새만큼 성공적으로 번식하기 위해서는 근처에 있는 곤충의 수가 2배로 늘어나야 한다는 점을 발견했다. "곤충은 건강하고 복잡한 생태계의 초석입니다. 따라서 도시에 곤충이 더 많아져야 한다는 것은 자명한 사실이죠." 이 연구 결과를 발표한 가보르 세레스Gábor Seress의 말이다.

곤충과 새가 함께 사라지는 현상은 유럽에 국한된 일이 아니다. 북아메리카 대륙에서는 동부 지역에 사는 쏙독새가 최근 몇십 년 동안 매년 2% 이상 사라지고 있다. 쏙독새는 위장에 워낙 능해서 잘 볼 수는 없지만 울음소리는 자주 들린다. 생물학자 필리나 잉글리시 Philina English는 쏙독새가 줄어들고 있는 이유를 밝히고 싶었다. 그래서 살아 있는 쏙독새의 깃털과 조직 표본을 박물관에 있는 1880년에 살았던 쏙독새의 표본과 비교했다. 새들이 무엇을 먹었는지 알아보기 위해 두 표본의 화학적 특징에 차이가 있는지 살펴본 것이다. 발표된 연구 결과는 확실했다. 현대에 사는 쏙독새는 '영양가가 많은 먹이가 충분하지 않아서 감소하고 있다.' 간단히 말해 100년 전과 비교했을 때 지금은 크기가 큰 곤충이 적어졌다는 뜻이다. 따라서 쏙독새뿐 아니라 곤충을 먹고 사는 다른 새들도 구할 수 있는 먹이의 질이 떨어졌다.

곤충의 위기가 지닌 역설적인 면은 재앙이 어떤 식으로 닥치든 그 여파를 감당해야 할 존재는 곤충이 아니라는 것이다. 곤충은 종의 구성만 달라질 뿐 삶을 이어갈 것이다. 하지만 지구상에 남은 생명체 대부분은 기반이 흔들리면서 허우적거릴 것이다. 따라서 '곤충 보호' 라는 목표를 내세우는 대신 새, 식량 공급망, 인간을 보호하는 방향으로 사람들의 주의를 돌려야 할지도 모른다.

서세스 소사이어티의 스콧 호프먼 블랙은 이렇게 말한다. "우리가 지구를 얼마나 거칠게 다루든 곤충보다 인간이 먼저 사라질 겁니다. 곤충이 사라지면 하늘을 날아다니는 새도 줄어들거나 아예 안 보이게 되겠죠. 새가 존재하려면 곤충이 있어야 합니다. 과일과 채소가 존재하려면 곤충이 있어야 합니다. 비옥한 땅이 존재하려면 곤충이 있어야 합니다. 다양한 식물이 존재하려면 곤충이 있어야 합니다."

곤충의 주요 가치는 인간의 이기적인 관점에서 보면 수분 매개자 역할을 한다는 것이다. 거대한 국제 식량 생산 시스템은 기술의 도움으로 최대한 다듬어지고 능률화되었다. 그래도 우리는 여전히 굶어 죽지 않기 위해 벌과 파리를 비롯해 크기가 작은 여러 수분 매개자에 의지한다. 곤충의 위기에 관한 문제 중 가장 무서운 것은 기아 문제다. 우리의 식량을 생산하는 생명체가 사라지면 어떤 일이 벌어질까?

꽃이 피는 식물은 대부분 수분 매개자에 의지한다. 이때 말하는 수분 매개자는 주로 곤충을 뜻하지만 새와 박쥐도 해당된다. 새와 박쥐는 의도하지 않게 식물의 수술에서 암술로 수분을 옮겨 식물이 다음 세대를 위한 씨앗을 만드는 데 도움을 준다. 밀, 쌀, 옥수수같이 인간이 주식으로 삼는 농작물은 바람이 수분 매개자의 역할을 대신한다. 하지만 아보카도, 블루베리, 체리, 자두, 라즈베리, 사과처럼 우리 식탁을 화려한 색으로 물들이는 식품은 전부 수분 매개자의 도움이 필요하다. 전체적으로 봤을 때 세계적으로 재배되는 농작물의 3분의 1 이상이 곤충이 꾸준히 방문해야 무사히 자랄 수 있다. 미국 같은 몇몇 국가는 잘 관리한 꿀벌 집단에 크게 의지한다. 이 꿀벌들은 현대의 대규모 농업에 필요한 정도에 맞추어 수분 매개자 역할을 톡톡히 해낸다. 하지만 대부분의 다른 국가에서는 과일과 채소의 원활한 생산이 야생 곤충의 역할에 달려 있다. 야생 곤충이 인간 활동 때문에 무참히 짓밟히는 것이 문제다.

기계화된 농업과 신속한 무역 회랑 덕택에 지구에 식량이 풍부해졌다. 지역에 따라 차이는 있지만 말이다. 하지만 30년 안에 세계 인구가 100억 명이나 될 것으로 예측되는 상황에서 수분 매개자가 사라지면 식량 시스템이 붕괴할 위험에 놓인다.

이름도 긴 '생물 다양성 및 생태계 서비스에 대한 정부 간 과학 정책 플랫폼 Intergovernmental Science-Policy Platform on Biodiversity and Ecosystem Services: IPBES'은 2016년에 처음으로 과학 논문 3,000편 이상을 분석해 전 세계적으로 수분 매개자를 평가했다. 그 결과, 쉽게 무시할 수 없는 수치가 발표되었다. 수분 매개자의 영향을 직접 받는 식량 생산 시스템의 가치는 매년 5,770억 달러에 이른다. 여기에는 꿀벌이 생산하는 꿀 160만 톤과 초콜릿의 주원료인 카카오 열매 57억 달러어치도 포함된다. 이 보고서에 따르면 농작물을 수분하는 야생벌은 약 2만 종인 것으로 추정된다고 한다. 야생벌은 나비, 나방, 말벌, 딱정벌레와 다양한 척추동물의 도움을 받는다.

보고서는 이런 식량 공급 방식이 당장 위험에 처했다고 경고하지는 않았다. 하지만 데이터가 가장 일관적이지 않은 곳에서는 곤충이 급감하고 있다고 지적했다. 유럽 일부 지역에서는 벌 종의 40% 이상이 멸종 위기에 놓였다는 것이다. 보고서는 2개의 부정적 추세를 강조하기도 했다. 수분 매개자의 수가 감소하는 상황에서 지난 50년 동안 동물 수분 매개자에 의존하는 농산물의 양이 300%나 증가했다. 농업은 특히 개발도상국에서 잘못된 시점에 점점 수분 매개자에 의존하는 형태로 변하고 있다. "인구가 계속 늘어나고, 우리가 고기를 계속 섭취하고, 농사를 짓기 위해 땅을 점점 더 고르게 만들고, 기후변화가 더 심해진다고 생각해봅시다. 그러면 수분 매개자들이 한계에 도달하고 곡물 수확량이 부족해지는 때가 올 겁니다. 수분 매개자의 개체 수가 줄어드는 문제를 해결하려고 노력하지 않으면 피할 수 없는 결과입니다. 안타깝게도 그런 노력을 기울이고 있는 모습은 전혀 보이지 않는 것 같습니다." 굴슨의 말이다.

불과 3년 후 곤충 감소에 대한 유명한 연구 세 건에 이어 과학자 145명이 추가 평가를 진행했다. 이번 평가는 기존보다 규모도 더 크고 결과도 더 무시무시했다. 사실 IPBES에서 발표한 주요 결과도 충분히 걱정스러웠다. IPBES는 지구상에 있는 동식물 100만 종이 멸종 위기에 처했다고 발표했다. 양서류 10종 중 4종이 파멸을 향해 나아가고 있으며, 산호초도 3분의 1이 녹아내리고 있다는 것이다.

새 보고서는 불만스러운 어조로 곤충 관련 데이터가 여전히 부족하다고 밝혔다. 그래도 '곤충의 10%가 위험에 처했다고 조심스럽게 추측할 수 있을 만큼의' 증거는 있다고 설명했다. 곤충의 수는 인간에게 알려진 모든 생물의 약 4분의 3에 해당한다. 이 말은 모든 동식물의 약 14%에 달하는 종이 멸종 위기에 놓였다는 뜻이다. 이 수치는 IPBES 보고서에서 밝힌 100만 종보다 크다. 보고서는 '수분 매개자의 다양성이 감소하면서 국제적으로 식용작물 유형의 75% 이상이 생산에 차질을 빚고 있다'라고 경고한다. 국제연합 식량농업기구FAO는 2019년 '세계 벌의 날'을 맞아 예전에는 생각조차 해보지 못한 이런 충격적인 시나리오가 펼쳐지고 있다고 강조했다.

전 세계적으로 벌과 다른 수분 매개자들이 사라지는 추세다. 집약적인 농업, 서식지의 파괴, 화학물질의 사용, 기후변화 등이 원인으로 꼽힌다. 상황이 이렇다 보니 국제연합 식량농업기구는 곡물 수확량이 줄고 영양도 부족해질 수밖에 없다고 경고했다. 개선책 없이는 사람들이 비타민 A와 C, 마그네슘, 아연, 엽산 등 필수 비타민과 미네랄을 구하기가 더 어려워질 것이다. 일부 지역에서는 과일, 견과류, 여러 종류의 채소를 대규모로 재배하기가 사실상 불가능해질 것이기 때문이다.

우리의 식탁에는 수분 매개자가 필요한 과일과 채소 대신 쌀, 옥수수, 감자같이 우리가 주식으로 삼는 농작물이 점점 더 많이 오를 것이다. 곤충의 위기로 여러 지역에서 식사가 미각을 자극하지 못하고 적절한 영양 균형을 유지하기도 어려워질 것이다. 그러다 보면 다양한 질병에 걸릴 확률이 높아진다. 한 연구에 의하면 수분 매개자가 사라지면 심장 질환처럼 예방할 수 있는 여러 질병이 기세를 떨칠 우려가 있다고 한다. 그러면 전 세계적으로 매년 140만 명이 추가로 심장 질환으로 사망할지도 모른다. 야생벌과 다른 수분 매개자를 잃는 것이 우리의 건강에도 대단히 해로운 일인 셈이다.

농부들, 특히 가난한 국가에서 농사를 짓는 사람들은 생계가 어려워질 것이다. 전반적인 환경 자체에도 변화가 생길 것이다. 곡물 수확량이 줄어들고 재배하는 식량의 조합이 달라지면서 황야가 농경지로 더 많이 변할 것이다. 생물 다양성이 축소되는 바람에 수분 매개자의 감소세가 이어질 것이고, 이런 악순환이 계속되면 세상이 훨씬 더 어두운 곳으로 변할 것이다. 아르헨티나의 수분 전문가 루카스 알레한드로 가리발디Lucas Alejandro Garibaldi는 이렇게 말한다. "세계적으로 수분 매개자가 크게 부족합니다. 곤충의 위기는 이미 벌어지고 있는 현실입니다. 우리에게는 땅이 더 필요합니다. 그 말은 숲을 더 많이 없애야 한다는 뜻이죠."

미래에는 예쁜 들꽃 한 송이도 보기 어려워질 것이다. 들꽃의 거의 90%가 곤충을 통해 수분되기 때문이다. 수분 매개자의 부족은 다양한 주요 재료의 생산에도 타격을 입힐 것이다. 예를 들면 면은 곤충의 도움 없이도 생산할 수 있다. 하지만 수분 매개자가 있으면 과실인 목화 다래의 무게가 늘어나서 면 생산량이 증가한다. 면 산업은 미국에서만 매년 25억 달러를 벌어들이며, 벌, 파리, 딱정벌레에게 의지한다.

인류는 꿀벌 개체 수를 늘리기 위해 필사적으로 노력할 것이다. 하지만 잘 알려지지 않은 다른 곤충들이 더 광범위한 수분 매개자 역할을 하는 경우가 많다. 예를 들면 영국에서는 매년 계절에 따라 이동하는 꽃등에 40억 마리가 나라 안팎을 왔다 갔다 한다. 꽃등에는 벌 다음으로 중요한 수분 매개자다. 꽃등에는 영국의 씨 없는 작은 과일이 번식하도록 도울 뿐 아니라 농산물에 해로운 진딧물을 1조 마리나 먹어치운다. 수분 매개자의 개체 수가 계속 곤두박질치면서 식량 생산 시스템은 점점 더 적은 종에 의지하게 될 것이다. 레딩대학교의 벌 전문가 사이먼 포츠Simon Potts는 핵심적인 수분 매개자 몇 종의 급감을 막을 수 있을 것으로 예측한다. 하지만 다른 수분 매개자들은 어떻게 될까? 포츠는 "여러 종이 돌이킬 수 없는 시점을 이미 지났다고 생각합니다"라고 말한다. 그는 우리가 처한 곤경이 '소 잃고 외양간 고치는 격'이라고 주장한다. 곤충을 잃기 전까지는 우리가 무엇을 놓치고 있는지 제대로 깨닫지 못했다는 것이다. 포츠는 미래에는 작물을 재배하는 데 도움을 줄 효과적인 수분 매개자가 '극히 작은 규모'일 가능성도 있다고 말한다. 어쩌면 곤충 수분 매개자가 12종 정도만 남을지도 모른다. 새와 박쥐처럼 곤충이 아닌 수분 매개자들도 줄어들면서 상황은 더 나빠질 것이다.

부유한 국가들은 이 고비를 넘기는 데 필요한 기술과 자금이 있겠지만, 아프리카, 아시아, 남아메리카에 있는 소규모 농장들은 대단히 어려운 시기를 앞두고 있다. 이런 농장에서 생산된 식량에 의지하는 주변의 지역사회도 마찬가지다. 정말 안타까운 일은 세계적으로 영양 결핍에 시달리는 지역과 건강한 식량을 얻기 위해 수분 매개자에게 크게 의지하는 지역이 상당 부분 겹친다는 것이다. 개발도

상국에 사는 20억 명이 넘는 사람이 소작농들이 생산하는 식량에 의지한다. 바로 이런 지역에서 수분 매개자의 부재가 가장 크게 느껴질 것이다.

수분 매개자의 감소는 여러 방식으로 나타날 것이다. 다양한 곤충 종이 존재해야 여러 종류의 식물을 더 안정적으로 수분할 수 있다. 곤충 종이 다양하면 과일과 채소의 양이 많아지고 품질이 향상된다는 장점도 있다. 포츠는 이런 면을 눈으로 직접 확인할 수 있는 딸기 사진을 보여주길 좋아한다. 첫 번째 사진 속 딸기는 곤충이 수분한 것이고, 두 번째 사진 속 딸기는 '수동적인' 수분 또는 자가수분을 거친 것이다. 마지막으로 세 번째 사진 속 딸기는 바람으로 수분되었다. 3개의 딸기 중 제대로 된 딸기라고 볼 수 있는 것은 첫 번째 딸기뿐이었다. 나머지 2개는 너무 쪼그라들고 모양이 이상해서 누군가가 속이 가득 찬 딸기를 갉아 먹고 남은 부분을 버려둔 것처럼 보인다.

이 시나리오는 다른 과일에도 똑같이 적용된다. 포츠가 참여한 한 연구에서는 영국에 있는 여러 종류의 사과를 분석했다. 그 결과 곤충 수분 매개자들이 사과 품종 갈라Gala의 생산량을 매년 최대 260만 kg이나 늘려준다는 사실이 밝혀졌다. 연구진은 곤충이 계속 감소하면 사과 산업에 심각한 경제적인 타격을 입힐 수 있다고 경고했다.

기아와 영양실조가 코로나 바이러스처럼 빠른 속도로 증가하지는 않겠지만 인류 사회에 더 깊이 침투하고 더 오래갈 우려가 있다. 델라웨어대학교의 곤충학자 더글러스 탤러미Douglas Tallamy는 이렇게 말한다. "언젠가 지구상에 인구가 100억 명이 되는 날이 올까요? 아니요, 저는 그렇게 생각하지 않습니다. 그 전에 인구가 급격하게 감소할 겁니다. 지금 살아 있는 인구도 감당하기 어려운데, 여기서 30억 명을 어떻게 더 먹여 살릴 수 있겠습니까?"

곤충의 감소로 예상되는 또 다른 시나리오는 사람들이 전통 의학 약재를 구하는 데 어려움을 겪으리라는 것이다. 인간은 수천 년 동안 의학적인 목적으로 곤충과 그 파생물을 이용했다. 기원전 322년 아리스토텔레스Aristotle는 꿀에 대해 "아픈 눈이나 상처에 바르면 연고를 바른 것과 같은 효과가 있다"라고 언급했다. 중국에서는 이미 약 1,000년 동안 곤충을 활용한 치료법이 널리 쓰였다. 중국 의학에서는 곤충 종 약 300가지가 약으로 쓰인다. 딱정벌레의 유충은 간경변을 치료하는 데 쓰이고, 중국 검은산개미는 면역 체계의 활성화를 위해 가루로 빻거나 강장제 형태로 쓴다.

인도의 일부 지역에서는 비뇨기가 막히는 증상을 치료하기 위해 바퀴벌레를 끓여 수프에 넣어 먹는다. 인도 남부 지역에서는 피부병인 옴에 걸렸을 때 개미탑의 방에 쓰인 진흙을 피부에 바르는 사람들도 있다. 브라질 북부 바이아Bahia에서는 곤충 종 40가지 이상이 민간요법에 쓰인다. 대부분 곤충을 구워서 간 다음 차에 넣어 마신다. 고대에는 곤충을 이용한 약이 아무런 효과도 내지 못하는 경우가 많았다. 17세기 잉글랜드에서 잘 알려진 '약징주의(doctrine of signatures, 아픈 신체 부위와 모양이 비슷한 식물을 약으로 쓰는 방법 – 역주)'를 토대로 만든 약이 그랬다. 당시에는 인간의 신체 부위와 비슷하게 생긴 약초나 곤충으로 해당 부위의 병을 고칠 수 있다고 여겼다. 그래서 여러 사람이 털이 많이 난 개미를 이용해 대머리에서 벗어나려고 애쓰거나 몸이 길고 가느다란 대벌레로 체중을 줄이려고 노력했다. 물론 전부 헛된 노력이었다.

현대 과학은 곤충을 이용한 여러 전통적인 치료법이 다양한 질병 완화에 효과가 있다는 사실을 뒤늦게 확인했다. 연구원들은 곤충을 활용한 치료법을 연구하다 벌침에 있는 독이 몇몇 암이나 비듬에 대항할 때 잠재적인 무기로 쓸 수 있다는 사실을 알아냈다. 항산화제인 꿀은 심장 질환과 피부 문제 완화에 유용하게 쓰일 수 있다. 또 벌이 벌집을 밀폐할 때 만드는 물질인 프로폴리스로 입을 헹구면 고혈압과 잇몸 질환 완화에 도움이 되는 것으로 밝혀졌다.

인간은 수백 년 동안 인생을 바꿔줄 약을 찾아 자연계를 이 잡듯 뒤졌다. 효과가 가장 좋은 약은 항상 약초와 균류에서 나오는 것 같았다. 알고 보면 모르핀은 아편의 원료가 되는 양귀비에서 얻을 수 있으며, 아스피린은 버드나무 껍질에 함유된 살리신에서 얻는다. 페니실린은 페니실륨 크리소게눔Penicillium Chrysogenum이라는 곰팡이에서 얻는다. 곤충을 활용한 의술은 다채로운 역사를 자랑하며 '곤충요법entomotherapy'으로도 알려져 있다. 하지만 럿거스대학교 연구원 로런 시브룩스Lauren Seabrooks와 롱킨 후Longqin Hu는 2017년에 발표한 논문에서 '곤충을 활용한 상품은 식물성 상품과 달리 아직 인정받거나 시장에서 성공하지 못했다'라고 밝혔다. 두 연구원은 이런 차이가 부분적으로는 곤충에 대한 서양의 부정적 시각 때문이라고 강조했다. 그렇다고 해서 과학자들이 아직 별로 활용되지 못한 곤충 파생 물질을 연구하기를 단념해서는 안 된다고 했다. 연구진은 '곤충에게서 얻은 여러 물질은 제대로 된 관심을 받는다면 미래에 자연적인 치료제로 쓰일 잠재력이 풍부하다'라는 결론을 내렸다.

곤충의 역사와 곤충이 전통 의학에 쓰인 오랜 역사는 계속 진화하고 있다. 이런 역사를 토대로 곤충을 이용한 치료제에 대한 연구가 활성화될 수 있을 것이다. 항생제 내성 문제를 해결하는 데도 곤충이 도움을 줄지 모른다. 미국 질병통제예방센터CDC는 항생제 내성을 '우리 시대의 가장 어려운 보건 문제 중 하나'로 규정했다. 세균이 세균을 죽이려고 만든 항생제를 압도하는 능력을 개발하고 있다. 따라서 효과적인 치료제가 없는 상태에서 '슈퍼버그superbug'가 지역 사회를 휩쓸까 봐 걱정이 된다. 이런 가능성 때문에 연구원들은 곤충이 품고 있는 잠재력으로 눈을 돌리고 있다.

바퀴벌레와 딱정벌레는 병원균에 대한 면역력이 강하다. 바로 이런 곤충이 새로운 항생제를 개발하는 데 핵심적인 역할을 할 수도 있다. 성공 사례도 몇 건 있다. 취리히대학교 연구원들은 2018년에 주둥이노린재Spined Solider Bug가 생성하는 자연적인 항생 물질인 타나틴thanatin이 특정 박테리아를 막았다고 발표했다. 연구원 중 한 명인 존 로빈슨John Robinson은 이런 새로운 연구 결과가 '효과적인 항균 치료에 긴급하게 필요한 새로운 의약품으로' 탄생하기를 바란다고 말했다.

말벌의 독이 암세포를 없애거나 검정파리의 혈액이 항바이러스 물질을 함유하고 있다는 사실을 알아내는 것은 좋은 일이다. 하지만 몇 가지 곤충 표본을 사람들이 널리 이용할 수 있는 약으로 만들기란 쉬운 일이 아니다. 다행히 과학자들은 이런 길을 개척할 수 있을 것으로 예상한다. 한 가지 방법은 필요한 유전물질을 귀뚜라미처럼 대량생산 가능한 특정 곤충에게 주입하는 것이다.

그러나 곤충이 처한 위기가 이런 잠재적인 치료법에 큰 영향을 미칠 우려가 있다. 늘 우리 주변에 있는 곤충의 가치를 뒤늦게 알아차려 치료법을 개발할 기회를 놓치면 안타까울 것이다. 우리가 모르는 사이에 다양한 곤충이 멸종했다는 것은 의학계에 혁명을 불러올 치료제의 원료를 우리가 경솔하게 전부 없애버렸을지도 모른다는 뜻이다. 우리는 평범한 농사법, 도시 개발, 현대적인 삶의 여러 산물 때문에 우리가 정확히 어떤 생명체를 멸종시켰는지 알기 어려운 센티넬라 멸종과 비슷한 상황을 맞았다. 쇼발터는 이렇게 말한다. "우리가 특정한 종의 유용성을 알아보지 못한 채 그 종이 멸종한다면 우리에게 주어졌을지도 모르는 여러 선택 사항도 함께 사라지는 셈이죠. 아무도 확신할 수는 없겠지만요."

곤충은 고양이와 강아지 다음으로 인간이 자주 접하는 동물이다. 물론 진드기가 피부를 파고들거나 불개미 군단이 식당으로 쳐들

어울 때는 곤충이 너무 가까이 있는 듯한 느낌이 들기도 한다. 하지만 곤충은 지구상에서 가장 비현실적이고 인상적일 정도로 생명력이 끈질긴 동물이기도 하다. 역설적으로 인간이 가치 있게 여기는 곤충은 점점 사라지고 있으며 없애버리려 애쓰는 곤충은 번성하고 있다.

예를 들면 말벌은 소풍을 즐기는 사람들을 괴롭히며 물기도 한다. 꿀을 만드는 것과 같은 사랑스러운 일도 하지 않으면서 말이다. 신문을 돌돌 말아 지구상에 마지막으로 남은 말벌마저 기쁜 마음으로 때려잡으려는 사람이 많을 것이다. 하지만 그런 행동의 여파는 엄청날 것이다. 말벌은 엄연히 식물에 필요한 수분 매개자다. 특히 무화과나무는 일부 말벌 종에 크게 의지한다. 말벌은 정원사와 농부의 주요 협력자이기도 하다. 말벌은 애벌레, 진딧물, 가루이처럼 해충으로 분류되는 곤충을 잡아먹는다.

말벌은 어리석고 침으로 사람이나 쏘고 다니는 이미지가 있지만 논리적인 추론을 할 줄 안다는 사실이 밝혀졌다. 예전에는 이런 사고가 인간의 영역에 국한된 것으로 여겨졌다. 미국에서 진행된 한 연구는 쌍살벌Paper Wasp이 이행 추론이라는 개념을 이해한다는 점을 입증했다. 쌍살벌이 A가 B보다 크고 B가 C보다 크면 A가 C보다 크다는 점을 논리적으로 이해한다는 것이다. 쌍살벌은 서로의 얼굴을 보고 각 개체를 구분할 줄도 안다. 따라서 우리가 '좋은' 곤충과 '나쁜' 곤충을 분류하는 기준은 부당하고 불필요한 경우가 많다. "곤충을 서양의 관점에서 인간의 편의와 편안함만을 기준으로 평가한다면 좋으냐 나쁘냐가 그다지 유용한 꼬리표는 아닙니다." 셰필드대학교의 곤충학자 마이클 시바-조시Michael Siva-Jothy는 이렇게 말한다. "말벌은 어쩌면 멸종되고 나서 우리에게 큰 혼란을 불러올 수 있는 '나쁜' 곤충의 가장 좋은 예일지도 모릅니다."

사실 인간이 말벌보다 더 싫어하는 곤충이 있다. 바로 바퀴벌레다. 외계에서 온 침략자가 바퀴벌레보다 더 환영받을지 모른다. 하지만 바퀴벌레도 지지해주는 세력이 있다. 바퀴벌레를 감싸는 과학자들은 바퀴벌레가 전부 사라지면 인간이 놀라울 정도로 많은 것을 잃게 된다고 지적한다. 과학자들은 바퀴벌레가 체내에 여러 종류의 독이 섞여 있어도 잘 견디는 능력에 감탄한다. 바퀴벌레는 이런 특성 때문에 다양한 박테리아를 전파할 가능성이 있다. 그중에는 대장균과 살모넬라균도 있다. 미국 인디애나주 퍼듀대학교 연구원들은 6개월 동안 바퀴벌레의 개체 수를 줄여보려고 노력했지만 허사였다. 그들은 결국 2019년에 바퀴벌레가 '무적에 가까워지고 있다'는 결론을 내렸다. 이런 무시무시한 면모 때문에 바퀴벌레가 인간에게 주는 이득이 조명을 받지 못하는 경우가 많다. 바퀴벌레가 악명 높은 것은 주로 미국바퀴벌레와 독일바퀴벌레 때문이다. 이 2종이 하수관, 쓰레기, 부엌에서 번성하는 벌레들이다. 바퀴벌레는 태생 국가의 이름을 따서 이름 지어지지 않았다. 스웨덴 동물학자 카를 린나에우스Carl Linnaeus는 단순히 자신이 표본을 구한 국가의 이름을 따서 바퀴벌레 종에 이름을 붙였다.

미국바퀴벌레는 특히 가공할 만한 적이다. 이 바퀴벌레는 몸 길이의 50배나 되는 거리를 1초 만에 주파한다. 사람으로 치면 시속 338km로 달리는 셈이다. 슬로모션으로 촬영한 영상을 살펴보면 바퀴벌레는 빠른 속도로 벽을 향해 돌진하고 나서도 가속도를 유지한 채 벽을 기어 올라갈 수 있다. 이런 위대한 생존 전문가들은 작은 동전만큼 폭이 좁은 공간에 들어갈 수 있고 자신의 무게보다 50배나 강한 힘으로 무언가를 물 수도 있다. 심지어 머리가 잘리고 나서도 2주 동안이나 살아남는다. 바퀴벌레는 밀랍 같은 물질로 뒤덮여 있다. 그래서 사람이 사는 집이 덥거나 에어컨이 켜져 있어 건조하더라도 몸이 마르지 않는다.

사실 부엌 바닥을 빠르게 가로지르는 바퀴벌레는 과학계가 밝혀낸 바퀴벌레 5,000종 가운데 극소수일 뿐이다. 바퀴벌레는 종에 따라 특성도 다양하다. 큰땅굴바퀴는 길이가 최대 7.6cm나 되고 오스트레일리아의 토종 곤충인 만큼 그곳에서 반려 곤충으로 키우는 사람이 많다. 아타필라Attaphila 바퀴벌레는 가위개미Leaf-cutter Ant의 집에서 사는 작은 곤충이다. 이 바퀴벌레는 날아다니는 여왕개미의 등에 타고 이동할 때도 있는데, 마치 여왕개미가 작은 갈색 배낭을 멘 것처럼 보인다.

브라질에 서식하는 글로 스폿 바퀴벌레Glow Spot Cockroach는 머리에 튀어나온 두 부분이 밤에 등불처럼 밝게 빛난다. 프로스펙타

Prospecta속에 해당하는 바퀴벌레는 포식자를 단념시키기 위해 무당벌레 흉내를 낸다. 털이 많은 바퀴벌레도 있고, 육안으로 보이지 않을 만큼 몸을 납작하게 만들 수 있는 바퀴벌레도 있다. 또 공처럼 몸을 둥그렇게 말 수 있는 바퀴벌레도 있다. 바퀴벌레는 1시간 가까이 아무 문제 없이 잠수할 수도 있고, 방사능에 피폭되어도 살아남고, 먹이 없이 한 달이나 버틸 수도 있다. 바퀴벌레는 강한 반감의 대상이 아니라 못마땅하더라도 존경받아 마땅한 대규모 생존 전문가 집단이다.

"숫자로 따져보면 세상에 있는 바퀴벌레 대부분이 우리에게 이로운 존재라는 사실이 자명해집니다." 노스캐롤라이나주립대학교의 곤충학자 코비 샬Coby Schal은 이렇게 말한다. 샬은 지난 40년 동안 바퀴벌레를 연구했다. 처음에는 바퀴벌레 소굴에 손을 집어넣기를 꺼렸지만, 이제는 색이 다채롭고 생태학적으로 유용한 이 대규모 가족의 아름다움에 감탄하면서 시간을 보낸다. 샬은 수많은 바퀴벌레 종 중 인간에게 성가신 존재로 여겨질 만한 종은 10가지뿐일 것으로 예측했다. 그중 하나인 독일바퀴벌레는 사람들이 자주 다니는 곳에서만 서식하고 잠재적으로 해로운 박테리아를 잔뜩 옮긴다. 하지만 바퀴벌레 때문에 실제로 사람이 질병에 걸렸다는 증거는 많지 않다. 다만, 바퀴벌레의 배설물에 들어 있는 알레르기 유발 항원이 어린이에게 천식을 유발할 수 있다.

"제가 만일 독일바퀴벌레를 완전히 없애버릴 수 있다면 당연히 그렇게 할 겁니다. 독일바퀴벌레는 인간에 기생하는 것 외에 다른 역할은 하지 않으니까요. 하지만 다른 바퀴벌레들은 생태계를 위해 매우 중요한 서비스를 제공합니다. 그래서 저는 이제 바퀴벌레를 감탄하면서 봅니다." 샬은 독일바퀴벌레에게도 매력이 있다고 생각한다. 이 종을 연구하면서 알레르기에 시달리는데도 말이다. "사람들이 가장 경멸하는 바퀴벌레 종입니다. 하지만 인간이 조성한 환경에서 살수 있도록 너무나 완벽하게 적응했습니다. 온갖 종류의 살충제를 뿌려도 독일바퀴벌레는 살충제의 작용을 막기 위해 별의별 메커니즘을 개발해냅니다. 인간의 개입에 그렇게 빨리 적응할 수 있는 동물인만큼 높이 평가할 수밖에 없습니다."

과학자들은 최근에 바퀴벌레의 끈질긴 생명력을 인간에게 유리한 방향으로 이용하기 위해 연구를 진행하고 있다. 다행히 연구 성공률이 점점 높아지는 추세다. 바퀴벌레는 해로운 미생물을 막기 위해 특정 단백질을 생산한다. 이 단백질은 방어기제라서 인간을 위한 다양한 신약을 개발하는 데 핵심적인 역할을 할 수도 있다. 항생제 내성을 이겨내도록 돕는 약이 탄생할 수도 있다. 2010년에 영국 노팅엄대학교의 연구원들은 바퀴벌레와 메뚜기의 뇌를 가는 작업을 했다. 그 결과 두 곤충의 뇌 조직이 인간의 세포를 해치지 않으면서도 메티실린에 내성이 있는 황색 포도상구균Methicillin-resistant Staphylococcus Aureus: MRSA과 대장균을 90% 이상 사멸시킨다는 사실을 발견했다. 다른 여러 연구에서도 바퀴벌레 화합물이 유방암과

간암을 일으키는 암세포를 공격한다는 결과가 나왔다.

중국에서는 수천 년 동안 바퀴벌레를 전통적인 치료법에 활용했다. 쓰촨성 남서부 시창에는 냉난방 시설을 갖춘 바퀴벌레 농장이 있다. 디스토피아적인 악몽에 나올 것 같은 이 시설에는 바퀴벌레 60억 마리가 서식한다. 이곳에는 1제곱피트당 성체 크기의 바퀴벌레 2만 8,000마리가 있다. 이곳을 방문한 사람들은 바퀴벌레가 돌아다니는 소리가 마치 바람에 바스락거리는 낙엽 소리 같았다고 묘사했다. 관계자들은 바퀴벌레가 이 시설에서 탈출하면 주변 지역이 '재앙'을 맞을 것이라고 인정했다.

바퀴벌레는 중국에서 맛이 달콤하고 홍차색이 나는 '물약' 재료로 사육된다. 호흡기와 위에 문제가 있는 환자들은 의사의 처방에 따라서 바퀴벌레 가루를 넣은 물약을 마신다. 중국 정부는 수년 동안 바퀴벌레의 의학적 효능에 대한 연구에 자금을 지원했다. 최근에 발표된 연구에서는 바퀴벌레가 인간의 피부와 내장 표면 같은 조직의 재생을 도울 수 있다는 사실이 밝혀졌다. 이것은 위장에 문제가 있거나 화상을 입은 사람들에게는 희소식이다. 치료제의 성분을 알고도 먹을 만큼 비위가 강하다면 말이다. 인간은 자연계의 산물을 게걸스럽고 파괴적으로 먹어치운다. 하지만 그러는 것치고 어떤 동물을 먹을지 제법 까다롭게 따지는 사람들도 있다. 미셸 트라우트바인은 "우리가 곤충을 끌어안고 자지 않더라도 곤충의 가치를 높이 평가할 수 있다고 생각합니다"라고 말한다.

이는 우리 시대에 인간이 자연과 얼마나 괴리된 채 살아가는지 잘 보여준다. 우리는 곤충이 우리를 위해서 해줄 수 있는 것, 그리고 인간과 곤충의 관계에 대한 이해가 부족하다. 고슴도치, 도마뱀, 개구리 같은 동물들은 바퀴벌레를 좋아한다. 영양이 풍부한 간식으로 먹기에 제격이기 때문이다. 우리가 좋아하지 않는다는 이유로 먹이사슬의 기반이 되는 생명체를 없애버리려 한다면 문제가 사슬을 타고 점점 위로 올라와 결국 인간을 집어삼킬 것이다. 인간도 엄연히 먹이사슬의 일부다. 음식 배달 앱, 마트에서 파는 저렴한 치킨, 생태 관광이라는 이름으로 재포장된 자연 등 현대적인 요소 때문에 인간이 먹이사슬 위에 군림하는 것 같은 착각을 하게 되더라도 말이다.

예를 들면 우리는 별생각 없이 모기가 사라져버렸으면 좋겠다고 바랄지도 모른다. 하지만 모기가 없으면 우리가 주요 식량 공급원으로 여기고 의지하는 여러 종류의 동물도 함께 사라질 것이다. 모기의 유충은 거피Guppy부터 금붕어까지 다양한 물고기가 잡아먹는다. 모기가 성체로 자라면 땅의 생태계 일부로 자리 잡으며 박쥐, 새, 거북, 잠자리의 먹이가 된다.

물론 세상에서 모기를 없애버리면 열대지방에서 창궐하는 여러 질병에 대한 부담이 완화될 것이다. 2000년 이후 매년 약 200만 명이 말라리아, 뎅기열, 황열병 등 모기에서 비롯된 질병으로 목숨을 잃었다. 그에 반해 뱀에 물려서 사망한 사람은 매년 5만 명밖에 되지 않는다. 모기는 그 어떤 동물보다도 인간에게 고통을 많이 안겨준다.

다른 동물과의 차이도 제법 크다. 여러 과학자가 인류가 겪는 고통을 많이 생각하면 모기를 멸종시키는 행동이 정당화될 수 있다고 주장했다. 설령 생태학적으로 영향이 있더라도 말이다. 물고기와 새는 다른 먹이를 찾으면 그만이고, 모기 퇴치제를 판매하는 회사도 다른 상품을 찾으면 된다. 모기가 없어지면 우리는 숲에서 온종일 하이킹을 즐기고 나서 해가 질 때 캠핑용 의자에 앉아 안전하게 쉴 수 있을 것이다. 더는 알을 낳기 위해 혈액에 들어 있는 영양분을 노리는 암컷 모기에게 시달릴 필요가 없다.

하지만 모기를 옹호하는 시각도 있다. 모기는 약 3,500종이지만, 그중 단 10종만 인간에게 질병을 옮긴다. 영국 국립자연사박물관의 파리 전문가 에리카 맥앨리스터는 모기가 사람을 직접 죽인 경우는 한 번도 없다고 지적한다. 그녀가 계산해본 결과, 모기가 사람을 물고 나서 죽일 만큼 피를 뽑아 마시려면 44만 마리나 필요하다. 질병을 일으키는 병균이 흡혈하는 모기를 매개체로 이용해 우리 몸에 침투하는 것일 뿐이다. 맥앨리스터는 "모기가 옮기는 말라리아나 다른 질병들은 정말 몹쓸 병입니다. 그렇다고 해서 모든 모기 종을 멸종시켜서는 안 됩니다"라고 말한다. 모기 대부분은 다양한 생태학적 기능을 수행하지만 파리나 바퀴벌레만큼의 공로도 인정받지 못한다. "모기를 전부 없애자는 데 동의하는 것은 내가 영장류 중 질이 나쁜 종을 하나 안다는 이유로 모든 영장류, 즉 오랑우탄과 고릴라를 전부 없애버리자는 것이나 마찬가지입니다."

모기는 난초나 쑥국화같이 특정 식물을 수분하는 데 놀라울 정도로 노련하다. 꽃의 꿀을 워낙 좋아하기 때문이다. 모기의 수분 작업은 해가 질 때나 해가 지고 나서 이루어지기 때문에 실제로 목격하기는 어렵다. 어떤 연구원들은 모기에게나 사람에게나 향기가 비슷하게 느껴지는 꽃도 있다고 주장했다. 모기는 쌀 한 톨보다도 가볍지만 죽은 모기의 사체가 쌓이고 썩으면서 식물에 필요한 영양분을 제공한다. 모기는 다른 동물을 무는 것 외에도 독특한 능력을 개발했다. 근처에 있는 개미의 꿀을 훔치는 방법을 터득한 것이다. 모기가 개미의 머리를 쓰다듬으면 개미는 먹은 꿀을 토한다.

이런 독특한 특성 덕택에 모기에 감정이입하는 사람들도 드물게 생긴다. 퍼듀대학교 연구원 캐서린 힐Catherine Hill은 20년 동안 모기를 죽이는 다양한 방법을 연구했다. 그녀는 다른 과학자들이 유전자를 조작해 여러 모기 종을 잠재적으로 멸종시키는 방법을 연구했을 때 '깨달음'의 순간이 찾아왔다고 말했다. 이에 대해 힐은 이렇게 말한다. "우리는 지난 100년 동안 모기를 죽일 방법만 열심히 고민했습니다. 모기의 생태학적 역할에 대해서는 별로 생각하지 않았죠. 우리는 그런 태도로 무작정 같은 길을 따라 걸었습니다. 어떤 종을 멸종시킨다는 것은 매우 극단적인 개념이라서 저는 그런 생각이 불편하게 느껴졌어요. 머릿속에서 경보가 울리고 있었습니다."

힐은 현미경으로 모기를 관찰하는 데 시간을 많이 투자하면서 모기가 '놀랍고 아름다운 생명체'라고 생각하게 되었다. 이런 과정

덕택에 그녀는 모기를 죽이지 않고서도 질병을 옮기지 못하게 하는 살충제를 개발하는 것으로 연구 방향을 틀었다. 다른 과학자들은 모기의 개체 수가 늘어나지 못하게 유전자 조작 연구를 진행하고 있다. 비평가들이 '쥐라기 공원 실험'이라고 부르는 프로젝트에서는 플로리다주에 있는 현지 관계자들이 유전자를 조작한 모기 7억 5,000만 마리를 자연에 풀어주는 데 동의했다. 이 모기들은 번식할 때 성체로 자랄 수 있는 암컷 모기가 훨씬 적게 태어나도록 조작되었다.

힐은 인간의 노력이 모기를 멸종시키는 데 초점이 맞춰져 있다 보니 모기가 없어졌을 때 나타날 결과는 무시당한다고 주장한다. 실제로 동물들이 모기 대신 다른 식량 공급원을 찾을지도 모른다. 하지만 그러지 못하면 어떻게 할 것인가? 모기가 없더라도 다른 곤충들이 유기물을 뒤집고 꽃을 수분할지도 모른다. 하지만 모기의 빈자리가 얼마나 클 것인가? 힐은 우리가 어떤 결과가 일어날지 알 수 없는 만큼 주의해야 한다고 말한다. "먹이그물에서는 작은 조각 하나만 잡아당겨도 얽혀 있던 것이 풀리면서 여러 조각이 줄줄이 딸려나옵니다." 힐은 모기가 짝을 고를 때 날개를 퍼덕거려서 서로에게 '노래를 들려준다'는 것을 밝혀냈다. 이 사실은 어쩌면 모기에서 찾아낸 유일한 사랑스러운 점일지도 모른다. 힐은 "우리는 모기가 사라졌을 때 의도치 않게 나타날 결과에 대한 이해도가 많이 부족합니다. 다른 생물처럼 모기도 복잡한 생물이라 우리는 생각하는 것만큼 모기에 대해 잘 알지 못합니다"라고 덧붙였다.

모기에 대한 힐의 긍정적인 시각은 일부 연구원과 기업의 시각과 충돌한다. 하지만 모기에 대한 그녀의 재평가는 곤충을 단순히 밟아버리는 대신 시간을 들여서 연구하는 사람들의 시각과 비슷하다. "사람들이 저에게 '모기가 꼭 필요합니까?'라든가 '이 세상에 바퀴벌레가 왜 있어야 하죠?'라고 물으면 좀 짜증 납니다." 플로이드 쇼클리Floyd Shockley의 말이다. 그는 워싱턴 D.C.에 있는 스미스소니언 국립자연사박물관에서 곤충 컬렉션을 감독하는 소장이다. 쇼클리는 바퀴벌레가 자연에서 식물을 재활용하는 가치 있는 역할을 한다고 말한다. 모기도 중요한 일을 한다. 모기가 없어지면 크기가 더 큰 무척추동물이 타격을 입을 것이고, 이런 무척추동물이 없어지면 물고기가 먹을 것이 없어진다. "언젠가는 이 문제가 인간에게도 닥칠 겁니다. 우리가 다른 행성에서 온 것이 아니잖습니까. 우리는 지구에 살고 있고, 우리 행성은 지구뿐입니다."

안타깝게도 우리가 싫어하거나 잘 모르는 곤충의 평판이 좋아지거나 재평가받을 확률은 낮다. 이런 유형의 곤충은 예쁘지도 않고 문화적인 가치도 없어서 유용성이 잘 알려지지 않았다. 이런 곤충이 위협적이라거나 유용하지 않다는 편견도 작용한다. 따라서 우리는 점점 빠른 속도로 다가오는 곤충의 위기를 헤쳐나갈 준비가 제대로 되지 않았다. 위기를 감싸고 있는 더 큰 위기가 있는 셈이다. 지구상에 있는 생물 100만 종이 멸종 위기에 처했고 생물 다양성은 어마어마한 속도로 감소하고 있다. 따라서 연구와 보존 작업에 필요한 자금

조달이 점점 더 중요해진다.

댐, 도로, 야자유 농장이 오랑우탄이 서식하는 열대우림을 파괴하고 있다. 야생 호랑이의 개체 수는 최근에 안정세를 되찾았지만 20세기 초와 비교했을 때 약 97%나 줄어들었다. 2018년에 지구상에 마지막으로 남아 있던 북부흰코뿔소 수컷인 수단Sudan이 45세의 나이로 쓰러져 세상을 떠났다. 그래서 북부흰코뿔소는 이제 암컷 두 마리뿐이다. 우리는 크고 카리스마 있는 동물의 멸종을 실시간으로 목격하고 있다. 인간이 개발에 나서면서 자연에 진 커다란 빚은 결코 다 갚지 못할 것이다.

이런 대학살이 자행되는 상황에서 반딧불이, 딱정벌레, 나비가 사라지고 있다고 걱정하는 일이 하찮거나 불합리하게 느껴질지도 모른다. 하지만 코뿔소가 멸종 직전에 놓인 비극은 세계적인 식량 생산에 위협을 가하지는 않을 것이다. 오랑우탄이 전부 사라지게 놔두는 죄악도 광범위한 아동 영양실조로 이어지거나 새 수십 종의 멸종을 초래하지는 않는다. 설령 오랑우탄이 멸종되더라도 땅이 썩은 시체로 뒤덮일 일은 없다. 인간에게 미치는 영향의 측면에서 살펴보면 곤충의 위기는 다른 동물들의 멸종 위기보다 훨씬 중요한 문제다.

곤충은 수가 워낙 많다 보니 눈에 잘 안 띄면서도 어디에나 있는 것처럼 보인다. 세계적으로 핵겨울이 찾아오더라도 새까맣게 탄 인간의 뼈 사이에서 개미와 바퀴벌레를 발견할 수 있을 것이다. 맥앨리스터는 "인간이 먼저 없어질 것 같아요. 생각해보면 곤충은 여태까지 일어난 대멸종 사태에서 항상 살아남았습니다"라고 말한다. 따라서 우리가 곤충의 상황을 걱정해야 하는 이유는 곤충이 아니라 우리를 위해서다.

곤충은 확고부동한 끈기 덕에 인류 역사에서 중요한 시점에 조연 역할을 할 수 있었다. 로마군은 지금은 튀르키예가 된 지역에서 전략적으로 배치된 그릇에 담긴 꿀을 먹고 의식이 혼미해져서 패한 적이 있었다. '광밀mad honey'이라고 불리는 이 꿀은 환각 효과가 있다. 마그나 카르타(Magna Carta, 영국 대헌장 – 역주), 미국 헌법, 요한 제바스티안 바흐Johann Sebastian Bach의 작품은 전부 오배자로 만든 잉크로 쓰였다. 오배자는 말벌이 나무에 알을 낳으면 생기는 작은 벌레집이다. 미국의 독립도 모기의 도움을 받아서 이루어졌다. 영국군은 미국 독립 전쟁 중에 말라리아로 심하게 고생했다. 그래서 남부군 지휘관인 콘월리스 경Lord Cornwallis은 '군대를 전멸시키다시피 한 치명적인 질병'을 피하고자 북쪽으로 후퇴하려고 했다. 하지만 그는 요크타운Yorktown에 남아서 버티라는 명령을 받았다. 그곳에서 콘월리스는 열세를 만회하지 못하고 미국과 프랑스 군대에 압도되어 전쟁의 종식을 촉발했다. 이 사건을 계기로 역사학자 티머시 와인가드Timothy Winegard는 습지에서 흔히 볼 수 있는 학질모기Anopheles Quadrimaculatus를 '미국 건국의 어머니'라고 불렀다. 그로부터 200년 뒤 초파리가 살아 있는 동물로는 최초로 우주로 가게 되었다. 미국은 1947년에 우주 방사선이 우주 비행사에게 미칠 영향을 조사하기 위해 자국 군사용 로켓에 초파리를 태워 대기권 밖으로 보낸 일이 있었다.

곤충의 이런 감초 같은 역할은 인정받는 경우가 거의 없다. 하지만 곤충은 우리가 생각하는 것보다 인간의 역사에 더 깊이 관여했다. 곤충이 얼마나 중요한 존재인지 제대로 이해하고 나면 지구상의 계층에서 인간이 어디쯤 위치하는지 분명하게 알게 된다. 곤충이 사라지면 아마겟돈의 환경 버전이 펼쳐질 것이다. 그에 반해 인간은 멸종되더라도 야생동물에게 별다른 영향을 미치지 않는다. 심지어 머릿니도 새로운 집을 찾을 것이다. 우리가 멸종 위기로 몰아넣은 영장류와 살면 되기 때문이다. 곤충 생태학자 토머스 아이스너Thomas Eisner의 유명한 말처럼 "곤충은 지구를 물려받지 않을 것이다. 이미 지구를 점령하고 있기 때문이다."

인간이 세상의 생태학적인 풍부함을 해치는 시대를 일컫는 용어가 따로 있다. 바로 '인류세'다(참고로, E. O. 윌슨은 '에레모세 Eremocene' 즉 '고독의 시대'라는 용어를 더 선호한다고 했다). 지구상에서 가장 강한 생명체인 곤충도 우리 주변에서 사라지고 있는 것처럼 보인다. 이런 사실은 지금 우리가 느끼는 것보다 우리 마음을 훨씬 더 불편하게 해야 정상이다. 윌슨은 말한다. "세상을 돌아가게 하는 작은 생물에 대해 사람들은 이런 말을 합니다. '오늘 오후에는 밖에 벌레가 많네요. 밖에 나가지 말아야겠어요.' 하지만 세상을 돌아가게 하는 것은 곤충이고, 인간에게는 곤충이 필요합니다."

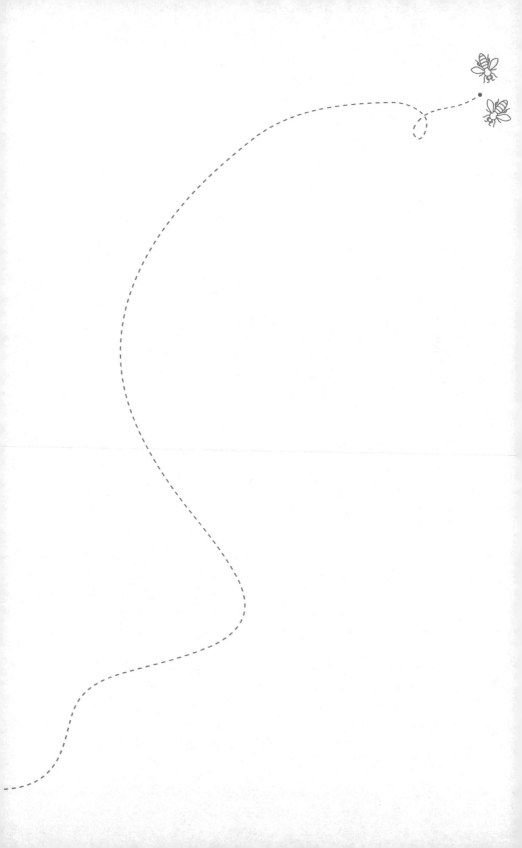

4장

곤 충 에 게
해 로 운 환 경 은
인 간 에 게 도
해 롭 다

> "인간은 농사를 깔끔하게 지으려고 애쓰는 과정에서 곤충을 말살시키고 있습니다. 언젠가는 우리가 이런 행위의 대가를 치를 겁니다."
>
> _ 곤충학자 제프 페티스(Jeff Pettis)

알렉스 리스Alex Lees는 고원을 터벅터벅 걸어서 현장을 살펴봤다. 왼쪽으로는 나무가 몇 그루 있었지만, 다른 곳은 갈색으로 얼룩덜룩한 땅이었다. 저 멀리에는 아래에 있는 계곡을 가르는 A628 도로에서 자동차들이 느릿느릿 기어가고 있었다. 리스는 휴대전화를 꺼내 풍경을 영상으로 찍고는 자신의 트위터 계정에 접속했다. '@peakdistrict 온대우림에 남아 있는 귀한 나무들. #생물 다양성이 사라진, 관리된 #황야 지역에 있는 섬 느낌.' 리스는 이렇게 적었고, 트윗은 2018년 10월 24일 오전 11시 12분에 게시되었다. 이런 비관적인 메시지를 보고 놀란 사람들도 있을 것이다. 피크 디스트릭트Peak District 국립공원은 영국에서 가장 귀하게 여겨지고 사람들이 많이 찾는 국립공원 중 하나이기 때문이다. 매년 1,300만 명 이상이 이곳을 방문한다.

영국에 우림이 있다는 사실 자체를 모르는 사람도 많을 것이다. 아마존을 덮는 열대우림이 아니라 온대우림이다. 열대우림은 아메리카표범, 독화살개구리, 나무늘보가 서식하는 곳이며, 온대우림은 알래스카 해안, 태즈메이니아, 칠레 남부 지역처럼 세상의 가장 자리에 있다. 리스의 영상에 나오는 나무들이 있는 자리는 '미들 블랙 클러프Middle Black Clough'로 알려져 있다. 미들 블랙 클러프는 폭포가 있는 선사시대의 협곡이다. 이곳은 약 1만 년 전 영국에 우림이 많았던, 마지막 빙하기가 끝났을 당시의 유물이다. 잉글랜드 남서부의 익스무어Exmoor와 스코틀랜드 서부에 있는 온대우림도 같은 시기에 형성되었다.

리스는 이런 곳이 '동화'에 나오는 숲 같다고 설명한다. 졸졸 흐르는 시냇물, 울퉁불퉁하고 비틀린 오래된 나무, 놀랍도록 선명한 녹색의 양치식물과 이끼로 뒤덮인 커다란 바위가 있는 곳이다. 크고 잎이 무성한 이끼는 지칫과 식물이라고 불리며 숲의 허파와 비슷한 역할을 한다. 이끼가 실제로 허파처럼 폐엽이 바깥으로 펼쳐진 모양을 하고 있기도 하다. 기후가 온화한 지역에 있는데도 숲은 빗물에 흠뻑 젖었으며 습한 공기의 싸한 냄새가 난다. 톨킨Tolkien의 작품에 나올 법한 숲이다. 호빗이 산비탈에 살고 있거나 엘프가 쭉 뻗은 떡갈나무 나뭇가지 아래에서 활과 화살을 만들고 있는 모습이 그려지는 곳이다.

온대우림은 수천 년에 걸쳐 면적이 서서히 감소했다. 영국에 있는, 야생동물이 많은 영국 대부분의 자연보호구역과 같은 길을 걸었다. 하지만 이제는 속도가 빨라져 면적이 빠르게 줄어들고 있다. 숲은 처음에는 토지 개간 때문에 위협받았고, 이제는 풀을 뜯는 동물과 스페인에서 들여온 철쭉 같은 침입성 식물의 공격을 받는다. 파리 전문가 에리카 맥앨리스터는 이렇게 말한다. "철쭉만 보면 사이코패스처럼 분노가 치솟습니다. 어머니는 화를 내시지만, 저는 영국에 있는 철쭉을 전부 없애버리려고 애씁니다."

피크 디스트릭트 국립공원에 있는 작은 숲은 지나간 시대의 잔재다. 국립공원은 구불구불한 언덕으로 둘러싸여 있다. 언덕은 이탄과 석회석으로 이루어졌으며 나무 없이 벌거벗은 모습이다. 작은 숲은 이제 주로 양과 소를 위한 목초지나 가축이 먹을 사일리지(silage, 겨울에 가축에게 먹이는 풀 - 역주)를 재배하는 데 쓰인다. 영국의 자연 풍경 중 보물처럼 여겨지는 이곳은 사실 곤충과 새 대부분에게는 먹이나 은신처가 없는 황무지나 다름없다. 맨체스터 메트로폴리탄대학교의 생태학자 리스는 이렇게 말한다. "제가 만일 누군가에게 영국의 야생동물을 보여주고 싶다면 피크 디스트릭트 국립공원에 데려가지는 않을 겁니다. 그곳은 끔찍하니까요. 거기서는 야생동물을 볼 수 없습니다."

피크 디스트릭트 국립공원은 맨체스터와 셰필드 사이에 끼어 있다. 곤충이나 새가 살지 않는다고 해서 이곳에 흥밋거리나 아름다운 풍경이 없는 것은 아니다. 산책로를 따라 걸으면 녹음이 우거진 장관을 볼 수 있고, 영화 〈오만과 편견Pride and Prejudice〉과 〈제인 에어Jane Eyre〉 촬영 현장으로 쓰인 대저택들도 있다. 그리고 20세기까지 사람이 살았던 인상적인 동굴 망이 있다. 이곳에는 도주 중인 강도들이 살기도 했다. 하지만 피크 디스트릭트 국립공원은 생태학적으로는 매우 궁핍한 공간이다. 가차 없는 집약적 토지 관리 방식이 문제다. 이런 방식은 이제 영국, 유럽, 북아메리카에서도 성행하고 있다. 나무와 관목을 베고, 습지에서 물을 다 빼고, 야생 목초지를 평평하게 만드는 방식이다. 이 때문에 나무껍질 안이나 쌓인 낙엽 아래에 사는 곤충들과 긴 풀 주변을 기어 다니는 곤충들의 서식지가 위태로워졌다.

리스는 "이제 시골에서 더는 커다란 딱정벌레를 볼 수 없습니다"라고 말한다. 나비도 개체 수가 줄어들기는 마찬가지이며, 날아다니는 곤충을 잡아먹는 회색딱새 같은 새도 한마디로 '망해가고' 있다. "이런 일이 제가 살아 있는 동안 일어나고 있습니다. 정말 걱정됩니다."

피크 디스트릭트 국립공원은 어린 리스가 방문했을 때 자연 그대로의 황무지처럼 느껴졌다. 하지만 리스는 나중에 커서 자신이 그렇게 느낀 이유가 국립공원과 어린 시절을 보낸 링컨셔의 특징 없는 경작지를 비교했기 때문이라는 사실을 깨달았다. 인간이 수천 년에 걸쳐서 개입한 자연의 모습이 눈앞에 펼쳐져 있었지만, 리스가 그것을 알아보기까지는 시간이 조금 걸렸다. "영국의 경우에는 곤충의 서식지가 너무 오랫동안 너무 많이 달라졌습니다. 그래서 생물 다양성이 풍부한 환경이 어떤 모습인지 아는 사람이 아무도 없습니다."

리스는 국립공원에서 약 100m 떨어진 곳에 산다. 날씨가 따뜻할 때는 집 창문을 여기저기 열어놓는다. "사실상 아무것도 들어오지 않습니다. 각다귀고 뭐고 아무것도 안 들어와요." 이런 현상이 피크 디스트릭트 지역에 국한된 것은 아니다. "저는 곧 마흔이 되는데, 어렸을 때 차를 타면 차 주변에 나방이 잔뜩 몰려든 기억이 있습니다. 이제는 스코틀랜드 서부 산악 지대나 가야 각다귀 떼를 볼 수 있을 겁니다. 영국에서 실제로 곤충을 풍성하게 볼 수 있는 경험은 그게 전부입니다."

영국은 마법에 걸린 숲으로 가득한 국가로 알려져 있다. 하지만 인간은 이 땅에서 청동기시대부터 도끼를 마구 휘둘렀고 지금도 그만뒀다고 보기 어렵다. 영국에 있는 고대 숲의 절반이 1930년대부터 없어지고 있다. 그 자리는 소와 양, 그리고 미국 토종 침엽수가 차지하고 있다. 영국의 토종 곤충들은 이곳에서 살지 못한다. 나무와 함께 진화한 곤충이 하나도 없기 때문이다. 영국은 이제 유럽에서 숲이 매우 적은 국가 중 하나가 되었다. 원시림은 아주 조금만 남아 있을 뿐이다. 영국 정부는 나무를 더 많이 심겠다는 계획을 세웠으나 목표치에 한참 못 미치고 말았다. 그래서 환경보호 활동가들이 '긴급 식수 계획'을 추진하게 되었다. 이 계획대로라면 경제적인 이득을 따지면서 나무를 심는 대신 곤충들이 잃어버린 서식지를 부분적으로 복구할 수 있을 것이다.

하지만 영국에 원시림이 없는 상황이 너무 익숙하다 보니 가끔 아마존 열대우림이 황폐해지고 있다는 분노의 목소리가 나올 때도 영국 원시림을 걱정하는 사람은 거의 없다. 영국은 데이비드 아텐버러David Attenborough의 다큐멘터리에 집착하는 열성적인 환경보호 활동가가 가득한 국가다. 그런데 이들은 영국이 환경 훼손 모델을 브라질과 다른 국가들에 수출했다는 사실을 잊어버린 모양이다. 리스는 이렇게 말한다. "아마조니아에 사는 사람들이 저에게 '당신들은 2,000년 전에 벌써 오래된 나무를 다 베어버렸잖아요. 그런데 왜 여기 와서 우리한테는 그러지 말라고 말합니까?'라고 합니다." 그는 아마존에서 정기적으로 연구를 진행한다. "영국은 유럽에서 숲을 관리하지 못하는 나쁜 예에 해당합니다. 우리가 우리 집도 제대로 정리하지 않으면서 다른 사람들한테 집을 치우는 방법에 대해 잔소리를 늘어놓을 수는 없겠죠."

시골에 변화를 주자는 의견이 비난받을 때마다 항상 농지에 대한 이야기가 나온다. 인간의 손길이 덜 닿은 자연환경처럼 보이는 곳도 마찬가지다. 사실 피크 디스트릭트의 약 90%는 개인이 소유한 농지다. 영국은 인구밀도가 높은 국가이며 약 4분의 3에 해당하는 땅이 정교한 기계처럼 돌아가는 농업 시스템에 편입되어 있다. 기술의 진보와 국내 식량 생산량을 늘리려는 추진력 덕택에 영국은 제2차 세계대전 이후 곡물 수확량이 4배나 늘어났다. 농부들은 작물 한두 가지에 집중하며 기계를 이용해 더 빠르고 효율적으로 작업한다. 다른 국가들과 마찬가지로, 가족 농장을 운영하면서 좁은 땅에서 닭이나 몇 마리 키우는 쾌활한 농부의 전통적 이미지는 사라져버렸다. 대규모 기업식 농업의 영향력이 커지면서 제2차 세계대전 이후 영국 농장의 수가 3분의 2나 줄어들었다.

효율성을 중시하는 이런 성향 덕에 영국의 시골 풍경은 매우 깔끔하고 모든 것이 가지런하게 정렬되어 있다. 들판이 더 넓어졌으며, 농부들은 엄선한 밀과 보리 품종 몇 가지만 재배한다. 게다가 산울타리의 절반이 몇 세대 만에 사라지기도 했다. 산울타리는 수분 매개자와 작물에 꼬이는 해충을 잡아먹는 곤충 포식자들의 주요 서식지다. 땅의 약 10분의 1이 뇌조를 키우고 죽이는 데 쓰인다. 소수의 사냥꾼이 뇌조를 잡는데, 그들에게는 뇌조가 살아 있는 클레이 피전(clay pigeon, 산탄총 사격에서 표적으로 사용하는 진흙 비둘기 – 역주)이나 마찬가지다. 사냥하는 과정에서 뇌조에게 영향을 줄 가능성이 있는 근처 다른 동물들까지 죽일 수밖에 없다. 영국이 인공적으로 조각되다시피 한 섬나라가 되면서 지나치게 손질되고 말았다.

'그림자 숲shadow woods(오래전에 나무가 거의 다 베인 숲의 일부)'이나 지명을 보면 영국이 과거에 자연적으로 풍성했다는 사실을 알 수 있다. 잉글랜드에는 이름에 늑대wolves가 들어가는 도시와 마을이 200개가 넘는다. 울버지Wolvesey, 일명 '늑대의 섬'은 햄프셔에 있고, 울든Woolden, 일명 '늑대의 계곡'은 랭커셔에 있다. 마지막으로 남아 있던 늑대가 18세기에 목숨을 잃었는데도 말이다. 불곰도 한때 영국 전역을 누볐으나 중세 초기에 자취를 감춰버렸다. 비버는 고기, 털, 향수에 쓰이는 분비물을 노린 사람들 때문에 멸종될 때까지 사냥 당했다. 학은 한때 하도 흔하게 볼 수 있어서 헨리 2세의 요리사들이 1251년에 크리스마스 연회를 위해 115마리나 요리했다. 하지만 몇 백 년이 지난 후 학은 영국에서 멸종되고 말았다. 영국은 비버와 학을 꾸준히 수입해 여러 작은 지역에 풀어줬으나 인간이 자연을 정복한 흔적이 말끔하게 지워지지는 못했다.

영국 시골은 푸릇푸릇하고 아름답다. 하지만 소설에 나오는 풍경처럼 인위적인 면이 있다. 인간의 시각에서는 깔끔하게 나뉜 밀밭이나 정교하게 다듬은 풀이 나무 바로 밑까지 우거진 모습이 정돈된 것처럼 보인다. 이런 풍경에 매력을 느끼는 사람들도 있을 것이다. 하지만 우리가 땅을 길들이면서 느끼는 만족도가 중요한 것이 아니다. 이런 행위가 곤충에게는 재앙으로 다가온다는 점이 중요하다. 곤충은 우리가 지저분하고 어수선하다고 느낄 만한 환경에서 번성한다. 무질서하고 관리되지 않은 초원과 잔뜩 뒤엉킨 덤불에는 다양한 곤충이 산다. 하지만 이런 곳이 비생산적이고 흉물스럽다고 생각하는 사람들도 있다. 리스는 이렇게 말한다. "사람들은 곤충을 생각해서 특정 식물을 키워야 한다고 말합니다. 그런데 알고 보면 그런 식물들은 항상 우리 주변에 있었습니다. 사람들은 덤불이 지저분하다고 생각하고 사랑스러운 잔디밭을 원합니다. 하지만 덤불이야말로 곤충에게 대단히 중요한 서식지입니다."

유럽 북서부에서는 한때 야생 석회질 목초지를 흔히 볼 수 있었다. 이런 곳에서는 약초, 꽃, 풀이 골고루 자란다. 여러 종류의 딱정벌렛과 곤충과 상대적으로 희귀한 곤충들도 석회질 목초지를 완벽한 서식지로 여긴다. 그중에는 유령 꽃등에Phantom Hoverfly, 카라후토 여치Wart-biter Bush Cricket, 은점박이꽃 팔랑나비Silver-spotted Skipper Butterfly도 있다. 하지만 영국에 있는 석회질 목초지의 약 80%가 주택단지나 양 우리로 바뀌었다. 호박벌이 먹기에 가장 좋은 식물인 퍼플 헤더Purple Heather도 이와 비슷한 수준으로 줄어들었다. 과학자들은 퍼플 헤더가 벌을 공격하는 기생충을 무찌르는 자연적인 치료제 역할을 한다는 사실을 발견했다. 꽃의 꿀에 그런 약효 성분이 들어 있는 것이다.

영국의 농경지는 다양성이 부족한데 앞으로가 더 걱정이다. 유럽연합EU이 도입한 '세 가지 농작물 규칙three-crop rule'에 따라 어떤 농부든 30만 m²가 넘는 땅에서 농사를 지으려면 서로 다른 농작물 세 가지 이상을 재배해야 한다. 농작물을 세 가지만 언급하면서 '다양성'을 논하다니 의아할 수도 있을 것이다. 하지만 이제 영국이 유럽연합을 떠난 만큼 상황이 지금보다 더 나빠질 우려가 있다. 이때를 틈타 농부들이 이 규칙을 완화해달라고 요구하고 있기 때문이다. 농부가 재배하는 농작물의 수가 극도로 적다는 것은 농경지가 1년 중 대부분의 시간에 아무런 농작물도 없는 불모지로 남아 있다는 뜻이다. "우리는 농경지 면적을 넓히고 곤충의 자연적인 서식지는 줄였습니다. 그래서 벌이나 다른 곤충들이 굶어 죽고 맙니다." 코번트리 대학교의 농업 생태학자 바버라 스미스Barbara Smith는 이렇게 말한다. "우리는 복잡한 시스템을 단순화했습니다. 작물 한 종류만 제외하고는 모든 것을 빼버렸습니다. 이는 마치 먹을 음식이 감자튀김뿐인 것과 마찬가지입니다. 감자튀김을 안 먹는 사람이 있거나 말거나 모두에게 감자튀김을 주는 거죠."

현대의 농업을 나타내는 '자연적인' 시골을 불도저로 밀어버리고 거기에 주택과 정원을 만드는 것이 곤충에게 더 좋은 서식지를 제공하는 길이라고 주장하는 사람들이 있을 정도다. 자연주의자 스티븐 모스Stephen Moss는 자신의 책 《시골의 뜻하지 않은 모습The Accidental Countryside》에서 환경 운동가 크리스 베인스Chris Baines가 이런 제안을 했다고 밝혔다. 모스는 이렇게 적었다. '그가 별생각 없이 내뱉은 소리처럼 들릴지도 모르지만, 아주 진지하게 한 말이었다. 농사를 지을 수 있는 땅 대부분은 단일 작물을 재배하는 사막과도 같다. 야생동물이 사실상 살지 않는다. 반면 영국 정원은 예전에 삼림지대에서 지냈던 새와 다양한 야생동물들이 살고 있다.'

도시 스프롤(sprawl, 난개발 - 역주) 현상에 맞서 싸운 사람들에게는 매우 실망스러운 상황일 것이다. 하지만 과학자들이 보기에는 농지가 달라지는 추세가 분명하게 드러난다. 지난 20년 동안 스미스는 자신이 연구하는 농경지에서 곤충이 점점 줄어든다는 사실을 알아차렸다. 곤충 군집이 수가 조금씩 줄어들다가 아예 사라지는 것이다. 현대적인 농업의 발전 때문에 딱정벌레의 일종인 반날개Rove Beetle가 특히 큰 어려움에 처했다. 단생벌도 비슷한 처지다. 이런 곤충들은 넓은 들판에서 먹을 것이 없으며 주변에 있는 다른 곳에서도 살아가기 어렵다.

스미스는 2020년 초에 농경지에서 하찮아 보이지만 중요한 역할을 하는 잡초를 다룬 논문을 썼다. 그녀는 논문에서 경작지의 10%는 잡초로 채워야 곤충이 먹이사슬에서 제대로 기능할 만큼 많이 살아남을 수 있다고 밝혔다. 유럽반시Gray Partridge처럼 근처에 사는 새들이 잡아먹을 곤충이 있어야 하기 때문이다. 클리버Cleaver는 '스티키 윌리Sticky Willy'라고도 불리는 식물이다. 이 잡초 사이를 걸으면 껍질이 꺼끌꺼끌한 씨앗이 옷에 들러붙는다. 농부들은 클리버가 농작물에 해가 될 수 있어 좋아하지 않는다. 향부자Nut Grass도 농부들이 싫어하는 잡초지만 농작물에 덜 해롭다. 사실 잡초의 성격을 구분하는 것은 별 의미가 없다. 어차피 둘 다 곤충에게 이롭고 들판에서 뽑혀나가는 처지다.

영국 농부들은 이제 들판 옆에 야생 목초지를 남겨두도록 지원금을 받는다. 하지만 야생동물이 실제로 이동할 수 있게 목초지가 서로 연결된 경우는 드물다. 연구원들은 이런 목초지가 이동이 적고 희귀한 곤충보다 활발하게 이동하고 흔히 볼 수 있는 곤충에게 더 이롭다는 사실을 발견했다. 그렇더라도 농부들이 애초에 벌과 나비를 죽일 의도는 없었고, 이런 논쟁을 통해 식량 생산과 야생동물 보호라는 두 마리 토끼를 다 잡을 수 있는 시스템이 탄생할 가능성도 있다.

하지만 그러는 동안에도 곤충의 세계는 알 수 없는 운명을 향해 나아가고 있다. 스미스는 이렇게 말한다. "우리는 티핑 포인트에 얼마나 가까이 와 있는지 잘 모릅니다. 하지만 시간이 흐르면서 농경지에서 사는 곤충의 수가 크게 줄었습니다. 저는 우리가 농작물을 몇 가지로 단순화해서 재배하고 들판을 잘못 관리하고 살충제를 쓰는 것이 문제라고 생각합니다. 간단히 말하자면 그렇습니다."

하지만 시골이 조용해지는 것이 영국에 국한된 문제는 아니다. 농업은 유럽 전역에 커다란 영향을 미쳤고, 보조금 지급 시스템이 농경지의 성격을 바꾸는 데 일조했다. 농부들은 보조금을 받은 덕에 생활이 안정되었으나 농작물을 심기 위해 산울타리, 들꽃, 키가 큰 풀을 없애버리기도 했다.

한 식물학 비교 연구에 따르면, 스위스 취리히에서는 수분 매개자를 위한 먹이로 가득한 식물들이 지난 100년에 걸쳐 사라져버렸고, 스웨덴에 있는 반半자연적 목초지는 10%만 남았다고 한다. 유럽 농지에 사는 새의 수도 줄어들었다. 화학물질로 범벅이 된 들판에서 생성되는 질소가 해안 지대에 조류藻類를 만들어내고 습지를 갈아엎는 바람에 지구의 온도를 높이는 온실가스가 대기로 대량 방출되고 있는 것도 문제다.

브누아 퐁텐Benoît Fontaine은 어릴 때 파리에서 차로 1시간 걸리는 조용한 지역에서 새를 보고 관찰 일기를 썼다. 여름에 야외에서 가족과 저녁 식사를 한 기억도 있는데, 그때 테이블 위에 둔 램프 주변으로 곤충이 모여들었다. 하지만 퐁텐은 관찰 일기에 적어뒀던 새들을 더는 보지 못했다. 이제는 저녁 먹을 때도 곤충의 방해를 거의 받지 않는다. 그는 "모든 것이 달라졌습니다. 제가 살아 있는 짧은 기간에 이렇게 큰 변화가 생긴 겁니다"라고 말한다.

퐁텐은 현재 프랑스 국립자연사박물관에서 곤충 보호에 힘쓰는 생물학자로 일하고 있다. 그는 2018년에 발표한 논문에서 곤충의 감소세를 어느 정도 수량화하는 데 성공했다. 논문에 따르면 프랑스 농경지에서 지난 30년에 걸쳐 새가 3분의 1 이상 사라졌다고 한다. 풀밭종다리와 종다리처럼 한때 흔하게 볼 수 있었던 새들도 개체 수가 줄어들었다. 연구원들은 단일 작물을 재배하는 농경지에 곤충이 부족한 것을 그 원인으로 꼽았다.

푸아투Poitou, 샹파뉴Champagne, 보스Beauce의 대평원에 있던 산울타리, 수풀, 연못은 평평하고 획일적인 공간으로 바뀌었다. 이런 땅은 트랙터와 콤바인이 지나가기에 이상적이며 가축의 사료로 쓰일 옥수수를 심기에도 제격이다. 자연주의자들을 기운 없게 만들 만한 광경이다. 퐁텐은 "경치가 좋은 곳이지만 사막이나 마찬가지입니다. 프랑스 시골이 사막이 되어버렸고, 서양 어디든 똑같은 상황입니다. 산업형 농업은 동일한 규칙을 따르니까요"라고 말한다.

그렇다고 해서 농사를 짓는 행위 자체가 나쁜 것은 아니다. 심지어 곤충도 농사를 짓는다. 과학자들은 개미가 수천 년 동안 창백한 거대 오크 진딧물Pale Giant Oak Aphid을 '사육해온' 사실을 밝혀냈다. 개미들은 진딧물을 혹독한 날씨에는 땅 밑에서 키우고 여름(잉글랜드 오크나무에서 수액이 나오는 시기)에는 나무줄기로 올려보낸다. 개미가 노리는 것은 진딧물이 분비하는 설탕물인 꿀이다. 개미는 꿀을 가져가는 대신 보답으로 나무에 이끼로 만든 아늑한 '헛간'으로 진딧물을 이동시킨다. 위험이 닥치면 개미는 진딧물 떼를 데리고 안전한 곳으로 피한다.

한편 남아메리카에서는 가위개미가 지난 1,500만 년 동안 땅 밑에 있는 대규모 곰팡이 농장에 비료를 주기 위해 식물을 모았다. 오랜 시간이 흐르면 이 과정을 통해 곰팡이가 단백질로 가득한 주머니를 생산하게 된다. 이 주머니는 개미가 먹기에 완벽한 간식이다. 인간은 고작 약 1만 년 전부터 농사를 지었다. 가위개미와 비교했을 때 인간은 농업의 역사에서 하찮은 존재에 불과할지도 모른다.

레이첼 카슨Rachel Carson이 상기시키듯 '야생동물도 사람과 마찬가지로 살 곳이 있어야 한다.' 지구가 너무 빠른 속도로 달라지고 있어서 과학자들에 의하면 아마존처럼 거대한 생태계도 몇십 년 안에 무너질 수 있다고 한다. 일단 티핑 포인트에 도달하고 나면 어장의 규모가 순식간에 작아지고, 커다란 호수가 말라버리고, 산호초가 하얗게 변해서 죽을 우려가 있다. 우리가 사는 세상은 안정적이고 변하지 않는 것처럼 보이지만, 한순간에 상황이 완전히 달라질 수 있다.

곤충의 서식지를 파괴하는 행위는 곤충뿐만 아니라 인간의 운명도 위태롭게 한다. 지난 50년 동안 세계 각지에 있는 농경지가 단일경작의 수렁에 빠지고 말았다. 수분 매개자에 대한 수요가 급증하는 시기인데 말이다. 2019년에 진행된 한 연구에서는 우리가 집단 아사 위기에 놓이지는 않았으나 수분 매개자에게 호의적이지 않은 단일경작에 의존하면 '국가의 경제와 식량 안보의 취약성이 증가한다'라고 경고했다.

설령 전 세계적으로 식량이 부족해지는 위기를 간신히 모면하더라도 토지 사용과 관련된 치명적이고 다양한 문제를 해결해야 한다. 이런 토지 사용 시스템은 우리가 곤충과 공유하는 자연계를 마구 망가뜨리고 있다. 곤충들은 찍소리도 못 내고 이런 시스템의 구렁텅이에 던져지는 실정이다.

우리의 생물 다양성 위기에서는 거의 모든 야생동물이 고통받고 있다. 하지만 자연적인 서식지가 농업, 도시나 도로 건설 등으로 사라졌을 때 타격을 가장 많이 받는 동물은 무당벌레와 거미 같은 작은 무척추 포식자인 것으로 밝혀졌다. 침식과 오염 물질로 토양이 훼손되고 수로가 더러워지는 바람에 곤충의 세계가 더 좁아지고 있다. 심지어 '보호구역'으로 지정된 곳도 안전하지 않다. 연구원들의 계산에 따르면 세계적으로 보호받는 땅의 3분의 1 이상이 '인간이 가하는 극심한 압박'에 시달리고 있다고 한다. 이 땅을 거류지, 방목지, 도로, 철도, 야간 조명에 쓰려는 사람이 많다.

곤충은 역사적으로 지구의 위대한 생존자답게 인간이 예전에 환경을 어설프게 손봤을 때도 새로운 환경에 적응하고 번성하기까지 했다. 인간은 수백 년 동안 유럽 전역에서 삼림지대에 있는 나무를 선택적으로 베거나 윗부분을 잘랐다. 요리할 때 필요한 땔감과 숯을 얻기 위해서였다. 나비는 이런 환경을 선호했다. 우거진 수풀을 뚫고 햇살이 들어오고 나무가 다시 자라면서 애벌레에게는 먹이를, 성체가 된 나비에게는 밀원을 제공했기 때문이다.

하지만 현대의 벌목 기술 덕택에 산림 개간의 생산성이 크게 높아졌고 숯은 다른 연료인 석탄과 가스로 대체되었다. 인간의 생활이 달라지면서 나비들은 처음에는 혜택을 누리다가 나중에는 피해를 입었다. "우리는 더 이상 나비들의 필요에 알맞은 방식으로 숲을 바꾸고 있지 않습니다. 그러다 보니 나비의 개체 수가 다시 줄어드는 추세입니다." 요크대학교의 생물학자 크리스 토머스의 말이다.

그나마 다행인 것은 우리가 숲을 다루는 방식이 바뀌면 나비의 개체 수가 다시 늘어날 수 있다는 점이다. 나비도 다른 곤충들과 마찬가지로 다양한 위협에 시달리고 있다. 하지만 우리가 숨 돌릴 틈을 조금만 준다면 나비처럼 섬세하고 연약해 보이는 종도 살아남을 길을 찾을 수 있다. 뢸 판 클링크Roel van Klink는 "곤충의 개체 수는 물속으로 밀어 넣은 통나무 같다고 생각하시면 됩니다"라고 말한다. 그는 땅에 사는 곤충이 10년마다 9%씩 줄어들고 있다는 것을 밝힌

메타 분석 결과를 발표했다. "통나무는 수면 위로 올라오려고 하지만, 저희가 계속 누르고 있는 거죠. 힘을 빼면 통나무는 무사히 올라올 겁니다."

곤충이 숨 돌릴 기간은 특이한 상황에서 찾아올 수도 있다. 코로나19 팬데믹 시기에 일부 지역에서 길가에 난 풀을 한동안 베지 않았더니 다양한 곤충의 개체 수가 다시 늘어났다. 이런 작은 목초지는 갑자기 이름이 특이한 여러 들꽃의 드문 은신처가 되었다. 노랑딸랑이Yellow Rattle, 야호나복Wild Carrot, 초원제라늄Meadow Cranesbill, 노랑 뻐꾹채Greater Knapweed, 달맞이장구채White Campion가 곤충, 새, 박쥐를 불러들였다. 사회적 거리 두기로 자동차 통행량이 줄어든 것도 도움이 되었다. 그 덕택에 대기오염 물질이 줄어 벌이 꽃향기를 더 쉽게 맡고 먹이를 더 잘 찾을 수 있었다.

곤충은 가면 갈수록 지저분하고 부수적인 공간에서 은신처를 찾는다. 고속도로 옆에 있는 제방, 철도 선로 사이사이에 삐죽 튀어나온 풀, 집을 허물고 나서 풀이 잔뜩 자란 땅과 같은 곳이 곤충에게 살 공간을 제공한다. 심지어 멸종되기 직전인 한 곤충은 인간이 환경에 너무 깊이 개입한 나머지 특이하게도 폭발물 시험 발사장 안에서만 살아간다.

'성 프랜시스의 사티로스Saint Francis' Satyr'라는 이름의 나비에게는 진흙색 날개가 있다. 이 나비는 별다른 특징이 없는 것처럼 보이지만 세상에서 가장 희귀한 나비 중 하나이며 아주 특이한 곳에서 산다. 남아 있는 나비 몇천 마리 중 대다수가 노스캐롤라이나주 중부에 있는 미국 군사 기지인 포트 브래그Fort Bragg의 대포 시험 발사장 주변에 살고 있다. 무게가 181kg이나 되는 폭탄이 땅에 내리꽂히면서 내는 굉음 속에서 나비들은 발사장 주위를 즐겁게 날아다닌다. 신기하게도 미군이 외부의 그 어떤 나비 보호 프로그램보다 성 프랜시스의 사티로스를 안전하게 보호하고 있다.

이 나비는 서식지를 까다롭게 고른다. 인간이 세계적으로 거의 모든 지역에서 곤충에게 생태학적으로 똑같은 단조로운 먹이를 제공하는 시대에 말이다. 이 나비는 어질러진 환경을 좋아하지만, 적당히 어질러져 있어야 한다. 홍수가 약하게 나는 것도 좋아하지만, 물이 너무 많아서는 안 된다. 식물이 너무 많이 자랐을 때 식물 일부를 태워줄 불도 필요하지만, 먹이를 완전히 불태워버릴 만큼 들불이 크게 나서도 안 된다. 노스캐롤라이나주의 풍경은 한때 이런 조건을 갖췄으나 사람들이 불을 끄고, 산에 있는 나무를 잔뜩 베고, 물의 흐름을 바꿔버렸다. 그래서 대포 시험 발사장이 성 프랜시스의 사티로스가 집을 짓기에 적당한 마지막 땅이 되고 말았다. 대포를 쏘고 나면 자연적인 들불처럼 풀이 적당하게 타는 것이다.

이 나비는 1년에 두 번, 매번 3주씩 나타난다. 그러면 미시간주립대학교의 나비 전문가 닉 하다드Nick Haddad가 포트 브래그로 달려간다. 그는 발사장을 드나들며 이 나비의 수를 세고 연구할 수 있도록 특별 허가를 받았다. 하다드는 이곳을 찾을 때마다 과거로 시간

여행을 떠난 것 같은 느낌에 사로잡힌다. 그의 말에 의하면 발사장의 표적 구역은 달 표면처럼 황량하다고 한다. 하지만 거기서 조금 떨어진 곳에는 훼손되지 않은 사바나, 삼림지대, 늪이 펼쳐져 있다. 희귀한 새와 뱀뿐만 아니라 파리지옥풀과 낭상엽 식물 같은 특이한 식물도 이곳에 자리 잡았다.

성 프랜시스의 사티로스는 풀로 덮인 늪지대에서 볼 수 있다. 이곳으로 가려면 덤불이 빽빽하고 머리 위로 덩굴식물이 한가득 뻗어 있는 지역을 통과해야 한다. 하다드는 이곳에서 눈에 보이지 않는 독사의 공격을 막기 위해 목이 긴 부츠를 신고 나비들이 먹는 연약한 식물을 밟지 않으려고 얇은 널빤지 위로 걸어 다닌다. 그는 특별 복구 구역에서 댐을 짓는 비버의 솜씨를 흉내 낸다. 부풀릴 수 있는 고무 주머니를 설치하는 것이다. 그러면 성 프랜시스의 사티로스에게 필요한 소규모 홍수를 일으킬 수 있다.

노스캐롤라이나주 동쪽으로는 해변이 길게 뻗어 있고 서쪽으로는 우뚝 솟은 산이 있다. 하지만 하다드는 대포 시험 발사장이 그 주에서 가장 아름다운 자연 풍경 중 하나를 선사한다고 생각한다. 이런 장관을 발사장 밖에서 재현하기란 사실상 불가능하다. 하지만 그는 성 프랜시스의 사티로스를 위한 다른 서식지가 조성되길 바란다. 그러나 환경 복구를 향한 사람들의 열망이 부족해서 전면적인 복구가 이루어지기는 어려울 것이며, 포트 브래그 같은 섬 밖에 사는 희귀 나비들의 앞날도 암울하다. 우리는 놀라울 만큼 성공적으로 환경을 점점 더 빠른 속도로 바꾸고 있다. 여러 종류의 곤충이 우리와 함께 달라지는 환경에 적응할 것이다. 하지만 그러지 못하는 곤충도 많을 것이며, 현재로서는 우리가 그런 곤충 대부분을 살릴 방법은 거의 없다. 하다드는 멸종 위기에 처한 나비들에 대해 이렇게 말한다. "저는 예후가 끔찍하다고 생각합니다. 개체 수가 무시무시한 속도로 줄어들고 있습니다. 저는 낙천주의자입니다. 낙천주의자인 제가 예후가 끔찍하다고 표현했다는 점을 기억하셔야 합니다."

하다드를 노스캐롤라이나주의 훼손되지 않은 습지대에 남겨두고 미국을 가로질러보자. 그러면 미국 중서부 지역의 농업 중심지를 통과해 그레이트 플레인스Great Plains를 지나 캘리포니아주의 거대한 과일 및 견과 재배 현장을 마주하게 된다. 그 광경을 보고 나면 멸종 위기에 처한 곤충들의 생존 전망을 비관적으로 평가하게 될 것이다.

옥수수와 콩이 자라는 커다란 들판이 아이오와주를 가로질러서 미네소타주까지 끝없이 펼쳐져 있다. 이렇게 재배한 옥수수와 콩은 주로 반자동 축사에서 비좁게 사는 가축의 사료로 쓰인다. 과학자들이 연구한 결과, 여기에 있는 콩밭 근처에 벌집을 하나 두면 처음에는 꿀벌들이 잘 지내다가 나중에는 영양실조에 걸린다고 한다. 아이오와주립대학교의 곤충학자 에이미 토스Amy Toth에 따르면 이런 환경에서 사는 벌들을 모니터해보니 그해가 끝나갈 무렵 전부 비틀거리다가 쓰러졌다고 한다. 여기에서 서쪽으로 더 가면 양봉의 중심지인 노스다코타주와 사우스다코타주가 나온다. 이곳은 옥수수와 콩을 재배하는 면적이 더 커지고 목초지가 줄어들면서 양봉업계에 타격을 주고 있다. 아이다호주와 워싱턴주를 통과하면 자로 잰 것처럼 가지런한 감자밭이 눈에 띄기 시작할 것이다. 이런 밭 중 다수는 농업 제국 '심플로트Simplot'가 맥도날드McDonald에 감자튀김을 납품하기 위해서 관리한다. 여기에서 밑으로 내려가서 캘리포니아주에 있는 센트럴밸리를 방문하면 야생의 자연이 어떤 모습인지 잊어버리기 쉽다. 이곳의 들판은 아몬드, 목화, 감귤류 과일로 가득하기 때문이다.

미국 정부와 일했던 곤충학자 제프 페티스Jeff Pettis는 만일 메뚜기나 나비가 이런 루트를 따라 긴 여정을 떠난다면 '중간에 쉬면서 꽃의 꿀이나 먹을 수 있는 풀로 영양을 보충할 만한 곳을 별로 발견하지 못할' 것이라고 말한다. 곤충은 첫 번째 백인 정착민처럼 서둘러서 건조한 서부를 지나 해안으로 향해야 할 것이다. 하지만 이제는 커다란 장애물을 하나 더 넘어야 한다. 페티스는 정착민들의 여정에 대해 이렇게 말한다. "그 당시에는 대초원이 야생동물, 식량, 깨끗한 물로 가득했습니다. 그러나 이제는 들판에 옥수수와 콩이 잔뜩 심겨 있고 다른 것은 거의 없습니다."

농부의 수가 줄어드는 동안 이런 들판의 면적은 넓어지고 있다. 오늘날 미국의 농부 수는 남북 전쟁 기간의 농부 수보다 적다. 미국 인구가 그때보다 11배나 많아졌는데도 말이다. 이는 우리가 규모의 경제, 통합, 자동화를 가차 없이 밀어붙이고 있다는 증거다. 현재 미국의 농경지 중 4분의 3은 농장 12%가 관리한다. 농장의 중간 규모는 지난 30년 동안 2배 넘게 커져서 이제는 $5km^2$에 달한다. 물론 이 농지에는 사람들도 있다. 그중 다수는 깔끔하게 손질된 잔디밭이 있고 차가 많은 교외에 살며, 넓은 고속도로가 굽이굽이 이어져 그들이 구매한 상품을 실어 나른다. 델라웨어대학교의 곤충학자 더글러스 탤러미는 "이런 지역은 곤충이 살도록 만든 곳이 아닙니다. 오직 사람들을 위한 곳이죠"라고 말한다. 그는 펜실베이니아주에서부터 오리건주에 사는 손주들을 만나려고 먼 거리를 정기적으로 운전해 이동한다.

거대한 들판을 지나 차로 몇 시간씩 달리다 보면 탤러미는 분노가 치솟는다. 사람들이 도로 가장자리에 있는 들꽃과 잡초까지 전부 제거했기 때문이다. "정말 짜증 나는 것은 그럴 필요가 전혀 없다는 겁니다. 도로 가장자리에 토종 들꽃을 심기 위해 작물 수확량을 조금도 희생할 필요가 없단 말입니다." 그는 분노를 토해냈다. "인간은 농사를 깔끔하게 지으려고 애쓰는 과정에서 곤충을 말살시키고 있습니다. 언젠가는 우리가 이런 행위의 대가를 치를 겁니다."

곤충은 우리가 주변 세상을 바꾼 방식 때문에 큰 피해를 입었다. 물리적인 면에서도 그렇고, 화학적인 면에서도 그렇다. 살충제를 일상적으로 쓰는 바람에 곤충에게 해로운 독기毒氣가 생겼다. 과학자들은 그런 독기를 최근에서야 수량화했다. 농작물을 해충으로부터 구제하려는 노력은 인간이 농작물을 처음 심기 시작했을 때부터 이루어졌다. 고대 메소포타미아의 수메르인은 유황 혼합물을 이용해 곤충과 진드기를 무찔렀다. 로마에서는 잡초를 죽이기 위한 기본적 형태의 처치법이 발달했다. 지난 100년 동안 화학업계는 농작물을 야금야금 갉아 먹거나 말라버리게 하는 침입자에 대항하기 위해 완전히 새롭고 치명적인 무기를 여럿 만들었다.

살충제 중에는 살균제와 제초제도 있다. 살균제는 기생 진균이나 그 포자를 제거하는 데 쓰이고, 제초제는 잡초를 없애는 데 쓰인다. 세계적으로 가장 유명한 제초제는 글리포세이트가 들어 있는 '라운드업Roundup'이다. 1970년대부터 효과가 뛰어난 화학물질이 등장하면서 농부들은 계속되는 해충과의 전쟁에서 유리한 고지를 점령했다. 오스트레일리아의 작물학자 스티븐 폴스Stephen Powles는 글리포세이트에 대해 이렇게 말한다. "100년에 한 번 나올까 말까 한 대발견입니다. 페니실린이 질병 퇴치에 중요한 만큼 글리포세이트는 세계적으로 안정적인 식량 생산에 중요한 역할을 합니다." 하지만 글리포세이트는 수만 명에게 암을 유발하는 문제를 일으키기도 했다. 그 여파로 독일의 대형 화학업체 바이엘Bayer은 소송에 시달린 나머지 2021년 7월에 글리포세이트가 함유된 제초제를 미국에서 판매하는 잔디 관리용 제품과 원예용품에서 제외한다고 발표했다.

하지만 화학물질이 진딧물, 마디풀, 다른 적을 상대로 더 격렬한 전쟁을 벌이는 동안 온갖 종류의 다른 곤충이 십자 포화에 점점 더 많이 갇히고 있다. 1990년대에 글리포세이트에 내성이 있는 '라운드업-레디Roundup-ready' 작물이 도입되면서 제초제 사용이 급증했다. 새로운 작물 덕택에 농부들은 잡초를 제거하기 위해 제초제를 자유롭게 살포할 수 있게 되었다. 화학업체들은 제초 과정의 양쪽 끝을 모두 공략했다. 몬산토Monsanto가 판매하는, 제초제에 내성이 있는 라운드업-레디 씨앗을 역시 몬산토가 판매하는 인기 제초제 라운드업에 대항하는 최고의 방어책으로 마케팅한 것이다. 제초제의 이런 무분별한 사용 때문에 환경이 오염되면서 미처 예상하지 못한 부작용이 나타나고 있다. 예를 들면 글리포세이트는 벌의 장내 박테리아를 방해하는 것으로 추측되며, 이 때문에 벌이 질병에 걸리기 더 쉬운 상태가 되었다.

한편 곰팡이와 흰곰팡이를 표적으로 한 살균제의 영향은 연구원들도 놀라게 했다. 살균제의 사용과 벌의 개체 수 감소에는 의미 있는 상관관계가 있다. 실험실에서 연구한 결과, 살균제가 노제마병의 발병을 악화할 수 있다는 결론이 나왔다. 노제마는 꿀벌을 공격하고 군집을 약하게 만드는 기생충이다.

하지만 곤충을 겨냥하는 가장 치명적인 무기는 바로 살충제다. 이름만 봐도 짐작이 가능하다. 살충제 중 효과가 가장 좋은 것은 네오니코티노이드neonicotinoid라고 불리는 화학물질이다. 이 물질은 니코틴과 화학 성분이 비슷하다. '네오니코티노이드'라는 단어 자체가 '니코틴과 유사한 새로운 살충제'를 뜻한다. 이 새로운 세대의 살충제는 독일의 거대 제약 회사 바이엘이 만들었으며, 여러 화학업체가 네오니코티노이드를 변형한 살충제 8종을 판매하고 있다.

지난 30년 동안 네오니코티노이드는 엄청난 인기를 누렸다. 이 살충제는 잔디밭부터 농경지에 이르기까지 쓰임새가 다양하며 세계에서 가장 널리 쓰이는 살충제가 되었다. 네오니코티노이드의 장점은 명백하다. 수액을 먹는 진딧물, 벼룩, 목질부에 구멍을 내는 특정한 해충, 농부들이 원하지 않는 딱정벌레를 완벽하게 없앤다. 게다가 네오니코티노이드는 '시스템 전체에 영향을 미치는' 살충제로 여겨지기도 한다. 이 말은 화학물질이 식물 표면에 그대로 남아 있지 않는다는 뜻이다. 화학물질이 식물에 스며들고 식물의 순환계를 타고 신속하게 이동해 뿌리에 도달하며 잎과 다른 조직의 말단까지 퍼진다. 네오니코티노이드는 작물 140종을 위해 전면적인 보호막을 제공한다. 그 덕택에 농부들은 화학물질을 여러 번 뿌리지 않아도 곤충으로부터 수확물과 생계를 보호하리라고 낙관할 수 있다.

최근 몇 년에 걸쳐 네오니코티노이드는 올인원all-in-one 살충제다운 면모가 더 두드러지도록 업그레이드되었다. 이제는 땅 주인에게 판매하는 씨앗의 코팅 위에 살충제를 소량 바른다. 그러면 식물이 자랄 때부터 화학물질의 영향을 받는다. 2000년대부터 이런 농사 방식이 새로운 표준이 되었다. 미국에서만 네오니코티노이드로 코팅된 씨앗의 판매량이 3배나 늘어났다.

네오니코티노이드는 이제 약 120개국의 식량 생산과 긴밀한 관계에 있다. 그렇다 보니 살충제 잔여물이 시금치, 양파, 녹색 깍지 강낭콩, 토마토뿐 아니라 이유식에서도 검출된다. 미국 아이오와주에서는 네오니코티노이드가 식수에서 검출되어 약품 처리를 한 적이 있었다. 그런데도 네오니코티노이드 성분이 사라지지 않아 골머리를 앓았다. 영국에서는 노퍽주와 서퍽주의 경계선을 형성하는 수로인 웨이브니강River Waveney에서 네오니코티노이드가 검출되었다. 중국은 2017년에 자국 내 여러 지역에 사는 사람들의 소변을 테스트했는데, 거의 모든 표본에서 네오니코티노이드가 검출되었다.

우리는 설령 네오니코티노이드가 들어 있는 딸기를 먹으면서 마음이 불편하더라도 유기농 농산물을 선택하면 불안감이 조금 누그러진다. 인간은 식량을 생산하는 방식에 대해 근본적으로 다시 생각하지 않으려고 애쓸 수 있다. 하지만 곤충에게는 그럴 여유가 없다.

2008년 봄은 유럽에 사는 꿀벌들에게 가혹한 시기였다. 이때 프랑스, 네덜란드, 이탈리아에서 꿀벌 수백만 마리가 목숨을 잃었다. 독일이 가장 큰 타격을 입었다. 그래서 독일 정부는 양봉업자들이 빈사 상태의 벌집을 버릴 수 있도록 아우토반을 따라 컨테이너를 늘어놓기도 했다. 조사 결과, 벌의 죽음은 네오니코티노이드의 일종인 클로티아니딘clothianidin의 사용 때문으로 밝혀졌다. 이 물질은 옥수수 뿌리에 기생하는 외잎벌레사촌 애벌레를 죽일 때 쓰인다. 결국 문제의 화학물질을 제조한 바이엘이 양봉업자들에게 보상금을 지급하게 되었다. 하지만 바이엘은 끝내 혐의를 인정하지 않았다.

그로부터 10년 뒤 브라질에서 벌 5억 마리가 불과 몇 달 만에 죽는 사건이 발생했다. 쌓여 있는 벌의 사체를 분석해보니 피프로닐 fipronil이 잔뜩 검출되었다. 이 살충제는 유럽연합에서 사용이 금지되어 있으며 미국에서는 인간에게 암을 유발할 가능성이 있는 것으로 여겨진다. 브라질에는 농업용 화학물질이 점점 더 넘쳐난다. 자이르 보우소나루Jair Bolsonaro 대통령이 집권한 이후 브라질은 합성 살충제와 비료 사용을 줄줄이 승인하고 있다. 그중에는 대단히 유독한 것도 있으며, 거의 하루에 하나씩 승인할 정도로 승인이 빠른 속도로 이루어진다. 브라질의 생태학자 필리페 프란사Filipe França는 이렇게 말한다. "우리는 이런 물질을 덜 사용해야 하는데, 오히려 사용량을 늘리고 있습니다. 브라질은 우리가 곤충을 살리기 위해서 나아가야 할 방향과 완전히 반대로 향하고 있습니다."

여러 종류의 곤충에게 네오니코티노이드의 시대는 DDT 시대만큼 잔인하게 느껴질 것이다. DDT는 레이첼 카슨의《침묵의 봄 Silent Spring》에 등장한 이후 악명이 높아졌고 이제는 거의 전 세계적으로 사용이 금지되었다. 그런데 알고 보니 네오니코티노이드는 DDT보다 벌에게 약 7,000배나 더 해로운 것으로 밝혀졌다. 데이브 굴슨은 네오니코티노이드의 일종인 이미다클로프리드imidacloprid 한 티스푼이면 인도에 있는 사람의 수만큼 꿀벌을 죽일 수 있다고 한다.

네오니코티노이드는 수용성이다. 그래서 주기적으로 토양에 스며들고 개울과 강으로 흘러 들어간다. 그 과정에서 땅이나 물에서 사는 다양한 곤충과 접촉한다. 또 들꽃에 침투해 꿀과 꽃가루를 오염시킨다. 이런 사실을 모르는 수분 매개자들은 그 꽃을 찾았다가 화학 물질의 공격을 받는다. 여러 추정에 의하면 네오니코티노이드의 단 5%만이 표적 식물에 남는다고 한다. 네오니코티노이드는 곤충의 신경 시냅스에 있는 수용기를 공격해 발작과 마비를 일으킨다. 이 물질은 진딧물처럼 크기가 작은 해충에게 치명적이며 크기가 더 큰 나비, 하루살이, 잠자리, 야생벌, 깔따구, 지렁이 같은 다른 무척추동물의 죽음과도 연관이 있는 것으로 밝혀졌다.

설령 곤충이 죽음을 면하더라도 뇌에 손상을 입을 확률이 높다. 벌은 이론 수학을 이해하며 식량을 얻기 위해 줄을 잡아당기고 레버도 돌릴 수 있을 만큼 머리가 비상하다. 하지만 일반적으로 접하는 양의 클로티아니딘에 만성적으로 노출되면 인지 장애가 생겨 학습 능력과 기억력이 떨어질 우려가 있다. 벌이 인지 장애에 시달리는 정도는 벌의 이동 거리를 측정해보면 알 수 있다. 살충제로 흔히 쓰이는 이미다클로프리드의 공격을 받은 벌은 영향을 받지 않은 벌보다 더 짧은 거리, 더 짧은 시간 비행한다. 살아남기 위해 생산적인 이동을 반복해야 하는 곤충에게는 치명적인 일이다.

이미다클로프리드는 파리의 눈을 멀게 하고 꿀벌 군집을 망가뜨리는 것으로 밝혀지기도 했다. 네오니코티노이드의 또 다른 종류인 티아메톡삼thiamethoxam은 여왕 호박벌의 번식량을 4분의 1이나 감소시킨 잠재적 원인으로 지목되었다. 꿀벌과 야생벌은 겨울에 은신한 채 저장해둔 꿀을 먹거나 동면과 유사한 상태로 지내야 한다. 하지만 네오니코티노이드 때문에 벌들이 이런 상태에서 안전하게 돌아올 확률이 낮아진다. 벌의 생활은 이런 화학물질과 긴밀하게 엮여 있다. 세계 각지에서 꿀 표본을 수집하고 검사를 하자 표본 중 무려 4분의 3에서 네오니코티노이드의 흔적이 발견되었다.

임피리얼칼리지 런던의 연구원들은 벌이 군집에 침투하는 네오니코티노이드의 영향을 얼마나 많이 받는지 알아내고 싶었다. 그래서 벌의 뇌 안을 들여다볼 수 있는 현대적인 연구 도구의 힘을 빌렸다. 연구 팀은 실험실에 네오니코티노이드가 들어 있는 자당 용액으로 채운 먹이 공급 장치를 설치했다. 호박벌 군집의 작은 일벌들은 먹이 공급 장치까지 갔다가 먹이를 챙겨 군집으로 돌아왔다. 이 먹이는 벌의 다음 세대를 이룰 유충을 기르는 데 쓰였다. 어린 벌이 번데기에서 나왔을 때 연구원들은 일벌의 학습 능력을 측정했다. 일벌 중 절반은 3일 후, 나머지 절반은 12일 후에 측정했다. 어린 벌의 머리를 잘라 초소형 CT 기계로 스캔하는 작업이었다. 리처드 길Richard Gill은 벌의 머리를 자르는 작업에 대해 "재미로 하고 싶은 일은 아니고, 과학의 발전을 위해서 해야 하는 일입니다"라고 말한다.

연구원들은 이렇게 얻은 결과를 살충제를 먹지 않은 군집의 어린 벌의 결과와 비교했다. 그리고 번데기에서 나와 성체가 된 후에 화학물질을 먹은 벌의 결과와도 비교했다. 그리고 나서 모든 벌을 대상으로 학습 능력 테스트를 실시했다. 특정한 냄새를 연구원들이 보상으로 제공하는 먹이와 연관 지을 수 있는지 알아본 것이다. 결과는 놀라웠다. 유충일 때부터 네오니코티노이드에 노출된 벌은 먹이 보상 테스트에서 좋은 성적을 내지 못했다. 학습과 기억을 관장하는 뇌의 영역이 비정상적으로 쪼그라들었기 때문이다. 이 벌들은 성체가 되고 나서는 살충제를 먹지 않았다. 그래서 연구원들은 12일 후 학습 능력을 측정한 벌이나 3일 후 측정한 벌이나 성적이 똑같다는 사실에 놀랐다. 이 말은 화학물질 때문에 벌이 유충일 때부터 영구적인 뇌 손상을 입었다는 뜻이다.

살충제를 둘러싼 규제는 살충제가 특정한 생물에게 얼마나 치명적인지 알아본다. 하지만 길은 이런 기준이 벌의 성장 기간에 나타날 피해를 간과한다고 주장한다. 이 시기에 나타나는 피해는 당장은 치명적이지 않아도 장기적으로 벌의 생존에 중요한 요소가 될 수 있다. 임신부가 술과 약물을 가까이하면 태아에게 해로운 것과 비슷하다. 이런 식으로 오랫동안 피해를 보다가 목숨을 잃는 벌이 어마어마하게 많지도 모른다. 길은 이렇게 말한다. "우리는 야생벌 군집 중 살아남은 것들만 발견하게 됩니다. 따라서 우리가 생각하지 못하는 속도로 군집이 사라지고 있을 가능성도 무시할 수 없습니다. 사람들은 벌집 군집 붕괴 현상Colony Collapse Disorder: CCD이 꿀벌만 겪는 현상인 것처럼 말합니다. 하지만 호박벌도 우리 눈에 띄지 않는 곳에서 이와 비슷한 현상을 겪을 가능성이 있지 않을까요? 그건 저희도 모릅니다."

살충제의 영향은 잠재적으로 깊으면서 범위도 넓다. 날아다니는 수분 매개자는 꽃가루와 꿀을 모으는 과정에서 네오니코티노이드에 노출된다. 하지만 식물 주변을 기어 다니고 허둥지둥 지나가고 그 근처에서 굴을 파는 수많은 다른 곤충들도 비슷한 위험에 처했다. 네오니코티노이드가 흠뻑 밴 토양 때문에 땅에 집을 짓고 사는 벌들은 치명적인 농도의 클로티아니딘에 노출된다. 한편 민달팽이는 독 저장소나 다름없는 처지가 되어버렸다. 그래서 민달팽이를 잡아먹는 딱정벌레들이 죽고 만다.

네오니코티노이드의 영향은 환경 깊숙한 곳까지 파고들고 있다. 토양이나 담수에 사는 생물부터 하늘을 날아다니는 생물까지 골고루 영향을 받는다. 과학자들은 캐나다에 서식하다가 주기적으로 이주하는 흰정수리북미멧새White-crowned Sparrow를 연구한 결과, 이미다클로프리드가 들어 있는 씨앗을 먹은 지 불과 몇 시간 만에 무게가 줄어든 것을 발견했다. 이 때문에 이주를 준비하던 출발 시기가 늦춰졌으며, 번식 성공률도 잠재적인 영향을 받았다. 이미다클로프리드는 소량만으로도 멧새가 기운을 잃고 식욕도 떨어지게 만들었다. 담배를 꾸준히 피우는 사람이라면 이런 증상이 익숙할 것이다. 이런 문제에 시달리는 생물이 흰정수리북미멧새뿐만은 아닐 것이다. 네덜란드 연구원들은 특정한 농도 이상의 이미다클로프리드에 노출되면 곤충을 잡아먹는 새의 개체 수가 매년 평균 3.5% 감소한다는 사실을 밝혀냈다.

일본 남서부에 있는 신지호湖는 염수 호수다. 이곳은 여러 물고기, 조개, 물새의 서식지이며 아름다운 노을로 유명하다. 1990년대 초에 이 호수 근처에서 쌀을 재배하는 농부들이 이미다클로프리드를 사용하기 시작했다. 그러자 머지않아 먹이사슬 아래쪽에 있는 갑각류와 동물성 플랑크톤 같은 절지동물의 개체 수가 줄어들었다. 그다음에는 먹이가 줄어든 장어와 바다빙어과의 식용어 수가 감소했다. 현지인들은 상업적인 어업이 붕괴하는 모습을 보면서 실망했다. 근처에 있는 들판에 이미다클로프리드가 점점 더 많이 살포되면서 이 지역의 어업은 아직도 회복되지 않았다. 물이 있는 논의 환경 때문에 들판에 있는 화학물질이 수로로 쉽게 흘러 들어간다. 연구원들은 밀이나 옥수수를 재배하는 건조한 평원에서도 똑같은 현상이 일어나고 있을 것으로 추측한다. 살충제와 신지호에 사는 생물의 감소 사이의 연관성을 설명한 일본 과학자들은《침묵의 봄》속에 나오는 구절을 인용하면서 연구 논문을 마무리했다. 저자인 레이첼 카슨은 '살충제가 새가 노래를 멈추게 하고 물고기가 개울에서 뛰어오르지 못하게 한다'라고 애통해했다.

카슨은 '시스템 전체에 영향을 끼치는 살충제의 세계는 참으로 기이하다. 그림Grimm 형제의 상상력을 뛰어넘을 정도다. 동화에 나오는 마법의 숲이 독으로 가득한 숲이 되어버렸다'라고 적었다. 카슨의 책이 출판된 지 60년이 지난 지금 모든 것이 달라진 것 같기도 하고 아무것도 달라지지 않은 것 같기도 하다. 연구원들은 이렇게 적었다. '네오니코티노이드가 일본의 육수陸水에 미치는 생태학적 영향과 경제적 영향을 살펴보면 카슨의 예언이 적중했음을 알 수 있다.'

　네오니코티노이드가 살충제로서 워낙 확고한 위치를 확보한 탓에 그 여파는 한동안 이어질 것으로 보인다. 미국만 하더라도 들판에서 볼 수 있는 거의 모든 옥수수 씨앗과 목화 다래가 네오니코티노이드로 처리되었다. 콩에 들어 있는 씨앗의 약 절반도 마찬가지다. 전체적으로 봤을 때 네오니코티노이드는 미국 농경지 중 약 61만 km^2에 쓰인다. 이 정도 넓이면 텍사스주만 한 크기다.

　화학물질은 들판을 지나면서 씻겨나가는 대신 축적되는 경향이 있다. 그래서 독성이 천천히 쌓여간다. 살충제를 많이 사용하는 국가의 농경지는 역사상 그 어느 때보다도 치명적이거나 해로운 화학물질로 가득할 것이다. 한 연구에 따르면 지난 25년 동안 미국의 농업 시스템이 곤충에게 무려 48배나 더 해로워졌다고 한다. 독성이 이렇게 급증한 데 따른 책임은 대부분 네오니코티노이드에 있다. 특징 없는 광활한 들판에서 곤충들은 체계적으로 장애를 입고, 정신을 잃으며, 몰살당하고 있다. "곤충들은 지금 더러운 놀이터에서 놀고 있습니다. 그런데 이런 환경에서 살아남을 수 있을 만큼 종류가 다양하지도 않고 이런 어려움을 이겨낼 유전적인 기질을 갖추지도 못했습니다." 마이애미대학교의 양봉가 알렉스 좀첵Alex Zomchek의 설명이다.

최근 몇십 년 동안 미국 대부분 지역에서 들판에 뿌리는 살충제의 양이 줄어들었다. 그렇더라도 곤충이 맞닥뜨리는 위협은 여전히 커지고 있다. 한 분석에 따르면 미국의 중심부라고 정의되는 지역(아이오와주, 일리노이주, 인디애나주, 미주리주 대부분, 다른 주 다섯 군데 일부분)은 지난 20년 동안 벌에게 무려 121배나 더 해로워졌다고 한다. 우리 눈에는 아무 문제 없어 보이는 옥수수밭도 곤충에게는 다르게 보일 것이다. 집이 윙윙거리는 전기톱과 배가 몹시 고픈 악어가 있는 냄새 나는 구덩이가 된 것처럼 보일 것이다. 펜실베이니아주립대학교의 곤충학자이자 이 분석문을 쓴 크리스티나 그로징거Christina Grozinger는 이렇게 말한다. "살충제가 불러오는 문제는 그 전해에 뿌린 살충제의 잔재가 남아 있다는 겁니다. 네오니코티노이드와 다른 화학물질의 잔여물이 남으면서 농도가 점점 높아집니다. 앞으로도 화학물질이 쌓이고 또 쌓이겠죠."

살충제의 영향력이 워낙 크다 보니 표적 지역 너머에 있는 야생에도 살충제가 영향을 미칠 정도다. 독일 크레펠트의 시골에서도 그런 일이 일어나는 것처럼 보인다. 농업 지대에 인접한 보호구역에 사는 곤충의 개체 수가 줄어들고 있다. 풍경이 다채로우면 살충제의 악영향을 조금이나마 상쇄할 수 있다. 과학자들은 영국, 독일, 헝가리에 있는 카놀라밭 근처에 서식하는 꿀벌과 야생벌을 연구했다. 그랬더니 카놀라밭 근처에 있는 야생에서도 먹이를 구할 수 있는 벌이 살충제를 잔뜩 뿌린 단일경작지에 둘러싸인 벌보다 생존율이 높은 것으로 나타났다.

하지만 벌만 중요한 것은 아니다. 이런 사회성 곤충은 카리스마도 있고 우리 생활에 중요한 역할을 하는 만큼 벌에 대한 연구는 끝없이 이루어진다. 하지만 그로징거는 우리가 간과하는 다른 곤충도 전부 살충제의 영향에 시달리고 있을 것이라고 확신한다. 그중 다수는 들판이 지평선까지 카펫처럼 펼쳐진 섬으로 대피하지 못한다. 그로징거는 "곤충은 종류가 정말 다양한데 저희가 잘 모르는 것뿐입니다. 그리고 이런 상황에 처한 곤충 대다수는 쉽게 살아남지 못할 겁니다. 큰 문제 없이 살아남는 곤충은 적을 겁니다"라고 말한다.

그로징거와 다른 곤충학자들은 그토록 많은 곤충이 죽고 인지 장애를 겪는 것도 문제지만 그런 희생이 아무런 의미도 없을까 봐 걱정한다. 펜실베이니아주립대학교에는 살충제가 쓸모없음을 보여주는 유익한 자료표가 있다. 농부들은 콩을 심을 때 초기부터 콩을 네오니코티노이드에 흠뻑 적신다. 하지만 한여름에 콩이 더 많이 자라고 화학물질이 대부분 환경으로 스며들었을 때쯤에나 표적 해충인 진딧물이 떼로 나타난다. 살충제의 효과가 정점을 찍는 기간과 해충이 가장 활발하게 활동하는 기간이 일치하지 않는 것이다.

과학자 수십 명이 2019년에 이 문제를 더 자세히 살펴봤다. 그러고는 기운 빠지는 결과를 얻었다. 미국 중서부에서 재배하는 콩에 대한 연구를 200건 가까이 살펴봤으나 네오니코티노이드가 수확에 도움이 되었다는 증거가 거의 없었다. 연구원들에 따르면 화학물질은 제품의 가격까지 고려하면 '미국 농부들이 무시할 수 있을 정도의 이득'을 안겨줄 뿐이라고 한다. 게다가 네오니코티노이드가 벌레를 확실하게 없애버리는 것이 오히려 독이 되기도 한다. 화학물질이 포식성 곤충을 상당수 죽이고 나면 의도치 않게 진딧물, 검거세미나방, 조밤나방 애벌레 등의 해충이 농작물을 마음 놓고 갉아 먹을 수 있다.

한 연구에서는 과학자들이 프랑스 전역에 있는 온갖 유형의 농장 약 1,000군데를 살펴보았다. 그 결과 농장의 94%가 살충제를 덜 쓰더라도 수확량에 변동이 없으리라는 것이 밝혀졌다. 심지어 농장 몇 군데는 화학물질을 덜 사용할 때 식량과 섬유질 식품을 더 많이 생산할 수 있었다. 살충제 중에서도 벌레를 더 집중적으로 공격하는 화학물질은 더욱 놀라운 결과를 보였다. 농장 열 군데 중 약 아홉 군데가 이런 화학물질을 덜 쓸 때 생산량이 늘어날 것으로 나타났다. 수확량이 감소하리라고 예상되는 농장은 한 군데도 없었다.

이 연구는 2017년에 국제연합이 살충제 제조업체들을 공격하는 보고서를 발표한 지 얼마 안 된 시점에 출판되었다. 살충제 제조업체들이 자사 제품이 2050년이면 90억 명에 이를 세계 인구를 먹여 살리는 데 큰 도움이 된다고 주장한 것이다. 하지만 보고서는 이런 생각이 '근거 없는 믿음'에 불과하며 화학업체들이 살충제가 '환경, 인간의 건강, 사회 전체에 미치는 끔찍한 악영향'을 받아들이지 못한다고 언급했다.

살충제 사용에 대한 반발이 일어나면서 농업이 화학물질과 완전히 멀어져야 한다는 목소리가 점점 커지고 있다. 곤충학자 욘 룬드그렌Jon Lundgren은 "살충제를 쓸 필요가 전혀 없습니다"라고 말한다. 그는 재생 농업regenerative agriculture의 원칙을 적용했더니 사우스다코타주에 있는 자신의 농장에 해충이 덜 꼬인다고 주장한다. 룬드그렌은 절대로 땅을 아무것도 심지 않은 발가벗은 상태로 두지 않는다. 곤충 포식자들이 나이트클럽에서 입구를 지키는 사람처럼 농작물을 지킬 수 있도록 생물 다양성에도 신경 쓴다. 룬드그렌의 농장은 획일적인 평야가 아니라 가축, 농작물, 과수원이 한데 어우러진 공간이다. "현재의 시스템에서는 자연적인 자원의 기반이 무너지고 있습니다. 곤충의 멸종은 그런 현상의 첫 번째 징조에 불과합니다."

농부들이 윤작을 하거나 파종일을 신중하게 조절하거나 스프레이 대신 기계를 이용해 제초하는 것이 이상적이다. 하지만 농작물이 화학물질 없이도 잘 자랄 수 있다는 사실을 알아낸 과학자들조차도 살충제가 아예 쓸모없지는 않다고 지적한다. 무분별하고 파괴적인 방식으로 과용되는 것이 문제다. 그로징거는 네오니코티노이드에 대해 이렇게 말한다. "만일 그렇게 대단한 살충제였다면 덜 써도 됐을 테고 전체적인 독성이 일정한 수준을 유지했겠죠. 그랬더라면 지금처럼 독성이 강해지지 않았을 겁니다. 유독한 성분이 계속 축적되는 것이 문제예요. 해충 방제 같은 본래의 문제 말고 다른 요소 때문에 더 골치 아파진 겁니다."

룬드그렌은 농부들이 악순환에 갇혀버렸다고 설명한다. 살충제를 쓰다 보니 초기의 생물 다양성 손실에 대처하기 위해 살충제를 더 많이 쓰게 된다는 것이다. 하지만 이런 사이클을 피할 수 없는 것은 아니다. 이전 세대 농부들은 농작물에 독이 든 살충제를 마구 뿌려대지 않고서도 풍성한 농작물을 수확했다. 그렇다면 지금도 그런 일이 가능하지 않을까?

이 질문에 대한 대답의 일부는 기업식 농업의 엄청난 힘에 달렸다. 전통적인 '6대 강호'가 최근에 합병을 거쳐 거대 기업 3개가 되었다. 바로 바이엘-몬산토Bayer-Monsanto, 다우-듀폰Dow-DuPont, 신젠타-켐차이나Syngenta-ChemChina다. 이 기업들은 살충제를 꼭 사용해야 한다고 홍보하는데, 농부들은 대량으로 사야 하는 씨앗의 코팅에 정확히 어떤 성분이 들어 있는지 잘 모를 때도 있다. 거대 기업들은 입법자와 규제 기관이 살충제 사용을 금지하는 일을 저지하기도 한다.

제프 페티스는 이 산업의 영향력을 몸소 체험했다. 그는 미국 농무부에서 오랫동안 과학자로 일하면서 네오니코티노이드가 꿀벌에게 어떤 영향을 미치는지 알아내고 싶었다. 그래서 꿀벌 군집에 이미다클로프리드가 들어 있는 단백질 패티를 먹였다. 꿀벌용 미니 햄버거를 준비한 것이다. 이미다클로프리드는 극소량 들어 있었다. 바이엘이 권장한 안정량보다 10배 이상 적은 양이었다. 페티스는 이에 대해 이렇게 설명한다. "올림픽 규격의 수영장에 이미다클로프리드를 다섯 방울 떨어뜨리고 물에 골고루 퍼지도록 잘 저은 것과 똑같은 상황이었습니다. 정말 적은 양이었어요." 그런데 몇 달 후 연구원들은 이미다클로프리드가 들어 있는 단백질 패티를 먹은 어린 벌들이 장에 사는 기생충인 노제마의 공격을 이겨내지 못할 확률이 훨씬 높다는 사실을 발견했다. 연구원들은 이 실험 결과를 보면 살충제가 벌의 사망률이 높아진 데 '크게 일조했을' 가능성이 있다고 밝혔다. 벌들이 벌집을 갑자기 떠나는 벌집 군집 붕괴 현상도 살충제의 영향으로 일어나는 것으로 추측했다.

살충제 제조업체들은 살충제가 위험하다는 주장을 반박하는 캠페인에 나섰다. 페티스는 이런 행동이 담배 회사가 흡연이 다양한 암과 연관이 있다는 과학 연구를 반박하는 것과 똑같다고 생각한다. 페티스의 연구는 실제 밭에서 일어나는 일을 반영하지 못한다며 비현실적이라는 비난을 받았다. 그는 농작물에 다량의 살충제를 반복적으로 살포해야 했던 과거로 돌아가려 한다는 소리도 들었다. 페티스는 자신이 일하는 부서의 방해를 받기도 했다. 연구 결과에 대해 언론사와 인터뷰도 하지 못하고, 이 주제로 공청회도 열지 못했다. 심지어 한 공화당 의원이 페티스를 호되게 나무란 적도 있었다. 페티스가 '정해진 규율을 어기고' 네오니코티노이드를 논했다는 것이다. 페티스는 강등당했고 결국 사직하고 말았다. "그분들은 틈만 나면 제 연구에 의구심을 제기하더군요. 아마 현 상태를 유지하고 싶었던 거겠죠."

살충제 제조업체들은 네오니코티노이드가 해롭다는 연구 결과에 이의를 제기하는 단체들에 자금을 지원했다. 과거에 네오니코티노이드를 비판했던 과학자들을 끌어들였고 화학물질보다는 진드기를 표적으로 삼는 벌 건강 유지 계획을 지지하기도 했다. 공개된 여러 이메일을 보면 이제는 바이엘에 인수된 몬산토가 '라운드업'과 암을 연관 짓는 과학자들의 신뢰도를 떨어뜨리는 캠페인을 벌이려 했다는 사실을 알 수 있다. 한편 바이엘은 살충제의 영향을 걱정하는 사람들이 꽃과 대화하길 좋아하는 음모론자라도 되는 것처럼 영상을 만들어 인터넷에 올렸다. 이 영상은 화학물질의 해로움을 대수롭지 않게 묘사하기도 했다. 찻잔에 각설탕이 떨어지는 장면과 여자가 립스틱을 바르는 장면이 나오면서 화면 밖 해설자가 "우리 몸은 매일 온갖 종류의 화학물질을 감당합니다. 지극히 정상적인 일이에요"라고 말한다.

이런 노력 중 일부가 입법자들의 살충제 사용 금지 저지나 페티스의 강등으로 이어졌는지는 아무도 정확히 알지 못한다. 하지만 페티스는 징계를 받는 듯한 경험을 했다. "제가 미국 농무부의 신뢰를 잃고 벌의 질병과 문제에 대해 말하지 못하는 상황이 무척 불편했습니다. 그래서 일을 그만두기로 했습니다. 지금 돌이켜 보면 압력이 거셌던 것 같습니다. 압력은 여러 방향에서 느껴졌습니다. 살충제 산업에 종사하시는 분들이 저의 발언을 좋아하지 않는 것이 분명했습니다."

바이엘은 지난 50년 동안 꿀벌 군집의 수가 전 세계적으로 증가했다고 지적한다. 물론 야생벌의 개체 수가 감소하는 추세는 언급하지 않는다. 바이엘은 살충제 없이 네오니코티노이드로 코팅된 씨앗으로 얻을 수 있는 수확량을 유지하기 위해서는 농경지 1만 2,000km²가 추가로 필요하다는 이야기도 덧붙인다. 물론 이런 상황 자체가 미묘하고 여러 재앙이 벌을 한꺼번에 괴롭히는 실정이다. 모든 문제가 다국적 기업 한두 군데에서 파생되는 것은 아니다. 하지만 개별적으로 연구를 진행한 많은 전문가의 주장에 의하면 해로운 살충제를 계속 사용하는 행위가 인간과 환경에 피해를 준다고 한다. 그러나 살충제 산업은 재정적인 이유로 살충제의 사용을 계속 지지할 수밖에 없다.

필립스 맥두걸Phillips McDougall은 기업식 농업에 대한 정보를 제공하고 분석하는 유명 기업이다. 그에 의하면 규모가 가장 큰 살충제 제조업체 다섯 군데가 독성 강한 살충제를 팔아 2018년에 48억 달러를 벌었다고 한다. 이 금액은 다섯 기업의 총수입 중에서 3분의 1 이상을 차지할 만큼 거액이다. 살충제 제조업체의 매출액 중 약 10%는 벌에게 해로운 것으로 판별된 살충제를 팔아서 번 돈이다. 정치인과 대중이 성가신 과학자나 운동 단체의 주장에 겁먹지 않아야만 살충제 제조업체들이 이 정도의 판매량을 유지할 수 있다.

따라서 유럽연합이 2018년에 클로티아니딘, 이미다클로프리드, 티아메톡삼을 실외에서 사용하지 못하게 한 결정은 살충제 제조업체에 큰 타격을 입혔다. 이 세 가지 물질은 가장 흔히 쓰이는 네오니코티노이드 성분이다. 유럽연합은 예전부터 유채같이 벌이 찾고 꽃을 피우는 농작물에 화학물질을 사용하는 것을 제한했다. 하지만 화학물질이 여전히 벌뿐만 아니라 토양과 수로의 질에도 큰 위협이 된다는 평가가 나오자 금지령을 더 포괄적으로 적용하기로 했다. 곤충의 위기가 대중에게 널리 알려지고 나서 처음으로 내린 강력한 규제였다. 환경 운동가들은 이 결정에 화색을 표했다. 살충제 금지 추진 네트워크 유럽Pesticide Action Network Europe의 마르탱 데르민Martin Dermine은 규제가 발표된 날 승리감에 도취한 채 이렇게 말했다. "25년 전에 네오니코티노이드의 사용을 허가한 것은 실수이자 환경 재난이었습니다. 오늘 내린 결정은 역사에 길이 남을 것입니다."

유럽연합에 속한 몇몇 국가는 여기서 멈추지 않고 한발 더 나아갔다. 프랑스는 네오니코티노이드의 일종인 티아클로프리드thiacloprid와 아세타미프리드acetamiprid의 사용을 금지했다. 유럽연합이 이미 사용을 금지한 살충 물질 3종은 실외뿐 아니라 온실에서도 사용하지 못하게 했다. 한편 오스트리아, 체코, 이탈리아, 네덜란드는 제초제인 글리포세이트의 사용을 금지했다. 바이엘을 둔 국가이자 '라운드업'의 진정한 소유주인 독일도 2023년까지 똑같은 규제를 시행할 계획이라고 밝혔다. 독일의 환경부 장관 스베냐 슐체Svenja Schulze는 이런 의견을 밝혔다. "곤충에게 해로우면 사람에게도 해롭습니다. 우리에게 더 필요한 것은 벌이 윙윙거리는 소리입니다."

이런 규제가 곤충의 위기를 해결해줄 만병통치약이라고 생각하기 쉽다. 규제가 잘 정착되기만 하면 유럽에 서식하는 곤충의 수가다시 증가할 것만 같다. 하지만 현실은 훨씬 복잡하다. 문제는 네오니코티노이드가 환경에 오랫동안 남아 있다는 것이다. 이전에 규제한 네오니코티노이드의 흔적이 그 후로 몇 년 동안이나 벌과 꽃의 꿀에서 검출되었다. 게다가 인간이 그다음에 만들어낼 살충제도 네오니코티노이드와 비슷한 수준으로 해로울 가능성이 있다.

데이브 굴슨은 240명이 넘는 과학자를 모아 국제사회가 네오니코티노이드 사용을 금지하도록 요구하는 공개 항의서에 서명하게했다. 의미 있는 일이었지만, 굴슨은 앞으로 벌어질 상황을 냉정하게예측했다. 과거에 DDT 사용이 금지된 사건은 레이첼 카슨의 영향을 받아서 이룬 최고의 업적이 될 예정이었다. DDT가 없어지면 자연계가 느낄 압력도 완화될 줄 알았으나 곤충은 지금 그 어느 때보다어려운 상황에 놓여 있다. 전술이 똑같으면 무기를 몇 개 없앤다고해도 전쟁의 흐름이 달라지지 않는다. 굴슨은 "인간이 같은 실수를끊임없이 반복하는 것 같습니다"라고 말한다.

연구원들은 30년 동안 네오니코티노이드의 영향을 입증하는증거를 수집했다. 유럽연합이 바로 이 자료를 근거로 네오니코티노이드 사용을 금지했다. 이제 새로운 살충제가 등장하면 연구원들은 시계를 다시 처음으로 맞춰놓고 연구를 새로 시작할 것이다. 현대 농업의 체계가 달라지지 않는 한 살충제에 압력이 가해졌다가 완화되었다가 하는 일이 반복될 수밖에 없다. 굴슨은 "한 가지를 금지하면 다른 것으로 대체되고, 20년이 지나면 그것도 환경에 해롭다는 것을 알게 됩니다. 이런 일이 끝없이 계속되는 겁니다. 그러면 그것도 금지하고, 사이클이 다시 처음부터 반복됩니다"라고 말한다.

유럽 외 지역에서는 이 사이클이 한 바퀴 도는 데 시간이 더 오래 걸린다. 살충제 제조업체들은 아프리카에서 대규모 매출을 올릴 야망을 품고 있다. 아프리카에서도 이미 네오니코티노이드의 광범위한 사용이 문제를 일으키고 있다. 가나에서 카카오나무를 키울 때 네오니코티노이드를 쓰는 바람에 카카오나무의 자연적인 수분 매개자인 깔따구가 피해를 보게 되었다. 네오니코티노이드는 카카오나무에 들러붙는 해충의 천적 일부도 죽여버린다. 그래서 해충의 개체수가 급격하게 증가했다. 이것은 초콜릿을 즐기는 사람들에게는 마음이 불편해지는 소식이다.

미국에서는 버락 오바마Barack Obama 대통령 시절에 네오니코티노이드의 사용을 제한하려던 계획이 몇 가지 있었다. 하지만 도널드 트럼프Donald Trump 대통령이 연방 정부가 관리하는 자연보호구역 내에서 네오니코티노이드 사용을 금지하는 가장 변변찮은 계획마저 퇴짜를 놓으면서 흐지부지되고 말았다. 미국의 농업 시스템이 원활하게 돌아가려면 어마어마하게 많은 수분 매개자가 필요하다.

양봉업자들은 다수의 수분 매개자를 제공하는 데 갈수록 어려움을 느낀다. 그래서 네오니코티노이드 사용을 규제해달라고 소송도 걸어봤으나 계속 불리한 판결이 나오고 있다. 설령 양봉업자들이 승소하더라도 평화로운 기간은 오래가지 않을 것이다. 과학자들이 실험실에서 네오니코티노이드를 대체할 새로운 살충제를 만들 것이고, 우리가 토지를 사용하는 다른 방법들을 바꾸지 않는 한 살충제를 없애는 것만으로는 충분하지 않기 때문이다. 자칫 잘못하면 점점 더 늘어나는 세계 인구를 먹여 살리려고 노력하다가 곤충에게 오히려 더 큰 해를 입힐 수도 있다.

여러 농장이 살충제 사용량을 급격하게 줄이고도 수확량에 타격을 받지 않을 수도 있다. 하지만 여러 연구에 따르면 살충제의 보호를 받지 못하는 특정한 농작물의 수확량은 해충 때문에 위태로운 상태에 있다고 한다. 만일 네오니코티노이드를 대체할 새로운 살충제가 바로 나오지 않으면 농부들은 수확량의 부족분을 채우기 위해 농경지를 크게 넓혀야 할 것이다. 국제연합 식량농업기구는 세계 인구가 증가하는 추세와 현재의 식습관을 토대로 2050년까지 매년 고기 2억 톤과 곡물 10억 톤 이상을 추가로 생산해야 할 것으로 전망한다.

식량을 추가로 공급하기 위해 희생해야 하는 땅은 곤충에게 재앙을 불러올 뿐만 아니라 전체적인 환경에도 악영향을 미칠 것이다. 요크대학교의 생물학자 크리스 토머스는 이렇게 말한다. "인간이 살충제를 쓰지 않았다면 농경지의 면적을 50%나 늘려야 했을 겁니다. 충격적인 생각입니다. 농작물과 가축을 잘 키울 수 있는 생산적인 땅 대부분은 이제 열대우림에나 남아 있기 때문입니다."

이렇게 극단적인 방법을 선택하지 않고서도 곤충의 위기를 해결하려면 더 깊이 있고 근본적인 개혁이 이루어져야 한다. 해충을 관리하는 다양한 방법을 통합하는 시스템이 자리 잡아야 할 것이다. 윤작을 하고 천적이 해충을 잡아먹도록 유도하는 등 다양한 접근법을 이용하고 나서 살충제는 최후의 수단으로 쓰는 것이 좋다. 어쩌면 수직 농업vertical farming을 병행하는 것도 좋은 방법일지 모른다. 수직 농업이란 미래 느낌이 나는 실내에 높이 쌓여 있는 재배 상자 안에서 농산물을 키우는 농사법이다. 이때 흙 없이 수경 재배를 통해 물과 영양소를 공급한다.

우리가 매일 하는 집안일은 곤충에게 가해지는 압력을 완화하는 데 필요한 살충제 산업의 점검과는 거리가 있어 보인다. 일상생활 중 들판에 독으로 뒤덮인 씨앗을 심거나 들꽃이 가득 피어 있는 목초지를 휩쓸고 지나가는 사람은 많지 않기 때문이다. 하지만 우리도 곤충의 위기에 직간접적으로 일조하고 있다. 우리가 어떤 자원 소비 방식을 선택하는지, 그리고 집에서 어떤 행동을 하는지에 따라 곤충에게 피해를 입힐 수 있다. 1950년대부터는 가정집에 벌레를 죽이는 약을 갖추게 되었다. 집 안과 정원에 있는 바퀴벌레, 개미, 파리를 포함해 날아다니거나 기어 다니는 원치 않는 곤충을 죽이는 약이다. 이런 공세는 모기가 화학물질에 내성이 생기도록 부추기고 말았다. 그래서 말라리아와 뎅기열이 기승을 부리는 지역에서는 치료제를 끊임없이 새로 개발해야 한다. 해충을 잡아먹는 포식자가 벌레와 함께 죽는 것도 문제다. 포식자가 사라지면서 해충이 기승을 부릴 여유가 생겼다.

서양에서 부유한 가정집을 상징하는 잔디밭도 곤충의 생활에 큰 지장을 주는 것으로 밝혀졌다. 여러 국가에서 잔디밭은 교외에서 살 때 꼭 갖춰야 하는 장식물과 같다. 부유한 집의 잔디밭은 다 똑같이 생겼다. 푸릇푸릇한 녹색이고, 잡초가 전혀 없으며, 깔끔하게 손질됐고, 잔디가 촘촘하게 나 있다. 마치 실내에 까는 카펫의 실외 버전 같은 느낌이다.

중국에서는 잔디밭이 대중이 이용하는 공원 같은 공간에 잘 어울린다. 잔디밭은 노는 곳이라기보다는 눈으로 감상하는 곳이다. 하지만 유럽, 오스트레일리아, 미국에서 잔디밭은 주택 보유자의 자부심과 그가 잔디를 관리할 수 있을 만큼 부지런하다는 사실을 나타내는 경향이 강하다. 웨스턴오스트레일리아대학교의 조경사 마리아 이그나티에바Maria Ignatieva는 이렇게 설명한다. "미국에서는 그 어떤 나라보다도 잔디밭이 개인의 위신과 사회적인 지위를 많이 나타내는 상징적인 공간입니다." 그녀는 수년 동안 세계를 돌면서 잔디밭을 연구했다.

미국에서는 잘 손질한 잔디밭 덕택에 살충제와 잔디깎이를 판매하는 산업이 무려 360억 달러를 벌어들인다. 가정집의 잔디밭을 잘 가꾸기 위해 사람들은 물을 매일 265억 리터나 쓰고 살충제를 매년 2,700만 kg이나 퍼붓는 것으로 추정된다. 살균된 것이나 다름없는 이런 환경에서도 곤충에게 이로운 식물이 자란다. 하지만 잔디밭을 부지런히 가꾸는 근면 성실한 사람들이 잡초로 오해해서 뽑아버린다. 이그나티에바는 "깔끔하게 손질한 잔디밭만 있으면 수분 매개자들이 꽃을 찾기가 쉽지 않습니다"라고 말한다.

잔디밭은 자연환경을 구성하는 매우 작은 요소처럼 여겨질지도 모른다. 하지만 전체적으로 보면 여러 국가에서 농업, 도시의 콘크리트, 산업에 쓰이지 않는 녹지대 대부분이 잔디다. 2005년에 미국 항공우주국NASA의 과학자들이 위성사진을 분석하다가 잔디가 많이 보여 놀랐을 정도다. 잔디(상업적인 용도의 잔디와 골프장 포함)는 표면적으로 따졌을 때 미국에서 가장 대규모로 재배하는 작물이다. 잔디밭은 미국에서 땅을 12만 8,000km²나 차지한다. 옥수수밭을 전부 합친 것보다 약 3배나 넓은 면적이다.

우리는 주변 환경을 예쁘고 가지런하게 꾸민다. 깔끔하게 구획된 들판, 풀이 싱싱한 잔디밭, 아름답고 이국적인 관상용 식물은 활기차고 풍성한 자연을 보는 것 같은 착각을 불러일으킨다. 하지만 가만히 생각해보면 풍경에서 무엇이 빠졌는지 알 수 있다. 우리 주변에는 곤충과 그 곤충을 먹고 사는 새나 다른 동물들이 많아야 한다. 그런데 우리는 그런 생명체들이 곁에 얼씬거리지 못하도록 해버렸다.

다행히 작은 변화만으로도 집 주변 환경의 단조로움에서 벗어나고 곤충의 개체 수를 늘릴 수 있다. 클로버와 백리향 같은 야생 식물을 심으면 곤충에게 꼭 필요한 디딤돌을 제공할 수 있다. 풀이 조금 더 자라도록 놔두는 것도 도움이 된다. 그러면 환경이 좀 더 다양해지고 곤충도 많아질 것이다. 집게벌레, 딱정벌레, 거미 같은 곤충은 잔뜩 쌓여 있는 낙엽 아래를 돌아다니길 좋아한다. 따라서 마당에 쌓인 낙엽을 얼마나 자주 치울지 다시 한번 생각해보는 것이 좋다. 낙엽으로 만든 곤충 집이 정기적으로 파괴되는 바람에 독일 정부는 최근 낙엽 청소기를 사용하지 말아달라고 시민들에게 부탁했다. 낙엽 청소기가 '낙엽 밑에 사는 곤충에게 치명적'이라는 주장이었다.

영국에서는 영국 생태학회British Ecological Society가 민들레를 제거하지 말아달라고 사람들에게 간청했다. 민들레는 단생벌, 꿀벌, 꽃등에 같은 수분 매개자에게 중요한 먹이다. 학회는 사람들이 본능적으로 끌리는 전형적인 장미 말고 다른 꽃을 심어달라는 부탁도 했다. 장미는 꽃에 꿀이 적고 꽃가루도 별로 없기 때문이다. 채소밭에서 양파와 당근을 키울 때 밭을 약간 지저분한 상태로 놔두는 것도 괜찮다. "집에 딸린 잔디밭을 깔끔하게 손질하고 잡초를 다 뽑아버리는 행위는 청결에 집착하는 영국인의 일면입니다." 영국 생태학회의 회장이자 교수 제인 메모트Jane Memmott는 〈가디언〉과 나눈 인터뷰에서 이렇게 말했다. 그녀의 표현을 빌리자면 사람들은 '보헤미안 스타일의 지저분함'을 추구해야 한다. "호랑이, 고래, 코끼리는 개인적으로 도울 수 없습니다. 하지만 동네에 사는 곤충, 새, 식물을 위해서는 좋은 일을 할 수 있습니다." 메모트는 이렇게 덧붙였다.

사람들이 잔디밭을 숭배하다시피 하는 현상은 사라지지 않을 것이다. 하지만 더글러스 탤러미는 잔디밭에 대한 인식이 진화하기를 바란다. 그는 "잔디밭을 엽서에 실린 것처럼 완벽하고 푸릇푸릇하게 유지하려고 하는 것은 생각이 짧기 때문입니다"라고 말한다. 그가 계산해본 결과, 만일 미국 가정집에서 땅의 절반을 토종 식물을 키우는 땅으로 전환한다면 곤충에게 미국 본토 48개 주에 있는 국립공원(옐로스톤, 요세미티, 에버글레이즈 등)을 전부 합친 것보다 넓은 서식지를 제공할 수 있다. 그러면 인간이 지배한 황량한 지역에서도 녹지대가 서로 더 많이 연결되어 곤충이 안전하게 통과할 수 있을 것이다.

탤러미는 메모트와 마찬가지로 약간의 방향 전환만으로도 곤충이 크게 한숨 돌릴 기회를 줄 수 있다고 생각한다. "앞마당에 목초지를 조성하자는 말이 아닙니다. 그런 방법은 지금 시행하기에 문화적으로 너무 큰 충격을 주겠죠. 집에 딸린 잔디밭을 깔끔하게 손질해서 자신이 훌륭한 시민이라는 점을 다른 사람들에게 보여줄 수는 있습니다. 하지만 그런 메시지를 자제해야 한다고 생각합니다. 땅을 많이 잡아먹으면서 그런 메시지를 던질 필요는 없습니다. 잔디에 땅을 그렇게 많이 투자할 여력도 없습니다. 좋은 점이 하나도 없는 관습입니다."

신경계에 작용하는 물질을 곤충의 세계에 투입한 것도 나쁘지만, 밤에 불을 환하게 밝혀서 곤충을 정신없게 만드는 것도 나쁘다. 인공조명은 19세기에 전구가 발명되었을 때부터 곤충에게 문젯거리였다. 하지만 최근에 가로등부터 스포츠 경기장의 조명과 유전에서 활활 타오르는 가스까지 인간이 조명을 사용하는 곳이 더 많아졌다. 이제는 눈부신 LED 조명까지 등장했다. 현재 광공해는 지구 지표면의 약 4분의 1에 영향을 끼친다. 이 문제는 나방이 전구를 달로 착각해서 전구 주위를 끊임없이 도는 장면을 떠올리게 한다. 아무런 소득 없이 전구 주위를 도는 나방의 약 3분의 1이 아침이면 죽은 상태로 발견된다. 지쳐서 쓰러졌거나 포식자에게 잡아먹힌 것이다.

하지만 나방만 피해를 보는 것은 아니다. 최근의 한 논문은 '광공해가 중요한데도 간과되는 경우가 많으며 곤충의 파멸을 불러온다'라고 경고했다. 하루밖에 살지 못하는 하루살이는 편광을 찾아 나선다. 그러다 보면 잘못해서 알을 도로나 그 밖에 다른 위험한 곳에 낳게 될 때가 많다. 불빛은 어린 곤충이 성장하는 데 방해가 된다. 밝은 곳을 싫어하는 대벌레 같은 곤충이 새끼를 먹이는 데도 방해가 된다. 날아다니는 곤충 수십억 마리가 자동차 헤드라이트에 부딪혀 목숨을 잃으며, 큰담배밤나방의 유충은 불빛이 반달 밝기보다 밝으면 짝짓기를 하지 않는다.

밤에 불빛이 너무 밝으면 식물 수분에도 지장이 생길 수 있다. 수분 활동은 주로 온화하고 화창한 날씨에 이루어진다고 여겨지지만, 나방이나 딱정벌레 같은 작은 곤충들은 밤에 식물을 찾기도 한다. 문제는 이런 곤충들이 밤에 너무 환한 불빛 때문에 방해를 받는다는 것이다. 스위스의 한 연구에 의하면 낮에 수분 활동을 하는 곤충이 많더라도 밤 수분량이 줄어들면 과일 생산량이 13%나 감소할 우려가 있다고 한다. 국제연합은 불빛 때문에 밤에 식물 수분량이 감소하는 현상이 식량 안보와 관련된 '대단히 걱정스러운' 결과를 불러올 수 있다고 경고했다.

곤충의 위기를 둘러싼 여러 이슈가 그렇듯 행동과 결과의 연관성이 조금 부족해 보일 수 있다. 현관 불을 켰다고 해서 식량 부족이나 곤충의 괴로움을 유발했다고 자책하는 사람은 없다. 하지만 광공해는 곤충이 해결하기 가장 어려운 문제 중 하나다. 곤충 중에는 서식지 파괴나 지구온난화에 적응할 수 있는 종도 있다. 하지만 모든 곤충은 밤낮을 구분하도록 진화되었고 거기서 벗어날 길은 없다.

안타깝게도 야간의 과도한 불빛은 우리가 볼 수 있는 가장 신비로운 곤충 중 하나인 반딧불이에게 위협이 된다. 반딧불이는 개똥벌레라고도 불린다. 반딧불이는 파리, 지렁이, 벌레가 아니라 빛을 내기 위해 생물 발광을 하는 딱정벌레다.

벤 파이퍼Ben Pfeiffer는 텍사스주 남부 지역에서 자랐다. 그는 밤에 가족이 소유한 농장에서 반딧불이가 여기저기에서 깜빡거리는 장관을 자주 보곤 했다. 병에 반딧불이를 가득 채우면 그 안에서 빛이 다양한 패턴으로 쏟아져 나왔다. 파이퍼는 "반딧불이 5종이 각각

다른 패턴의 빛을 내는 모습은 정말 환상적입니다"라고 말한다. 하지만 요즈음에는 반딧불이로 병을 가득 채우기가 더 어려워졌다. "사람들은 이제 빛을 한 가지 패턴으로만 볼 수 있습니다. 반딧불이의 개체 수가 줄어들면서 반딧불이가 내는 빛의 강도와 밝기도 줄었습니다."

세계 각지의 반딧불이 연구원들은 가장 빛나는 이 곤충들이 다른 곤충들처럼 여러 이유로 위험에 처했다고 보고했다. 반딧불이는 물에 흠뻑 젖은 강둑의 가장자리에 서식하는 경우가 많다. 진흙에 알을 낳고 달팽이와 민달팽이를 먹고 살기 때문이다. 따라서 이런 강가에 주택단지가 조성되면 여러 반딧불이 종이 통째로 사라질 우려가 있다.

파이퍼는 카리조 케인Carrizo Cane이라고 불리는 침입성 잡초 때문에 걱정이 많다. 이 잡초는 리오그란데Rio Grande강의 둑에 있는 반딧불이 서식지를 뒤덮고 있다. 반딧불이를 해치는 강과 샘의 수질 오염도 문제다. 하지만 파이퍼는 밤에 꺼지지 않는 불빛 때문에 생기는 광공해도 신경 쓰인다. 이제는 사람이 적은 조용한 지역도 완전히 어두워지지 않는다. 불빛이 확산하면서 밤하늘이 밝아지는 '스카이 글로skyglow' 효과가 나타나기 때문이다. 이런 불빛은 반딧불이끼리 신호를 주고받는 데 방해가 된다. 반딧불이들은 짝을 찾기 위해 빛으로 현란한 패턴을 그린다. 암컷은 불을 가장 빠르고 밝게 비추는 수컷을 선택한다. 여러 반딧불이 종이 완전한 암흑 속에서만 이런 메시지를 전달할 수 있다. 따라서 광공해는 장기적으로 반딧불이의 번식에 걸림돌이 될 우려가 있다.

현대의 조명 기술이 특히 문제다. 한 영국 연구 팀은 빛을 내는 암컷 개똥벌레에 끌리는 수컷 개똥벌레의 눈을 연구했다. 수컷은 암컷이 내는 녹색 빛을 감지할 수 있었다. 하지만 파란 조명이 더해지면 암컷이 어디 있는지 찾아내는 데 애를 먹었다. 따라서 푸르스름한 빛이 섞인 새로운 LED 가로등은 옛날식 나트륨 가로등보다 반딧불이를 더 힘들게 한다.

파이퍼의 말에 따르면 가장 나쁜 것은 너무 밝아서 제대로 쳐다보기도 어려운 하얀색 LED 빛이라고 한다. "우리 눈이 아플 정도면 반딧불이는 어떨지 생각해보세요." 빅 디퍼Big Dipper는 우리가 만든 눈부시게 밝은 세상에 적응할 수 있는 몇 안 되는 반딧불이 종 중 하나다. 이 종은 먼 북쪽으로는 뉴욕에서도 발견되며 해가 질 때 구애 활동을 해서 가로등 불빛의 영향을 많이 받지 않는다. 이제는 반딧불이 연구가가 된 파이퍼는 한때 월마트Walmart 밖의 혼잡한 교차로에 있는 떡갈나무 안에서 빅 디퍼를 발견하고 깜짝 놀랐다. 빅 디퍼는 뒤집힌 J자와 비슷한 형태로 빛을 냈다. 이런 경험은 점점 드물어지고 있어 기억에 더 오래 남는다.

사람들은 이제 반딧불이를 더는 보지 못한다고 파이퍼에게 자주 언급한다. 멀리 덴마크에서 안데르스 묄러가 자동차 앞 유리가 깨끗한 것을 보고 깜짝 놀란 것과 마찬가지다. 파이퍼는 이렇게 말한다. "사람들이 깨어나고 있습니다. 변화가 나타나는 것이 눈으로 확연히 보입니다. 곤충에게 해가 되는 것은 조명부터 쓰레기나 살충제까지 다양한 형태로 존재합니다. 여러 지역에서 곤충의 다양성이 대규모로 무너지고 사람들이 충격을 받을 것이라고 생각합니다."

5장

곤 충 과
기 후 위 기 의
상 관 관 계

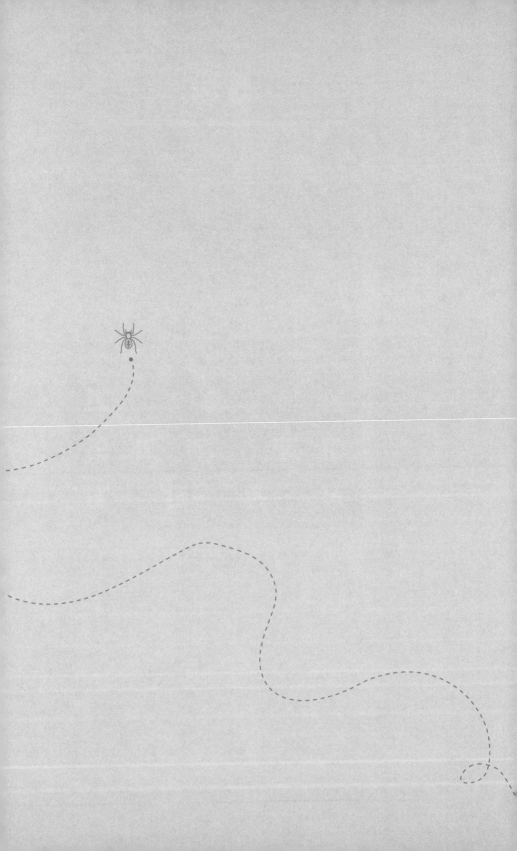

기후변화는 안정적인 삶의 질서를 너무나 빠른 속도로 뒤틀리게 만들어 자연과 관련된 이름이 붙은 곳들이 의미를 잃고 있다.

멕시코 중부 지역에 있는 '제왕나비 생물권 보전 지역'에는 머지않아 제왕나비가 남아 있지 않을 것이다. 태평양에 있는 투발루 Tuvalu는 국가명이 '함께 서 있는 8개'라는 뜻이다. 그런데 해수면의 상승과 침식 때문에 섬 2개는 사라질 위험에 처했다. 다른 섬들도 곧 같은 운명을 맞을 것이다. 더 추운 지역에서도 깜짝 놀랄 만한 변화가 일어나고 있다. 글레이셔 국립공원Glacier National Park은 몬태나주 최북단에 있으며 사람의 손이 거의 닿지 않은 자연보호구역이다. 이곳은 빙하로 이루어진 환상적인 산과 계곡을 따서 이름 지었지만, 이 이름은 머지않아 이곳과 동떨어지게 될 것이다.

글레이셔 국립공원에는 19세기 중반에 있던 빙하 150개 중 25개만 남아 있다. 남은 25개마저도 금세 사라질 것이다. 빠르면 2030년에 큰 빙하가 전부 녹아 없어질 가능성도 있지만, 일부는 21세기가 끝나갈 때까지 버틸 것이다. 클린트 멀필드Clint Muhlfield는 글레이셔 국립공원 안에 있는 미국 지질조사국US Geological Survey에서 일하는 연구 수생 생태학자다. 그는 "빙하가 빠른 속도로 사라지고 있습니다"라고 말한다. 멀필드가 참여한 연구에 따르면 빙하로 뒤덮인 이 지역의 면적이 지난 170년 동안 73%나 작아졌다고 한다. "나중에는 글레이셔 국립공원에 빙하가 하나도 없을 겁니다. 그것이야말로 엄청난 변화겠죠."

이 지역은 사실상 모든 면에서 인간의 손이 닿지 않은 보호구역이다. 1806년에 루이스Lewis와 클라크Clark가 이끄는 탐험대가 서쪽으로 향하다가 이곳에 도착했을 때 본 동식물 종은 지금도 남아 있다. 호수와 개울에 컷스로트Cutthroat 송어와 홍연어가 가득하고, 흰머리독수리와 물수리가 먹이를 덮친다. 회색곰, 무스, 울버린은 험준한 지형을 조용히 돌아다닌다. 스코틀랜드 출신의 미국 자연주의자 존 뮤어John Muir는 이런 환경 덕택에 글레이셔 국립공원이 '북아메리카 대륙에서 풍경이 가장 좋은 곳'이 되었다고 말한다. 그는 빙하가 녹은 물이 있는 호수, 폭포, 숲, 네모필라꽃Nemophila처럼 파란 하늘을 보고 감탄했다. 뮤어는 1901년에 이렇게 적었다. '이 귀한 자연보호구역에서 적어도 한 달은 있어야 한다. 여기서 보내는 시간은 여러분의 인생에서 차감되지 않을 것이다. 이곳에서의 경험은 수명

을 단축하는 대신 연장해줄 것이고, 여러분은 진정한 불사신이 될 것이다.'

글레이셔 국립공원은 로키산맥에 있는 칼데라의 가장 좁은 부분에 있다. 이 공원은 '대륙의 왕관Crown of the Continent'이라고 알려진 더 넓은 생태계에서 은은하게 빛나는 보석 같다. '대륙의 왕관'은 미국의 몬태나주에서 캐나다 앨버타주와 브리티시컬럼비아주까지 길게 뻗어 있다. 이 지역에는 인간이 손대지 않은 온전한 수로가 워낙 많아서 물 한 방울이 동서남북 모든 방향으로 갈 수 있을 정도다. 물이 동쪽으로는 미시시피강과 대서양까지, 북쪽으로는 북극해까지, 서쪽으로는 태평양까지 갈 수 있다.

하지만 기후변화는 다정다감한 면이라고는 조금도 없고 무자비해서 아름다운 곳이나 우리가 적극적으로 보호하는 구역이라고 해서 비껴가지 않는다. 멀필드는 "이 시점에서 기후변화는 사실상 모든 지역에 영향을 미칩니다"라고 말한다. 글레이셔 국립공원은 기온이 계속 오르는데도 보호받지 못하고 점점 뜨거워지고 있다. 세계 평균보다 2~3배나 빠른 속도로 달궈지고 있으며, 열기가 쌓이면서 빙하의 크기도 줄어들고 있다. 강수량에도 변화가 생겨 이제는 공원에 눈 대신 비가 더 많이 내린다. 그래서 가을과 겨울에 침수되는 횟수가 늘었다. 그 대신 눈덩이로 뒤덮인 들판의 면적이 좁아져서 눈덩이가 녹을 때마다 흘러내리는 물이 매년 줄게 되었다. 해빙수가 마구 쏟아진다는 것은 대체로 봄에 하천의 유량이 가장 많다는 것을 뜻한다. 하지만 이제는 유량이 가장 많은 시기가 1950년대보다 평균적으로 2주 이상 일찍 찾아온다. 수로로 흘러 들어가는 얼음이 예전보다 적어졌기 때문이다.

이 상황은 강도래 2종에게는 치명적이다. 서양 빙하 강도래 Western Glacier Stone Fly와 해빙수 레드니아 강도래Meltwater Lednian Stone Fly는 이런 환경에서만 서식하고 다른 곳에서는 살지 않는다. 둘 다 몸이 갈색이고, 반투명한 날개가 두 쌍 있다. 몸길이는 1cm가 채 되지 않으며, 빙하에서 흘러나오는 차갑고 깨끗한 개울 근처에서 살아간다. 수서곤충인 이 2종의 강도래는 빙하 바로 아래에 있는 개울의 짧은 구간에서 평생을 산다. 강도래가 이곳에 알을 낳으면 나중에 유충이 자라 성체가 돼서 또다시 알을 낳는다. 서양 빙하 강도래의 암컷과 수컷은 조약돌과 개울 바닥에 있는 다른 물질에 배를 두들기면서 소통한다.

이렇게 이목을 끌지 못하는 곤충들은 세상에서 가장 유명한 동물인 북극곰과 비교되는 일이 거의 없다. 그러나 멀필드는 강도래를 '글레이셔 국립공원의 북극곰'이라고 부르길 좋아한다. 2019년에 서양 빙하 강도래와 해빙수 레드니아 강도래는 북극곰을 제외하고 미국이 멸종 위기종으로 지정한 첫 동물이 되었다. 이 두 강도래는 기후변화의 영향으로 빙하에서 흘러내리는 얼음장처럼 차가운 물이 줄어들면서 생존 위기에 처했다. 조금 더 따뜻한 물에서 살기에 적합한 종은 지구가 더 뜨거워지면 산 위로 조금씩 올라가면 된다. 하지만 서양 빙하 강도래와 해빙수 레드니아 강도래는 옮겨 갈 곳이 없다. 멀필드는 이렇게 설명한다. "말 그대로 산꼭대기까지 올라간 겁니다. 더는 올라갈 데가 없습니다. 이제는 서식지의 성격을 바꾸거나 멸종하는 길밖에 없습니다. 남아 있는 공간이 빠른 속도로 없어지고 있어요. 마치 대륙 꼭대기에서 스퀴즈 플레이를 하는 것이나 마찬가지입니다."

만일 멀필드 같은 연구원들이 없었더라면 강도래는 우리가 모르는 사이에 사라졌을 종 중 하나다. 연구원들은 강도래를 찾기 위해 때로는 수일씩 산을 올라 외진 곳에 있는 개울로 향한다. 그들은 주로 글레이셔 국립공원이 들꽃으로 눈부시게 빛나는 여름에 곤충을 찾아 나선다. 그래야 눈 때문에 일정이 지연될 일이 없다. 그래도 가는 길이 험난해서 덤불을 헤치면서 길을 직접 내야 한다.

일단 수로에 진입하면 연구원들은 표본을 채취한다. 이때 깔때기 모양의 바람 자루처럼 생긴 장치를 개울 바닥 밑으로 수직으로 집어넣어 거기 있는 것을 포획한다. 연구원들은 이 과정을 충실하게 수백 번 반복한다. 이런 노력 덕택에 강도래가 차갑다고 느끼는 몇몇 개울로 점점 몰린다는 사실이 밝혀졌다. 곤충이 느끼는 기후변화의 영향은 가면 갈수록 커질 것이다. 기운 없는 북극곰이 얼음 없는 바다에 떠 있는 모습보다 눈에 훨씬 덜 띄겠지만 말이다. 멀필드는 "우리가 도와주기에는 이미 너무 늦은 종도 있을지 모릅니다. 우리는 어떤 곤충이 사라지고 있는지조차 제대로 파악하지 못하고 있습니다"

라고 말한다.

기후변화의 여파는 끔찍하다. 그런데도 짜증 날 정도로 모호한 구석이 있다. 기후변화의 공세가 점점 거세져서 들불이 도시 전체를 집어삼키고, 다른 도시는 해수면이 높아져서 도시가 잠기고 있으며, 견디기 어려운 불볕더위 때문에 수백만 명이 고통받는데도 말이다. 우리는 기후변화가 얼마나 더 심해질지 알 수 없다. 재앙을 최대한 무력화할 골든 타임도 완전히 지났을지 모른다. 사실상 거의 모든 증거가 인류가 늦게 대처하는 바람에 큰 고통을 겪을 운명임을 보여준다. 최근에 발표된 한 연구에 의하면 가장 낙관적인 시나리오에서도 50년 뒤에 무려 12억 명이 현재 사하라 사막의 가장 뜨거운 지역에서나 경험할 수 있는 살인적인 기온에서 살게 된다고 한다. 그런데도 이런 이야기가 다소 추상적으로 느껴지는 것은 기후변화가 워낙 느린 속도로 일어나고 인류가 과거에 이런 끔찍한 경험을 해본 적이 없기 때문이다.

여러 산업이 지구를 뜨겁게 만드는 가스를 대기 중에 대량으로 방출한다. 이런 재앙의 여파에 시달리는 종은 비단 인간만은 아닐 것이다. 산호초가 하얗게 질려버리고 열대우림이 무너지면서 동물의 왕국에서도 여러 종이 대거 죽음을 맞을 것이다. 어떤 연구원들은 곤충이 한동안 포유동물과 조류를 비롯한 다른 동물들보다 기후변화의 영향을 덜 받거나 더 뛰어난 적응력을 발휘할 것으로 예상했다. 곤충이 개체 수가 워낙 많고 수의 변동도 크고 대량 멸종 사태에서 살아남은 전력이 있기 때문이다. 따라서 기후변화의 영향 아래에서도 곤충이 다른 동물들보다 좋은 성적을 거두지 않을까?

이 문제를 본격적으로 살펴본 첫 연구 중 하나는 2018년에 이루어졌다. 그런데 연구 결과는 예상과 정반대였다. 연구원들은 동식물 11만 5,000종이 현재 서식하는 곳의 지리적 범위와 기후 환경에 대한 자료를 수집했다. 각각의 종이 어떤 기온, 강우량, 다른 기후 조건의 조합을 감당할 수 있는지 알아보기 위해서였다. 연구원들은 컴퓨터 모델을 활용해 기후변화의 단계에 따라 기후가 달라질 때마다 각 종이 서식하는 지리적 범위가 어떻게 달라질지 예측했다. 기온은 산업 시대 이전의 기온보다 1.5~3.2℃ 높게 설정했다.

레이철 워런은 이스트앵글리아대학교의 생물학자이자 이 연구를 이끈 주인공이다. 그녀는 이 과정이 우주에서 지구를 내려다보는 것과 비슷하다고 묘사한다. 특정한 동물들이 좁은 지역에 몰려 있는 모습이 눈에 띄는 것이다. 기온이 조금 올라가면 동물이 극지방에 더 가까이 이동할 수도 있다. 아니면 더 시원한 곳을 찾아 산을 오를 수도 있다. 하지만 이런 방법에도 한계가 있다. 기온이 더 많이 올라가거나 너무 빨리 올라가면 동물이 생존하는 데 어려움을 겪는다. 기온이 오르는 속도를 동물이 따라가지 못하거나 산꼭대기도 너무 더워지기 때문이다. 언젠가는 동물이 갈 곳이 없어질 것이다.

개별적으로 진행된 여러 연구를 살펴보면 어류부터 영장류에 이르기까지 다양한 동물이 이런 현상에 제약을 받는다. 하지만 워런의 연구에 따르면 놀랍게도 곤충이 가장 많이 시달린다고 한다. 우리가 배기가스 배출량을 크게 줄이지 못하면 21세기가 끝나갈 무렵에는 지구 온도가 3.2℃나 오를 것이다. 그러면 곤충 종 절반의 서식 범위가 현재보다 절반 이상 줄어들 것으로 예측된다. 이 수치는 척추동물의 2배 정도이며 날개나 다리가 없어서 서식지를 빠르게 옮길 수 없는 식물보다도 높다. 곤충은 이미 서식지의 파괴와 살충제의 사용으로 고통받는다. 그런데 살아갈 공간이 이렇게 많이 줄어들면 곤충의 고통은 더 커질 수밖에 없다(이 연구에서는 서식지 파괴와 살충제 사용은 고려하지 않는다). 워런은 "겨우 버티고 있는 곤충들도 기후변화가 닥치면 또다시 타격을 입을 겁니다. 이 말은 실제 상황은 수치가 나타내는 것보다 훨씬 안 좋다는 뜻입니다"라고 말한다.

연구는 기후가 더 적합한 곳으로 이주할 수 있는 종의 능력도 고려한다. 하지만 공생하는 2종 간의 상호작용이 끊어지는 일이나 기후변화로 인한 극단적인 날씨의 영향은 고려하지 않는다. 잠재적인 기후 피난처 여러 군데도 곤충에게 적대적인 농업 지대나 산업 지대로 바뀌고 말았다. 고려해야 할 요소가 이렇게 많다는 것은 곤충이 입을 피해를 수량화하기 어렵다는 뜻이다.

잠자리 같은 곤충은 서서히 다가오는 변화에 적응할 수 있을 만큼 민첩하다. 하지만 안타깝게도 다른 곤충들은 대부분 그렇지 못하다. 나비와 나방도 이동하기 쉬울 때가 많지만 생활 주기의 어느 단계에 있느냐에 따라 특정한 조건을 갖춘 땅에서 살고 특정한 식물을 먹는다. 게다가 너무나 많은 종이 여전히 매우 취약한 상태다. 벌과 파리 같은 수분 매개자는 대체로 짧은 거리만 이동할 수 있다. 그래서 다가오는 식량 안보 위기가 더 심각해질 우려가 있다. 머지않아 농부들은 특정한 식량을 재배하기가 어려워질 것이다. 수분 매개자도 부족해지고 기온이 3℃나 오르면 여러 종류의 작물을 심기에 부적합한 땅이 늘어날 것이기 때문이다. 예를 들면 열대지방의 기온이 역사상 유례없는 수준으로 높아지면 커피와 초콜릿을 충분히 재배하기에 좋은 지역이 줄어들 것으로 예상된다.

워런은 "곤충은 우리 생태계의 근본을 이룹니다. 그래서 우리가 아무것도 하지 않으면 생태계가 무너질까 봐 걱정됩니다"라고 말한다. 그녀는 지구 온도가 4℃ 오르면 사람들이 기아에 허덕일 위험이 매우 커질 것이라고 설명한다. 특히 식품을 대량으로 수입하기 어려운 국가들이 걱정이다. 워런은 "보기 좋은 그림은 아닐 겁니다"라고 덧붙인다.

기후변화는 빈곤, 인종차별, 사회불안, 불평등, 생물 다양성 붕괴 등의 심각한 문제와 서로 맞물려 있다. 그래서 기후변화가 곤충을 얼마나 악랄하게 옥죄고 있는지 간과하기 쉽다. 기후변화는 다른 문제보다 다루기 어렵다. 살충제는 법적으로 사용을 금지할 수 있고, 농경지와 도시는 곤충에게 더 호의적인 공간으로 바꿀 수 있다. 하지만 기후변화가 불러올 대변동에서 벗어날 방법은 없다. "기후변화는 다루기 까다로운 문제입니다. 맞서 싸우기 어렵기 때문이죠." 네바다대학교 생물학 교수 맷 포리스터Matt Forister는 이렇게 말한다. "살충제는 상대적으로 간단한 문제입니다. 그런데 기후변화는 지하수면에 변화를 불러오고, 포식자에게 영향을 미치며, 식물도 괴롭힙니다. 공격이 여러 측면에서 이루어지는 것입니다."

포리스터는 네바다주와 캘리포니아주 북부의 광활한 지역에서 현장 연구 대부분을 진행한다. 그는 나비와 벌, 그리고 다른 곤충들이 살 수 있는 공간이 그토록 넓은데 고생하고 있다는 사실을 놀라워한다. '이렇게나 작은 생명체들이 왜 이렇게 고생할까?'라는 생각이 드는 것이다. 하지만 상황을 자세히 살펴보면 답을 얻을 수 있다. 강가에 있는 곤충의 서식지가 변화하고 있고, 목초지의 상태가 나빠졌으며, 여러 지역에서 습지가 사라져버렸다. 게다가 포리스터가 산만해 보인다고 말하는 초목도 들판 근처나 길가에서 없어졌다.

이런 상황에서 기후변화까지 추가되면 곤충에게 어마어마한 압력이 가해진다. 곤충의 개체 수가 줄어드는 원인을 일일이 구분하기는 어려울 수 있다. 하지만 포리스터와 다른 곤충학자들은 지구온난화 현상이 곤충의 세계에 이미 침투했다고 확신한다. "곤충을 괴롭히는 요소들은 서식지의 파괴, 남아 있는 서식지의 유독성, 기후변화입니다. 세 요소 중 어떤 것이 가장 큰 문제인지는 알기 어렵습니다. 사격장에서 총알들이 날아다니는 것과 같은 상황입니다."

곤충은 극지방부터 열대지방에 이르기까지 모든 지역에서 공격받고 있다. 몸을 숨길 곳도 많지 않다. 북극 땅벌(Arctic Bumblebee,

학명은 Bombus Polaris)은 알래스카주, 캐나다, 스칸디나비아, 러시아의 최북단에서 볼 수 있다. 이 벌은 영하에 가까운 기온에서도 살아남을 수 있다. 촘촘한 털이 열기를 가두고, 두메양귀비 같은 원뿔 모양의 꽃을 이용해서 햇빛을 더 많이 받아 몸을 따뜻하게 하는 능력이 있기 때문이다. 하지만 북극 기온이 급상승한다는 것은 2050년쯤 되면 북극 땅벌이 멸종될 확률이 높다는 뜻이다. 높은 고도에서 서식하는 식물 한두 종에만 의존하는 붉은점모시나비도 주변 환경이 갑자기 변하면서 개체 수가 급격하게 감소하고 있다.

한 연구에 따르면 북극보다 한참 남쪽에 있는 잉글랜드에서는 2001년 이후로 반딧불이의 개체 수가 무려 4분의 3이나 줄어들었다고 한다. 기후 위기가 반딧불이의 개체 수 감소의 가장 큰 원인으로 꼽힌다. 반딧불이 유충은 습한 환경에서 번성하는 달팽이를 먹고 산다. 그런데 몇 년 동안 여름이 계속 덥고 건조했던 탓에 반딧불이 유충이 잡아먹을 달팽이가 위험할 정도로 부족해졌다.

한편 독일 중부 헤센주의 산에 흐르는 개울인 브라이텐바흐 Breitenbach에서는 1969년부터 40년 동안 진행된 연구가 있다. 상류수가 흐르는 이 개울에 사는 수서곤충을 잡아서 연구했더니 하루살이, 강도래, 날도래의 개체 수가 80%나 감소했다는 충격적인 결과가 나왔다. 연구원들은 개울물의 온도가 이 기간에 평균 1.8℃나 상승했다는 사실을 확인했다. 환경에 큰 변화가 생겨 곤충이 극심한 피해를 본 것이다.

유럽에서 발생하는 이런 피해는 온화한 기후에 사는 곤충이 기온이 몇 도 오르더라도 감당할 수 있으리라는 예측을 뒤집었다. 열대지방의 기온은 이미 곤충이 감당할 수 있는 최고치에 달했다. 그런데도 열대지방에 곤충이 대거 몰려 있는 것을 보면, 이곳에 사는 곤충보다 온화한 곳에서 사는 곤충이 심해진 열기를 더 잘 견딜 것이라는 추측은 틀렸다. 스웨덴과 스페인의 연구원들은 이 케케묵은 생각이 날씨가 추워지면 기후가 온화한 지역에 사는 곤충 대다수가 활동하지 않는다는 점을 간과했다고 지적한다. 과학자들은 곤충이 활발하게 활동하는 시기만 고려했을 때 온화한 기후에 사는 곤충도 한계를 느끼기 시작했다는 사실을 알아냈다. 스웨덴 웁살라대학교의 교수 프랑크 요한손Frank Johansson은 이에 대해 암울하게 전망했다. "온화한 기후에 사는 곤충도 열대지방에 사는 곤충만큼이나 기후변화의 위협에 시달릴지 모릅니다."

호박벌은 털이 많아 마치 겨울 코트를 평생 입고 있는 것 같다. 호박벌은 심해지는 열기와의 전쟁에서 최전선에 있다. 2020년에 오타와대학교에서 진행한 한 연구에 따르면 최근 몇십 년 동안 북아메리카에 서식하는 호박벌의 개체 수가 거의 절반으로 줄어들었다고 한다. 유럽에 사는 호박벌은 개체 수가 17% 감소했다. 호박벌은 기온이 가장 빠른 속도로 오르는 지역에서 가장 많이 고통받고 있다. 이 논문의 공저자 피터 소로이Peter Soroye는 '호박벌이 현저히 적어지고 생물의 다양성과 식품의 다양성도 현저히 떨어지는' 상황에서 문명의 미래는 황량할 것이라고 주장했다. 또 그는 "호박벌 여러 종이 몇십 년 후 영원히 사라질지도 모릅니다"라고 말한다.

몇몇 과학자는 이 연구가 상관관계를 보여줬을 뿐 인과관계를 입증한 것은 아니라고 경고한다. 하지만 기온과 강수량의 변화가 수많은 위협 요소 때문에 허덕이는 곤충을 압도할 수 있다는 의견이 지배적이다. 예를 들면 2019년에 과학자들은 새로운 벌 9종이 남태평양에 있는 섬인 피지에서 발견되었다는 기쁜 소식을 발표했다. 그런데 그중 여러 종이 기후변화 때문에 멸종 위기에 처했다는 사실을 금세 알게 되었다. 산꼭대기에 있는 벌 서식지의 온도가 점점 높아지는 것이 문제다. 서식스대학교 생물학 교수 데이브 굴슨은 이렇게 말한다. "미래에 기후변화는 이미 개체 수가 현저히 줄어든 수많은 생물을 멸종시키고 말 겁니다. 여러 생물이 기온이 2℃ 오르는 환경과 기온이 오르면서 일어날 다양한 기후 재앙을 감당하지 못할 겁니다."

기온이 오르면 호박벌이 무더위에 시달릴 뿐만 아니라 거대한 빙상도 녹을 것이다. 그러면 대양으로 흘러 들어가는 물의 양이 많아져 해수면이 상승할 것이다. 곤충은 해안 도시와 마찬가지로 밀려드는 물에 난타당하고 있다.

미국에 서식하는 베서니 비치 반딧불이Bethany Beach Firefly는 특이하게 노란색이 아니라 초록색 빛이 난다. 이 반딧불이의 암컷은 다른 반딧불이 종의 수컷을 유인해서 잡아먹는다. 그리고 나서 그 수컷에게서 얻은 독소로 자신을 보호한다. 베서니 비치 반딧불이는 델라웨어 해안에서만 볼 수 있다. 그런데 해수면이 상승하면 21세기가 끝나갈 때쯤 서식지가 물에 잠길 것이다. 더 남쪽으로 내려가면 플로리다주에 사는 마이애미 파랑나비Miami Blue Butterfly도 비슷한 운명에 처한 것을 볼 수 있다. 밀려드는 바닷물이 백사장 주변에 있는 마이애미 파랑나비의 서식지를 잠식하고 있다.

신비한 유카Yucca는 미국 남서부 지역에 있는 모하비 사막에서만 볼 수 있다. 이 식물은 평범하게 생긴 회색 수분 매개자인 유카 나방에 전적으로 의지한다. 찰스 다윈은 이 둘의 관계를 '가장 아름다운 수정 사례'라고 표현했다. 유카는 영화와 TV 프로그램의 경치 좋은 배경으로 자주 등장한다. 하지만 기온이 오르고 가뭄이 길어지면서 유카의 서식지가 줄어들고 있다. 어쩌면 21세기가 끝나갈 때쯤이면 모두 사라질지도 모른다. 이런 사태는 유카 나방뿐만 아니라 유카를 서식처로 삼은 다른 도마뱀, 새, 곤충에게도 치명적이다. 유카 나방은 애벌레에게 유카의 씨앗을 먹이려고 일부러 유카를 수분한다. 건조한 사막에서 달리 먹일 것이 없기 때문이다.

온갖 종류의 곤충이 바글바글한 아마존 열대우림에서도 생물 간의 복잡한 관계가 단절되고 있다. 주기적으로 발생하는 엘니뇨 현상 때문에 환경이 갈수록 더워지고 건조해지고 있다. 여기에 삼림 파괴 같은 인간의 개입까지 더해져 가뭄과 들불도 더 심해지고 있다. 연구원들은 이처럼 달라지는 환경 때문에 쇠똥구리의 개체 수가 급감했다는 사실을 알고는 충격을 받았다. 쇠똥구리는 영양소와 씨앗을 퍼뜨리고 생태계의 건강을 나타내는 중요한 지표 역할을 한다. 2016년에 엘니뇨 현상이 나타나기 전후의 쇠똥구리 수를 비교한 결과, 연구가 진행된 숲에 서식하는 쇠똥구리의 개체 수가 절반 이상 줄어들었다는 사실이 밝혀졌다. 기후 위기 때문에 아마존은 더 건조해지고, 더 불안정해지고, 산불에 더 취약해지고 있다. 불타버린 숲을 재건하는 데 힘쓰는 쇠똥구리도 함께 위태로워지고 있다. 이 연구를 이끈 브라질 과학자 필리페 프란사는 "저는 쇠똥구리가 가뭄을 더 잘 견딜 수 있으리라고 생각했습니다. 만일 기후변화가 이어진다면 숲의 생물 다양성이 줄어들고 회복력도 약해질 겁니다"라고 말한다.

곤충은 환경과 워낙 긴밀히 얽혀 있다 보니 일상의 리듬이 조금만 달라져도 금세 알아차린다. 기상 패턴, 서식지, 계절이 찾아오는 시간이 달라지면 곤충은 혼란을 느낀다. 반딧불이가 강렬한 인공 불빛 때문에 고생하는 것과 마찬가지다. 그런데 봄이 점점 일찍 찾아오면서 그 영향으로 안정적이던 곤충의 생활 주기가 불안정해지고 있다. 영국에서는 나비와 나방이 평균적으로 10년마다 최대 6일이나 일찍 고치에서 나온다. 그런데 미국 일부 지역에서는 곤충의 활동을 촉발하는 봄이 70년 전보다 최대 20일이나 일찍 찾아온다. 동식물 종 대부분은 봄에 쌓이는 열에 의지해 꽃을 피우고, 번식하고, 알을 깨고 나온다. 그런데 봄이 일찍 찾아오면서 여러 생물 사이에 세심하게 균형 잡힌 상호작용이 삐걱댈 위험이 생겼다. 예를 들면 새가 일찍 이주하더라도 먹이가 되는 식물이 아직 준비가 안 된 경우가 있을 수 있다.

곤충은 이런 심오한 변화에서 중심적인 역할을 한다. 영국 과학자들은 50년 동안 수집한 영국의 데이터를 살펴보고 진딧물이 기온 상승 때문에 한 달이나 일찍 나타난다는 것을 발견했다. 새도 이제 알을 일주일 일찍 낳는다. 진딧물은 활동 기간이 길어졌다고 해서 개체 수가 특별히 증가하지는 않았다. 하지만 진딧물이 일찍 나타나다 보니 더 어리고 취약한 식물을 표적으로 삼게 되었다.

이런 현상은 그늘이 많은 숲에서도 일어나고 있다. 숲은 시원한 피난처 역할을 해야 하는데도 말이다. "일광욕을 하고 싶은 사람들은 해변이나 풀밭을 찾을 겁니다. 숲으로 가는 사람은 없을 겁니다. 그래서 저희는 숲속 사정도 비슷하다는 사실을 알고 깜짝 놀랐습니다." 이 연구를 이끈 생태학자 제임스 벨의 말이다. 이제는 정말로 숨을 곳이 없는 모양이다.

나무에 잎이 나는 날짜에 맞춰 애벌레가 출현하고, 애벌레를 먹고 사는 새가 그것을 보고 첫 알을 낳는다. 여기서 무엇인가가 조금이라도 달라지면 그 파급 효과는 엄청나다. 벌은 주로 기온에 따라 나타나고, 식물은 대체로 하루의 길이를 보고 꽃을 피운다. 그런데 봄과 겨울이 점점 더워지면서 생물끼리 손발이 잘 맞지 않는다. 레딩대학교의 벌 전문가 사이먼 포츠는 이렇게 말한다. "영국에서는 기후변화 때문에 날씨가 일찍 따뜻해져 벌은 일찍 나타나는데 꽃은 그러지 않는다는 증거가 있습니다. 기후변화 때문에 하루의 길이가 달라지지는 않으니까요. 수분 매개자와 식물 사이에 부조화가 나타나고 있습니다. 그래서 세심하고 정교하게 짜인 먹이그물이 망가지기 시작했습니다."

몇몇 곤충에게는 영국 날씨가 더 따뜻해지는 것이 반가운 소식이다. 최근 몇 년 동안 보라색목수벌Violet Carpenter Bee과 꼽등이 같은 곤충들은 영국해협을 건너 영국에 정착했다. 조흰뱀눈나비 같은 몇몇 토종 나비는 개체 수가 줄어드는 것을 방지하기 위해 더 시원한 지역을 찾아 북쪽으로 이동한다. 야생란 같은 식물도 북쪽으로 향하고 있다.

2020년 봄에 자선단체 '나비보호협회Butterfly Conservation'의 부책임자 리처드 폭스Richard Fox는 들뜬 마음으로 트위터에 산네발나비 사진 한 장을 올렸다. 산네발나비는 한때 잉글랜드 남부에서 주로 볼 수 있었다. 그런데 그해에는 영국 본토의 최북단인 스코틀랜드의 던넷 헤드Dunnet Head 근처에서 포착된 것이다. 폭스는 "나비가 미래에도 지중해 근처의 기온이 높은 지역에서는 살지 못할지도 모릅니다. 하지만 영국은 여전히 시원하고 습해서 일부 종이 살 만한 곳이 있습니다"라고 설명한다. 하지만 영국 나비 중 적응력이 떨어지고 1년에 한 번 번식하는 종은 기온 변화에 대처하기 어려울 것이다. 나비는 '골디락스 존Goldilocks Zone'에 사는 대표적인 곤충이다. 서식지가 조금이라도 더 추워서도 안 되고 조금이라도 더 더워서도 안 된다. "나비에 대한 책은 쓰지 마세요. 기후변화의 진행 속도가 너무 빨라서 책이 나올 때쯤이면 벌써 철 지난 이야기가 됐을 겁니다." 《번개오색나비의 자연사His Imperial Majesty: A Natural History of the Purple Emperor》의 저자 매슈 오츠Matthew Oates는 〈가디언〉과 나눈 인터뷰에서 이렇게 말했다.

하지만 나비와 다른 곤충들도 달라진 환경에 적응할 때가 있다. 연구원들은 제왕나비의 날개가 옛날보다 커졌다는 사실을 발견했다. 새끼에게 먹이를 주고 번식하기에 적합한 기후를 찾아 더 멀리 이주할 수 있도록 날개가 진화한 것이다. 굶주린 여왕 호박벌은 겨울잠에서 일찍 깨어났을 때 꽃이 아직 안 피었으면 나뭇잎을 갉아 먹어서 구멍을 낸다. 그러면 식물이 평소보다 몇 주나 일찍 꽃을 피운다. 하지만 이런 기술은 기후변화가 식물의 속성 자체를 바꿔버리면 별 도움이 안 될 것이다. 곤충은 식물을 곳곳에서 찾을 수 있겠지만 먹이로서 식물의 가치가 떨어질 것이다. 인간이 엄청난 양의 석탄, 가스, 석유를 태우는 바람에 대기 중 이산화탄소 농도가 높아지고 있다. 이산화탄소는 식물에 흡수되고 식물이 자라는 데 도움을 준다. 그래서 낙관적으로 생각하는 사람들은 이산화탄소를 '식물의 먹이'라고 부르기도 한다.

하지만 식물을 위한 이 새로운 식단은 곤충이 단일경작되는 작물을 먹는 것이나 마찬가지다. 이런 상황에서는 식물이 딱히 건강에 이로운 게 없는 똑같은 부류의 먹이만 계속 먹게 된다. 이산화탄소가 식물의 성장에 도움이 된다는 말은 초콜릿 케이크만 먹어도 어린아이가 잘 자란다는 말과 같은 맥락이다. 과학자들은 이산화탄소가 식물의 영양가를 떨어뜨릴 수 있다는 사실을 확인했다. 곤충이 영양소가 적은 식물을 먹으면 아연과 나트륨이 부족하고 열량도 낮은 식사를 하게 된다. 캔자스주 대초원에 있는 한 연구 지역에서는 메뚜기의 개체 수가 매년 약 2% 감소한다는 것이 밝혀졌다. 연구원들은 살충제의 사용이나 서식지의 파괴가 원인이 아니라고 확신했다. 그 대신 메뚜기가 기후변화 때문에 굶어 죽는다는 결론을 내렸다.

연구원들은 매년 연구 지역에서 자라는 키 큰 풀의 표본을 수집하고 보관했다. 그래서 오클라호마대학교의 연구원들이 지난 30년 동안 풀이 어떻게 달라졌는지 분석할 수 있었다. 알고 보니 이산화탄소의 축적으로 풀의 전체 무게가 2배 늘었다. 하지만 식물의 질소 함유량이 42% 감소했고, 인이 절반 넘게 감소했으며, 나트륨은 거의 다 없어졌다는 사실이 밝혀졌다. 메뚜기와 다른 곤충들뿐 아니라 초식동물도 전반적으로 타격을 받았다. 수석 연구원 엘렌 웰티Ellen Welti는 영양소가 부족한 식물은 '케일보다는 수분만 많은 상추'에 가깝다고 설명한다. "이산화탄소가 많아지는 바람에 식물이 보유한 영양소가 적어졌고, 곤충이 그 대가를 치르고 있습니다."

기후변화는 잠재적으로 곤충이 영양실조에 걸리게 하고 식물의 향이 달라지게 하기도 한다. 먹이를 찾는 수분 매개자들은 꽃의 색과 수뿐만 아니라 향기도 살핀다. 벌은 특정한 향기를 특정한 식물과 그 식물의 꿀과 연관 지어서 기억할 수 있다. 프랑스 마르세유 근처 관목지에 있는 로즈메리의 향기 분자를 분석한 과학자들은 스트레스를 받는 식물이 평소와 다른 향기를 풍긴다는 사실을 발견했다. 사람이 돌보는 벌은 향기가 달라진 식물을 찾지 않았다. 기후변화는 점점 더 많은 식물에 스트레스를 준다. 식물은 더 가혹해지는 가뭄과 강렬한 열기를 견뎌야 한다. 그러면 곤충이 식물을 먹으면서 맛이 없다고 느낄지도 모르고 식물에 매력을 느끼지 못해 접근 자체를 피할 수도 있다.

어쩌면 곤충이 느끼기에는 식물의 향기가 달라지는 것이 기후변화의 여러 현상 중 영향력이 가장 큰 것일지도 모른다. 맷 포리스터는 이렇게 말한다. "아직 우리가 이해하지 못하는 것이 많습니다. 하지만 저는 식물이 심각한 영향을 받는다고 생각합니다. 곤충은 식물의 작은 변화에도 꽤 예민하게 반응합니다. 그래서 큰 가뭄 같은 대재앙이 일어나면 여러 생물이 한꺼번에 고생할 겁니다."

그렇다고 해서 모든 곤충이 온도가 높아져가는 세상에서 살아남지 못하는 것은 아니다. 어떤 상황에서도 승자와 패자는 있다. 우리는 아무래도 산에 사는 강도래의 수가 줄어든다는 걱정보다 곤충이 지구온난화의 영향을 받지 않고 우글우글 돌아다닌다는 생각에 관심을 더 쉽게 빼앗긴다.

2020년에 동아프리카는 코로나19 팬데믹뿐 아니라 성경에 나오는 장면을 연상시키는 메뚜기 떼의 습격으로도 몸살을 앓았다. 최근 몇십 년 동안 규모가 가장 큰 습격이었다. 2019년 말에 '아프리카의 뿔'에 해당하는 지역에 폭우가 쏟아졌다. 평균적으로 내리는 양의 최대 400%나 되는 비가 내렸는데, 이 폭우가 메뚜기의 번식을 도왔다. 기온이 상승할 때도 메뚜기의 수가 늘어난다고 알려져 있다. 두 가지 요인 모두 기후변화의 영향을 받는다. 케냐 농부들은 곤충 수십억 마리를 쫓아내기 위해 헛되이 냄비와 프라이팬을 두드렸다. 그러다 하늘이 컴컴해지면서 메뚜기 떼가 옥수수와 수수를 노리고 땅으로 내려오는 광경을 그저 지켜보기만 해야 했다. 인도 서부와 중부에서도 각기 다른 메뚜기 떼가 농작물을 공격했다. 그러고는 현세대가 보지 못한 속도로 땅을 휩쓸고 지나갔다.

지구가 더 뜨거워지면 감자, 콩, 밀 등의 여러 작물을 공격할 해충과 병원균이 등장할 확률이 높다. 미국 연구원들은 우리에게 가장 중요한 곡물 세 가지(밀, 쌀, 옥수수)의 수확량을 조사했다. 그러고는 기온이 1℃ 올라갈 때마다 곤충 때문에 잃을 수확량이 최대 25%나 될 것으로 내다봤다. 연구원들은 기후가 온화한 국가들의 피해가 가장 클 것으로 예상했다. 작물을 망가뜨리는 해충도 포식자가 사라진 단순화된 환경에서 번성하는 경향이 있다. 단일경작이 불러온 또 한 가지 문젯거리다.

미국 교외에서는 물푸레나무호리비단벌레Emerald Ash Borer를 더 많이 보게 될 것이다. 이 곤충은 밝은 녹색을 띠는 아시아 토종 딱정벌레이며, 몇 마리가 디트로이트로 향하는 나무 상자에 들러붙어 미국으로 들어왔다. 이 탐욕스러운 딱정벌레들은 북아메리카 전역에서 물푸레나무 수억 그루를 죽이고 말았다. 그리고 이제는 유럽 동부에서 활개를 치고 있다. 겨울이 포근해졌다는 것은 해충이 북쪽으로 더 높이 올라갈 수 있다는 뜻이다. 그러면 더 많은 나무가 피해를 볼 것이다.

영국에도 사람들이 원하지 않는 곤충이 유입될 것이다. 온도, 습도, 강우량의 변화 때문에 2080년이면 파리의 개체 수가 지금의 2배가 될 것이라는 예측도 있다. 파리는 음식에 쓰레기를 옮기면서 질병을 유발할 수는 있어도 치명적인 병의 주요 매개체는 아니다.

따라서 뎅기열, 치쿤구니야열Chikungunya, 지카Zika 바이러스 같은 질병을 옮길 수 있는 모기의 활동 범위가 넓어지고 있다는 사실은 걱정스럽다. 이집트숲모기Aedes Aegypti와 흰줄숲모기Aedes Albopictus는 질병을 옮길 수 있는 가장 위험한 모기 2종이다. 그런데 기후가 더 따뜻해지면서 이 두 모기가 열대지방을 넘어서서 영역을 확장하리라는 예측이 나오고 있다. 확장된 영역에는 이런 위험에 노출된 경험이 없는 10억 명이 추가로 포함될 수 있다. 그러면 북아메리카와 유럽 북부의 일부 지역에서도 모기에 물렸을 때 걸리는 치명적인 질병에 대비해야 할지도 모른다. "20~30년 후에는 이 일이 더는 '남의 일'이 아닐 겁니다." 이 문제를 연구한 조지타운대학교의 생물학자 콜린 칼슨Colin Carlson은 PBS와 나눈 인터뷰에서 이렇게 말했다.

날씨가 추우면 모기 알이 죽는 경향이 있다. 이 말은 지구가 뜨거워지면서 모기가 새로운 영토를 점령하고 있다는 뜻이다. 그 여파로 지난 10년 동안 프랑스와 크로아티아에서는 뎅기열이, 이탈리아에서는 치쿤구니야열이, 그리스에서는 말라리아가 기승을 부렸다. 이런 국가들이 새로 유입되는 모기의 첫 표적이 될 확률이 높다. 지중해 지역은 이미 부분적으로 열대지방이 되었고, 열과 습도가 계속 쌓이면서 유럽 중심부와 영국 남부까지 무시무시한 곤충의 타격 범위 안으로 들어왔다. 영국 곤충학자 사이먼 레더는 이렇게 말한다. "날씨가 더 따뜻해지면 웨스트 나일 바이러스West Nile Virus가 퍼질지도 모릅니다. 말라리아도 다시 기승을 부릴지 모릅니다. 인간의 건강 문제와 관련해 실질적인 변화가 일어날 수도 있습니다."

이런 위협에 맞서서 인간은 현명하게 대응해야 한다. 사망자 수로 따져보면 모기는 단연 지구상에서 인간에게 가장 위험한 동물이다. 하지만 우리는 모기를 처치하려는 마음이 너무 앞선 나머지 부수적인 피해가 속출하게 하는 무기를 사용할 때가 많다. 화합물인 DDT는 광범위하게 사용할 수 있는 모기 퇴치제였다. 그 당시에는 모기가 DDT에 내성이 생기기 전이었고, DDT가 다른 야생동물에 치명적인 영향을 미친다는 이유로 사용이 금지되기 전이었다. 이제는 농부들이 최근에 DDT를 대체한 유기 인산 화합물인 '날레드naled'를 모기 서식지에 살포한다. 날레드가 벌과 물고기를 포함한 여러 동물에 해롭다는 증거가 나왔는데도 말이다.

모기의 영역이 넓어지면서 우리가 플로리다주 같은 곳에서 일어난 일을 교훈 삼아 모기의 습격에 더 현명하게 대처하길 바라는 수밖에 없다. 북미 원주민들은 한때 지금의 플로리다에서 모기를 피하려고 연기를 피우고 모래 속에 몸을 파묻었다. 초기 백인 정착민들은 모기가 달려들지 않도록 몸에 곰 기름을 바르거나 기름에 적신 헝겊을 태웠다. 하지만 그것만으로는 충분하지 않았고, 뎅기열과 황열병이 플로리다를 휩쓸고 지나갔다. 고든 패터슨Gordon Patterson은 《모기와의 전쟁The Mosquito Wars》에 '모기 떼 때문에 소가 질식하고 사람들이 자살했다'라고 썼다. 우주 시대가 열리고 플로리다 동쪽 해안에 있는, 모기가 우글거리는 습지대에 케네디 우주 센터Kennedy Space Center가 생겼다. 하지만 모기는 미국 항공우주국의 최첨단 기술 앞에서도 굴복하지 않았다. 심지어 모기 한 마리가 우주 왕복선 인데버Endeavour호에 몰래 탑승하기도 했다. 모기는 왕복선이 궤도에 진입하기 전 당혹스러워하는 우주 비행사들 사이를 날아다니다가 환풍기 필터로 빨려 들어갔다.

열을 좋아하는 곤충 중 우리를 공격할까 봐 두려운 단 하나의 종을 고르자면 장수말벌일 것이다. 어쩌면 이 곤충이 '살인 말벌'이라고 불리는 것을 들어봤을지도 모르겠다. 장수말벌은 덩치가 엄지만큼 크고 만화영화에 나오는 슈퍼 악당처럼 행동한다. 배에는 호랑이를 연상시키는 줄무늬가 있고, 얼굴은 크고 약간 탄 듯한 주황색이며, 눈은 악령에 씐 스파이더맨처럼 눈물방울 모양이다. 무시무시한 턱도 한 쌍 있다. 사람들의 걱정과 달리 장수말벌은 사람을 죽이지 않고 꿀벌을 죽인다. 벌집 밖에서 어슬렁거리다가 섬뜩하게도 밖으로 나오는 일벌의 머리를 잘라버린다. 장수말벌은 죽은 일벌의 몸을 잘라 유충에게 먹이로 준다.

벌집이 완전히 무너질 때까지 이런 끔찍한 대학살이 자행될 수 있다. 범행 현장에는 벌의 사체 수천 개가 흩어져 있다. 일부 지역에서는 꿀벌이 격렬하게 맞서기도 한다. 장수말벌의 원래 활동 지역에 사는 꿀벌들은 방어 능력을 키웠다. 우선 벌집에 들어오는 장수말벌을 향해 떼로 달려들어 침입자를 공처럼 덮는다. 그러고는 비상근을 활용해 날개를 빠르게 떨면 최고 온도가 47℃에 이를 만큼 엄청난 열기가 말벌에게 전달된다. 장수말벌을 산 채로 굽는 것이다. 하지만 유럽과 북아메리카에 사는 꿀벌들은 장수말벌이 익숙하지 않다. 그래서 대학살이 벌어지는데도 무력하게 당하고 만다.

장수말벌Vespa Mandarinia의 고향은 아시아의 동부와 남동부에 있는 숲과 산기슭의 작은 언덕이다. 장수말벌을 사촌인 등검은말벌 Vespa Velutina과 혼동하는 사람이 많다. 등검은말벌은 유럽으로 들어와 영국과 프랑스에 사는 꿀벌을 수도 없이 죽였다. 그래서 양봉업자들은 이미 바로아응애와 살충제에 시달리고 있는 꿀벌 군집의 생존을 크게 걱정한다. 한편 장수말벌은 북아메리카 서부 해안까지 공격하기 시작했다. 화물에 몰래 실려서 운송되었을 확률이 높다.

2019년 8월에 캐나다 당국은 밴쿠버섬Vancouver Island에서 장수말벌 표본 3개를 확인하고는 깜짝 놀랐다. 그러고 나서 더 남쪽에 있는 미국 국경과 가까운 곳에서도 한 마리가 발견되었다. 12월이 되자 장수말벌은 사람들 눈에 다시 띄었다. 이번에는 미국 워싱턴 주에서 남쪽으로 약 19km 떨어진 곳에서 포착되었다. 한 양봉업자는 화가 난 장수말벌에게 몇 번 쏘이고 나서 벌 군집에 불을 질러 없애버렸다. 한편 장수말벌이 그다음에 발견된 장소에서 남서쪽으로 25km나 떨어진 곳에서 여왕 장수말벌 한 마리가 발견되었다. 이 말은 장수말벌이 외국에서 반복적으로 유입되거나 활동 영역을 활발하게 넓혀나가고 있다는 뜻이다.

2020년 5월이 되자 장수말벌은 미국 서부 해안에 어느 정도 자리를 잡은 것처럼 보였다. 이런 상황은 〈뉴욕 타임스〉의 관심을 끌었고, '미국에 '살인 말벌' 등장 – 장수말벌을 저지하기 위한 긴박한 노력'이라는 제목의 기사가 실렸다.

그 당시 미국인들은 참혹한 코로나19 팬데믹에 시달리느라 지쳐 있었다. 코로나19 때문에 정상적인 생활이 마비되었고 대량 실업 사태가 발생했다. 그런 상황에서 살인 말벌(일본에서 장수말벌을 부르는 별칭)이 미국 곳곳으로 진격한다는 소식은 사람들에게 2020년이 저주받은 해라는 확신을 안겨주었다. 코미디언이자 배우인 패튼 오즈월드Patton Oswald는 이런 트윗을 올렸다. '살인 말벌이라고요? 2020년 참 대단하네요. 다 던지세요. 감당할 수 있습니다.'

패닉 상태에 빠진 시민들은 장수말벌과 조금이라도 비슷하게 생긴 벌을 죽이기 시작했다. 매미잡이벌과 큰골든디거말벌Great

Golden Digger Wasp 같은 말벌도 억울하게 죽임을 당했다. 심지어 여왕 호박벌도 아마추어들이 해충 방제를 시도하는 바람에 피해를 봤다. 곤충학자들은 장수말벌로 추정되는 벌의 사진이 첨부된 이메일을 받기 시작했다. 하지만 그 벌들은 한 건의 예외도 없이 전부 장수말벌이 아니었다. 캘리포니아주의 수석 곤충학자 더그 야네가Doug Yanega는 〈로스앤젤레스 타임스〉와 나눈 인터뷰에서 이렇게 말했다. "일본, 중국, 한국에 있는 동료들은 우리가 호들갑을 떠는 모습을 보고 어이없어합니다." 사람들이 실수로 장수말벌이 아닌 다른 벌을 대거 죽인 사건은 영국에서도 일어났다. 데번주와 콘월주에서 등검은말벌이 개별적으로 포착되면서 지나치게 열성적인 집주인들이 참말벌European Hornet의 벌집을 파괴했다. 시민들이 야생동물 관계자들에게 장수말벌 퇴치법에 대해 조언하는 상황도 비슷하게 일어났다.

크리스 루니Chris Looney는 미국 워싱턴주 농업 당국Washington State Department of Agriculture에서 일하는 곤충학자다. 그는 아주 멀리 사는 사람들에게서도 장수말벌을 죽이는 일을 도와주겠다는 제안을 많이 받았다고 말한다. 벌을 없애는 '기괴한' 방법을 알려주는 사람들도 있었다. 그중 루니의 기억에 남은 것은 자원봉사자에게 보호복을 입히고 보호복에 끈적거리는 물질을 바르고 나서 장수말벌이 그 위에 앉게 하는 것이었다. 그러면 장수말벌이 꼼짝하지 못할 때 살충제를 뿌리면 된다. 루니는 "농담인지 진지하게 하신 말씀인지는 모르겠습니다. 하지만 가장 어리석은 아이디어였습니다"라고 말한다.

　루니는 장수말벌의 위협에 맞서 임시로 만든 덫을 들고 워싱턴 주 국경 도시 블레인Blaine을 찾아갔다. 덫은 오렌지 주스와 청주를 섞어서 넣은 주전자였다. 루니는 장수말벌이 아닌 다른 벌을 잘못 죽일까 봐 걱정하기보다 장수말벌이 미국 전역에 퍼질까 봐 걱정한다. 하지만 장수말벌이 동쪽으로 이동하는 것을 대수롭지 않게 여기는 곤충학자들도 있다. 대초원의 추운 겨울 때문에 장수말벌이 살아남기 어렵고 우뚝 솟은 로키산맥이 방어벽 역할을 해주리라는 생각이다. 하지만 루니는 상황을 그렇게 낙관적으로 보지 않는다. 장수말벌의 잠재적인 분산 범위를 분석한 결과, 루니와 그의 동료들은 장수말벌이 아래로는 캘리포니아 베이 지역Bay Area 해안까지, 위로는 알래스카주 앵커리지까지 뻗어나갈 수 있다는 사실을 밝혀냈다.

　미국 중부에는 살인 말벌이 서식지로 삼기에 적합한 곳이 없다. 하지만 동쪽 해안은 장수말벌에게 최적의 서식지가 될 수 있다. 여왕 장수말벌 한 마리가 미국을 가로질러 뉴욕까지 가는 기차에 실린 화분용 흙이나 다른 화물 안으로 몰래 들어가기만 하면 된다. 루니는 이렇게 말한다. "이런 일은 실제로 일어날 수 있습니다. 걱정스러운 일이죠. 우리는 장수말벌이 새로운 지역에서 얼마나 잘 자리 잡을 수 있을지 모릅니다. 꿀벌이 사는 벌집 300개가 있는 양봉장에서는 벌집을 몇 개만 잃을 수도 있고 전부 잃을 수도 있습니다. 아직 자세히 알 수 없습니다." 장수말벌은 영역을 확장할 때 기후변화의 도움을 받을 확률이 높다. 기후변화 때문에 장수말벌의 서식지는 벌에게 점점 더 호의적으로 변해간다. 장수말벌은 땅에서 살아서 꿀벌보다 찌는 듯한 더위를 더 쉽게 피할 수 있다. 꿀벌은 무더위에 시달리면 감염을 이겨내고 먹이를 찾는 능력이 약해질 우려가 있다.

기후변화는 장수말벌이 진격하는 속도도 높여줄 수 있다. 프랑스에 서식하는 등검은말벌은 2000년대 초에 프랑스에 들어오고 나서 해마다 거의 80km씩 이동하는 놀라운 모습을 보였다. 이제는 등검은말벌을 알프스산맥에서도 볼 수 있다. 장수말벌의 분산 능력에 대해는 아직 알려진 정보가 많지 않다. 거리가 제법 있는 브리티시컬럼비아주와 워싱턴주에서 장수말벌이 발견된 일은 같은 군집에 있던 벌들이 나뉘어 두 지역으로 이동했다기보다는 벌이 각 지역으로 개별적으로 유입되었다고 보는 것이 맞다. 하지만 장수말벌이 등검은말벌과 유사한 분산 범위를 보이면 큰일이다. 연구원들이 여왕 등검은말벌을 플라이트 밀(flight mill, 날아다니는 곤충을 위한 트레드 밀과 같은 실험 장치)에 매달고 관찰했을 때 벌은 포기하기 전까지 무려 200km나 날아갔다. 루니는 이렇게 말한다. "그 정도 거리를 일주일 만에 날아간다고 해도 믿기 어려울 지경입니다. 이 말은 벌이 마음에 드는 것을 찾지 못하면 꽤 먼 거리를 날 수 있다는 뜻입니다." 과학자들은 말벌의 분산을 촉진하는 원동력이 무엇인지, 그리고 서유럽에 등검은말벌이 밀려드는 것처럼 미국에서도 장수말벌이 곧 활개를 칠지 알지 못한다.

장수말벌이 인간에게 공세를 퍼붓지는 않겠지만, 말벌의 수가 늘어난다는 것은 말벌에 쏘여서 심한 통증을 느끼는 사람도 늘어난다는 뜻이다. 장수말벌에 몇십 번 쏘이면 사망할 확률이 높아진다. 실제로 일본과 중국에서 수십 명이 장수말벌에 쏘여 목숨을 잃고 말았다. 2013년에는 실크로드의 출발지인 중국 북서부 산시성에서 적어도 28명이 장수말벌에 여러 번 쏘여 생을 마감했다. 전문가들은 장수말벌의 공격이 점점 더 잦아지고 있다고 경고한다.

콘래드 베루브Conrad Berube는 장수말벌에 쏘였을 때 몸이 타는 것 같은 아픔을 느낀 것을 생생하게 기억한다. 그는 북아메리카에서 장수말벌에 쏘인 두 번째 사람으로 유명해졌다. 벌집은 밴쿠버섬의 최동단에 있는 도시 너나이모Nanaimo에 있었다. 베루브의 동료가 벌집을 먼저 살펴봤으나 벌에게 쏘이고 나서 후퇴했다. 그러자 베루브에게 장수말벌을 처리하는 일이 맡겨졌다. 그는 벌이 덜 활동적인 밤에 벌집에 접근하기로 했다. 양봉업자이자 곤충학자인 베루브는 평소에 입는 양봉 작업복 안에 옷을 두 겹 더 껴입었다. 그러고는 손목과 발목을 보호하기 위해서 합성섬유 케블라Kevlar로 만든 관절 보호대를 착용했다. 베루브의 말에 의하면 그가 입은 보호복은 평소에는 '전기톱으로부터 보호받거나 좀비 대재앙이 닥쳤을 때' 필요한 것이라고 한다.

베루브는 두려운 마음으로 벌집에 가까이 다가갔다. 벌집은 주거 지역에 있는 공원의 흙 속에 박혀 있었다. 베루브가 가까이 다가가자마자 장수말벌 여러 마리가 공격을 개시했다. 그는 옷이 팽팽하게 당겨진 허벅지 위쪽을 네 번 쏘였고 가죽 장갑에 벌침이 꽂혀 있는 것을 발견했다.

꿀벌과 달리 장수말벌은 상대를 여러 번 쏠 수 있고 독침도 훨씬 위협적이다. 장수말벌은 좋아하는 먹잇감에 꿀벌이 지닌 독의 약 10배를 투입하는데, 이 정도 양이면 쥐 12마리도 거뜬히 죽일 수 있다. "불에 달군 압정을 피부에 찔러 넣는 것 같은 통증이었습니다." 베루브는 이렇게 기억한다. 벌에 쏘인 곳 주위가 고름이 차고 심하게 부었다고 한다. 그는 계단을 오르내리기도 어려울 만큼 극심한 근육통에 시달리기도 했다.

체내에 침투하는 독의 양이 많아지면 신부전증이 오고 사망에 이를 수 있다. 하지만 베루브는 부상을 철학적으로 받아들였다. "벌의 공격이 방어기제였다는 사실을 기억하는 것이 중요합니다. 제가 침입자였고, 벌들은 가족을 지키려던 것뿐이었습니다."

장수말벌의 침은 슈미트 고통 지수Schmidt Pain Index에 나와 있지 않다. 슈미트 고통 지수는 애리조나대학교의 베테랑 곤충학자 저스틴 슈미트Justin Schmidt가 다양한 막시목 곤충에 쏘인 개인적 경험을 토대로 개발한 등급이다. 슈미트는 쌍살벌에 쏘이는 것은 '팔에 엄청나게 뜨거운 기름 한 방울이 떨어지는 느낌'이며, 총알개미에 쏘이는 것은 '고통의 절정 같은 느낌'이다. 12시간 동안 고통에 몸부

림치게 된다'라고 적었다. 그는 말벌에 쏘여본 적은 없다. 하지만 쏘여본 동료들의 설명을 바탕으로 고통 지수를 3으로 평가했다(슈미트의 고통 지수는 1부터 4까지 있다). 슈미트는 "3이면 정말 고통스러운 겁니다"라고 말한다. 그는 1980년대 초에 고통 지수를 개발했다. "물론 어디를 쏘였느냐에 따라 통증 강도가 달라집니다. 눈꺼풀이나 코를 쏘였으면 당연히 훨씬 아프겠죠."

너나이모에서 베루브는 장수말벌에 쏘이자 깜짝 놀라 욕설을 퍼부었다. 그러고는 이산화탄소가 들어 있는 소화기로 무장하고 다시 벌집으로 다가갔다. 그는 벌을 소화기로 제압하고 나서 알코올 방부제 안에 넣었다. 베루브를 공격하려고 벌 여러 마리가 나타났으나 똑같이 이산화탄소를 맞고 쓰러졌다. 그 사이에 베루브의 팀이 벌집을 꺼내 어린 벌이 들어 있는 벌집을 부쉈다. 그날 죽은 장수말벌은 150~200마리였다.

장수말벌 때문에 많은 사람이 놀라는데도 베루브는 전혀 동요하지 않는다. 그는 걱정하는 양봉업자들에게 차분한 마음으로 벌을 계속 관리하라고 조언한다. 하지만 브리티시컬럼비아 곤충학회에서 배포한 포스터는 상황을 훨씬 긴박하게 묘사한다. 포스터는 1950년대에 유행한 외계인 침공 스타일의 그림이고, 헬리콥터보다 큰 장수말벌이 높은 건물을 찢어버리는 동안 사람들이 겁에 질려 도망가고 있다. 포스터는 사람들에게 장수말벌이 보이면 막대기로 '치고', 사진을 '찍고', 사진이 첨부된 이메일을 '보내라고' 조언한다. 그리고 장수말벌을 만나면 '벌에 쏘이지 않았으면 가만히 있는 것이 최선이고, 쏘였으면 눈을 가리고 뛰어라'라고 조언한다.

살인 말벌이 떼로 날아오는 생각이나 절대로 죽지 않는 바퀴벌레가 뜨거운 날씨에도 죽지 않고 돌아다닌다는 생각이 들면 비위가 상할 수 있다. 하지만 이 이야기에서 가장 무서운 부분은 기후변화 그 자체다. 기후변화는 인간이 불러온 대재앙이며 인간과 다른 모든 생물의 생존을 위협한다. 전문가들이 수십 년 동안 기후변화의 위험성을 경고했지만 우리는 이 문제를 해결하기에는 너무 느릿느릿 움직이고 있다.

얼마 전 베루브는 팟캐스트에서 이런 이야기를 들었다. "그렇다면 무엇이 살인 말벌을 죽였는가? 저희는 그것을 무서워해야 합니다." 베루브는 이 질문에 대한 대답이 부분적으로는 장수말벌을 죽일 때 사용한 이산화탄소라는 사실이 의미 있다고 생각한다. "이산화탄소는 기후변화를 촉진하는 요인 중 하나입니다. 사람들은 살인 말벌보다 이산화탄소에 훨씬 더 많이 신경 써야 합니다."

하지만 사회적인 불안과 전쟁을 일으키는 홍수, 폭풍, 가뭄에도 그토록 뜨뜻미지근하게 대응한 우리 인간에게, 곤충이 곤경에 처했다고 해서 빠르게 대응에 나설 것이라는 희망이 있을까? 더 현실적인 목표는 복잡하고 서로 연결된, 곤충에게 호의적인 서식지를 복구하고 서식지를 유독 물질이 거의 없는 상태로 유지하려고 다 같이 노력하는 것이다. 그러면 기후 위기가 맹공격에 나서기 전까지 시간과 공간을 조금이라도 확보할 수 있을 것이다. 우리에게는 남은 시간이 별로 없다. 기후변화가 우리보다 한참 뒤에 태어날 세대가 감당해야 할 문제처럼 느껴질 수도 있다. 기후변화가 나타나는 기간도 길고 전후 차이가 크게 느껴지지 않을 수도 있다. 하지만 이 대재앙이 한참 전에 시작되었다는 것을 상기시키는 여러 사건이 있다는 점을 잊어서는 안 된다.

*

오스트레일리아는 기후상의 여러 역경을 이겨내고 매우 단단해진 국가다. 오스트레일리아의 자연환경은 불이 났다가 재생되고 태양이 작열하고 호우가 퍼붓는 일이 끊임없이 반복되면서 지금의 리듬을 찾았다. 오스트레일리아의 기후가 조금씩 달라지고 있는 것 같다는 의심의 목소리는 오스트레일리아 시인 도로시아 맥켈러 Dorothea Mackellar가 1908년에 발표한 '나의 조국My Country'에 묻혀 버렸다. 이 시에는 이런 구절이 있다. '나는 햇볕에 그을린 조국을 사랑한다. 넓게 펼쳐진 평원, 울퉁불퉁한 산, 가뭄과 홍수가 찾아오는 땅을 사랑한다.'

하지만 2019년에 오스트레일리아에 여름이 찾아오자마자 뜻밖의 일이 일어났다. 꿀벌들이 캔버라에 있는 국회의사당 주변에서 술에 취한 것처럼 비틀거리면서 날아다녔다. 땅바닥에 쓰러진 채 죽어가는 벌도 있었다. 오스트레일리아 국회의사당의 수석 양봉가 코맥 패럴Cormac Farrell은 꿀벌이 꽃의 꿀에 취해서 벌어진 일이라고 설명해야 했다. 날씨가 너무 더워서 꿀이 발효된 것이다. 정신이 멀쩡한 꿀벌들은 꿀에 취한 벌들이 들어오지 못하도록 벌집 입구를 막았다. 취한 벌들이 축 늘어진 채 돌아다니거나 알코올 과다 섭취로 죽게 내버려둔 것이다.

이 특이한 사건을 시작으로 그해 여름은 열기가 치명적일 만큼 펄펄 끓었다. 2019년은 오스트레일리아 역사상 가장 더운 해로 기록되었다. 6년 전 세운 기록을 갈아치운 것이다. 2013년에 오스트레일리아 기상청은 기상 예보 지도에 쓸 새로운 색(강렬한 보라색)을 선택해야 했다. 기온이 역사상 최고치인 52℃까지 치솟을 예정이었기 때문이다. 오스트레일리아 역사상 가장 더운 것으로 기록된 해 톱 5는 전부 2005년 이후에 찾아왔다. 2019년에 혹서가 시작되었을 때는 가뭄이 오랫동안 이어지고 있기도 했다.

산불 시즌은 9월에 일찍 시작되었다. 번개가 잉걸불에 불꽃을 일으켜서 불이 바짝 말라버린 초목을 뚫고 빠른 속도로 이동했다. 불은 바람의 도움을 받아 드넓은 국토를 휩쓸고 지나갔다. 특히 사람이 많이 사는 남동쪽, 즉 뉴사우스웨일스주, 빅토리아주, 사우스오스트레일리아주가 큰 피해를 입었다. 시드니도 연기에 휩싸였다. 반짝거리는 항구와 오페라하우스가 짙은 연기 때문에 보이지 않을 지경이었다. 여기저기서 화재 경보가 울렸고, 사람들은 마른기침을 했다.

도시의 공기 질이 일시적으로 최악이 되는 바람에 코로나19 팬데믹 이전이었는데도 밖에 나갈 때 마스크를 써야 했다.

놀랍게도 악몽 같은 재앙은 여기서 끝나지 않았다. 불이 해안 도시를 강타하자 겁에 질린 주민과 피서객이 해변으로 도망쳤다. 시드니 남쪽에 있는 말루아 베이Malua Bay 해변에서 찍은 사진을 보면 사람들이 공포에 떨면서 모여 있는 동안 집 한 채가 모래에 홀로 서 있다. 집이 사진 중앙에 있는데, 그 주변이 전부 하데스Hades를 연상시키는 시뻘건 색으로 빛나고 있다. 해안 쪽으로 더 내려가면 빅토리아주에 있는 말라쿠타Mallacoota가 나온다. 이곳에는 수천 명이 해변에 갇히는 바람에 오스트레일리아 해군이 구조에 나서야 했다.

1월이 되자 그리스보다도 큰 면적이 불에 타버렸다. 30명 이상이 불에 타서 목숨을 잃었고, 400명이 연기를 흡입해서 생을 마감하고 말았다. 집 수천 채가 완전히 파괴되기도 했다. 산불은 오스트레일리아에서 주기적으로 일어나는 재앙이다. 하지만 이런 식으로 불이 난 적은 한 번도 없었다. 이번에는 뭔가 느낌이 달랐다. 과거에는 산불이 났을 때 '검은 토요일Black Saturday', '잿빛 수요일Ash Wednesday'처럼 재앙의 이름이 하루를 나타냈다. 하지만 이번 재앙은 단순히 '검은 여름Black Summer'이라고 알려졌다. 산불이 나무와 초원을 휩쓸고 지나가면서 야생동물들은 그야말로 대재앙을 경험했다. 산불의 전통적인 이동 경로에 속하지 않았던 우림의 넓은 지역이 처음으로 불에 타면서 다양한 생물이 죽고 말았다. 오스트레일리아는 생물 다양성이 매우 풍부한 몇 안 남은 국가 중 하나다. 세상에 있는 모든 동식물 종의 약 10분의 1이 이곳에 산다. 오스트레일리아는 수백만 년 동안 고립되었던 덕택에 독특한 생물을 많이 보유하고 있다. 공격적인 태즈메이니아데블부터 알을 낳는 포유동물인 오리너구리에 이르기까지 다양한 생물이 오스트레일리아에 산다. 그런데 산불이 이러한 희귀한 생물의 보고를 파괴한 것이다.

시드니대학교의 생태학자 크리스 딕먼Chris Dickman에 의하면 무려 10억 마리가 넘는 동물이 산불에 희생되었다고 한다. 딕먼은 "지리적 측면에서 보나 피해를 본 개별적인 동물의 수를 따졌을 때나 정말 무시무시한 사건입니다"라고 인정했다. 산불 때문에 여러 생물 종이 멸종 위기를 맞기도 했다. 거기에는 오스트레일리아에 서식하는 곤충 25만 종도 포함되어 있었는데, 그중 약 3분의 1만 이름이 있었다.

과학자들은 분포 지역이 좁은 딱정벌레들이 불길 속에서 나뭇잎에 매달린 채 살아남지 못할까 봐 걱정했다. 그리고 재 때문에 수로가 막히는 바람에 수서곤충까지 전멸했을까 봐 걱정했다. 독특한 종인 오스트레일리아 알파인 메뚜기Australian Alpine Grasshopper는 기온이 적합하면 밝은 청록색으로 변한다. 그런데 불에 그을려 몸이 고동색이 되었다. 산불의 영향으로 멸종된 종이 있는지 확인하는 작업은 몇 년씩 걸릴지도 모른다. 하지만 곤충학자들은 어떤 곤충이든 개체 수가 많이 줄어들었다면 불타버린 숲을 재건하는 데 지장이 생길 것이라고 지적한다. 곤충이 씨앗을 퍼뜨리고, 영양분을 재활용하고, 토양을 비옥하게 만드는 중요한 역할을 하기 때문이다.

캥거루 아일랜드에서는 이 비극이 독특하게 펼쳐졌다. 캥거루 아일랜드는 사우스오스트레일리아주 해안에 있으며 거칠고 억센 자연의 아름다움을 간직한 섬이다. 이 섬에는 질병이나 오염이 거의 없으며 다양한 야생동물이 산다. 캥거루의 아종과 코알라도 이곳에 산다. 이 섬은 양봉업자들을 위한 안식처이기도 하다. 세상에서 이탤리언 벌의 꿀을 구할 수 있는 마지막 지역으로 알려져 있기 때문이다. 꿀벌의 일종인 이탤리언 벌Apis Mellifera Ligustica은 고향이 이탈리아 북부의 알프스산맥이며 19세기 후반에 오스트레일리아로 건너왔다. 격리된 환경과 현지의 법 덕택에 교배가 이루어지지 않은 자연 그대로의 군집이 캥거루 아일랜드에 마지막으로 남아 있다. 이탤리언 벌의 꿀은 식감이 부드럽고 꽃향기가 난다. 이 꿀은 식탁에도 오르고 화장품과 피부 관리 제품에도 쓰인다.

피터 데이비스Peter Davis는 캥거루 아일랜드에서 자랐다. 그는 처음에 가족이 운영하는 농장에서 양봉을 부업으로 하다가 이탤리언 벌이 다른 꿀벌보다 먹이와 기온의 변화에 잘 적응하는 모습을 보고 감탄했다. 취미는 천직으로 바뀌었고, 데이비스가 설립한 회사 '아일랜드 비하이브Island Beehive'는 매년 이탤리언 벌에게서 꿀을 약 100톤이나 추출하고 있다. 그 덕택에 데이비스는 오스트레일리아에서 유기농 꿀을 가장 많이 판매하는 생산자 중 한 명이 되었다.

산불은 오스트레일리아의 다른 지역과 마찬가지로 캥거루 아일랜드에서도 흔하게 일어난다. 그래서 데이비스는 2019년에 크리스마스 며칠 전 섬을 뒤덮은 말레 유칼립투스Mallee Eucalyptus에 불이 붙었을 때도 크게 걱정하지 않았다. 하지만 이듬해 1월 3일이 되자 바람이 바뀌면서 산불은 소방관들이 통제할 수 있는 범위를 벗어나고 말았다. 사람뿐만 아니라 이탤리언 벌도 위험한 상황에 놓였다. 데이비스는 "불은 자연의 일부분이기 때문에 우리는 항상 산불에 대비합니다. 하지만 불이 이렇게 크게 나리라고는 전혀 예상하지 못했습니다"라고 인정했다. 그는 황급히 벌집 수백 개를 더 안전한 곳으로 운반했다. 하지만 불길이 너무 거센 나머지 하루 만에 군집이 500개 넘게 불타버렸다. 섬에 있는 초목이 너무 많이 타서 벌들이 도망갈 곳이 없었다. 광대한 땅의 약 3분의 1이 새까맣게 탄 것이다.

이 트라우마에 시달린 이후 데이비스는 남아 있는 군집에 손수 먹이를 제공한다. 군집은 더는 꿀을 생산하지 않는다. 유칼립투스 클라도칼릭스Eucalyptus Cladocalyx는 벌의 주식이다. 하지만 산불에 다 타버려 완전히 원상 복구되려면 10년 이상 걸릴지도 모른다. 오스트레일리아는 수년 동안 이어진 가뭄과 산불로 초토화되었다. 그래서 오스트레일리아 양봉업자들은 자국에서 생산되는 꿀이 부족해질 수 있다고 경고했다.

이런 사태가 발생했을 때, 특히 문제가 과학계를 벗어나 정치적 싸움으로 번질 때 기후변화의 영향력을 간과하는 사람이 많다. 기후변화는 소수의 국가(주로 오스트레일리아와 미국)에서 모두 힘을 합쳐 극복해야 하는 과학적인 문제라기보다는 편파적인 견해로 여겨진다. 사람들이 기후변화를 이렇게 부인하고 불명료하게 인식함으로써 초래되는 비극은 기후변화로 인해서 많은 사람과 동식물이 죽음을 맞을 것이라는 점이다. 정치인들이 수십 년 동안 겁쟁이처럼 행동하고 기득권을 지키는 데만 신경 쓰며 관념적인 태도로 일관하고 있기 때문이다.

기후학자들은 뜨겁고 건조한 환경 때문에 식물에 불이 붙기가 더 쉬워졌다는 의견을 여러 번 피력했다. 토양이 말라버리고, 불에 잘 타는 연료의 양이 많이 늘어난 것이다. 학자들이 평가한 자료에 의하면, '검은 여름' 때는 지구온난화가 나타나지 않았던 세상과 비교해 산불이 날 확률이 30% 이상 높았다고 한다. 불이 붙기 쉬워진 환경 때문이었다. 하지만 우리는 편견에 너무 강하게 사로잡힌 나머지 과학계가 예측한 대로 죽음과 파괴를 실시간으로 목격하고 있는데도 기후변화가 아닌 다른 원인을 찾아낸다. 데이비스는 산불의 강도가 높아진 것이 오스트레일리아의 법규 때문이라고 생각한다. 법 때문에 화재에 취약한 관목과 나무를 없애는 것이 대단히 어려워졌다. 큰불이 났을 때 이런 식물들이 우리의 생명과 재산을 위협할 수 있는데도 말이다. 산불 전문가들은 집 주변에 있는 인화물을 제거하면 산불에 따른 피해를 막는 데 도움이 된다고 설명한다. 하지만 이런 식으로 위험 요소를 줄이는 데는 효과 면에서 한계가 있다. 게다가 날씨와 기후가 산불의 강도에 훨씬 큰 영향을 미친다.

캐서린 헤이오Katherine Hayhoe는 텍사스공과대학교의 기후학자다. 그녀는 주로 회의론자들의 인식을 개선하는 활동을 한다. 그녀의 말을 바꿔서 표현하자면 우리가 개인적으로 믿는 것이 과학적 현실을 바꾸지는 못한다. 온도계가 보수적이지도, 진보적이지도, 사회주의적이지도 않은 이치다. 과학자들은 기온이 오르면서 산불이 일어나는 기간이 눈에 띄게 길어졌다는 사실을 발견했다. 미국 서부, 유럽 남부, 아마존을 포함해 식물이 있는 땅 약 4분의 1이 영향을 받았다. 자연적인 변화와 맞물려 지구 온도가 높아질수록 사람, 곤충, 다른 동물의 집이 불에 탈 확률이 점점 높아질 것이다.

기후변화는 잔인하게도 몇십 년에 걸쳐 강도래가 사는 빙하 집을 액화할 수 있다. 또 몇 년에 걸쳐 식물에서 영양소를 빼앗아서 메뚜기가 필요한 영양소를 얻지 못할 수도 있다. 기후변화는 한두 시간이면 희귀 벌을 태워 죽일 수도 있다. 곤충은 여러 요인 때문에 인간의 손에 시달리고 있지만, 어느 시점엔가는 곤충의 위기가 기후변화의 여파 중 하나로 여겨질 것이다.

피터 데이비스가 산불 때문에 고생한 사건은 부분적으로 아들이 촬영한 영상에 담겼다. 아들은 집 안에서 커다란 창문 밖을 내다보면서 촬영했다. 밖에 있는 나무, 자동차, 정원에 있는 그네가 거센 불길에 휩싸여 진홍색으로 타오르고 있다. 영상이 이어지다가 갑자기 파편이 창문에 부딪힌다. 집은 손쓸 수 없을 정도로 화마에 갇힌 것처럼 보인다.

피터의 아들 브렌턴 데이비스Brenton Davis는 카메라에 대고 "조금 있으면 이 안이 엄청나게 뜨거워질 거예요"라고 말한다. 브렌턴은 남동생에게 욕실에 들어가면 못 나올 수도 있으니까 들어가지 말라고 외친다. 그는 문을 조금 열고는 튼실해 보이는 호스로 가까이 다가오는 불길을 향해 물을 뿌렸다. 데이비스와 두 아들은 본인들의 집과 이웃집을 보호하기 위해 용감하게 싸웠다. 영상은 그다음 날로 넘어간다. 브렌턴 데이비스는 피해를 가늠하려고 카메라를 들고 여기저기 살펴본다. 밖에는 새까맣게 탄 자동차 두 대의 앙상한 잔해가 남아 있다. 놀랍게도 집은 살아남았으나 벌 여러 마리가 목숨을 잃었다. 브렌턴은 "어쨌든 저희는 노력했어요"라고 말한다.

산불은 오스트레일리아의 다양한 지역에서 두 달이나 더 기승을 부렸다. 그러다가 큰비가 쏟아지면서 불길이 잡혔다. 사람들은 환호성을 질렀다. 그러나 몇 달 뒤 미국 서부에서 똑같은 일이 벌어졌다. 익숙하게 봤던 거침없이 타오르는 불, 새카맣게 타버린 도시, 영화 〈블레이드 러너Blade Runner〉를 연상시키는 주황색 하늘이 다시 돌아온 것이다. 코네티컷주 크기만 한 면적이 불에 탔고, 수십 명이 목숨을 잃었다. 연기 기둥이 항공기가 다니는 표준 고도 너머로 치솟기도 했다. 연기가 자욱해진 베이 지역부터 빙하가 녹고 있던 글레이셔 국립공원까지, 그리고 동쪽으로는 멀리 뉴욕에서도 해를 보기가 어려웠다. 그해는 미국 서부에서 불이 가장 크게 난 해였다. 산업 시대가 시작된 이후로 세계 기온이 평균 약 1℃ 상승한 것이 한몫했다.

하지만 상황은 나아지기는커녕 더 나빠질 것이다. 과학자들은 21세기가 끝나갈 무렵이면 지구가 약 3℃ 이상 뜨거워질 것으로 예측한다. 안정적인 '뉴 노멀new normal'이 생기는 대신 우리가 행동에 나서기 전까지 열기, 화재, 홍수, 종의 멸종과 관련해 상황이 끊임없이 나빠질 것이다. 시간이 많이 흐르면 2020년에 불이 그렇게 자주 났다는 사실이 기이하게 여겨지지 않을 것이다.

6장

꿀벌의 노동과
수분의 위기

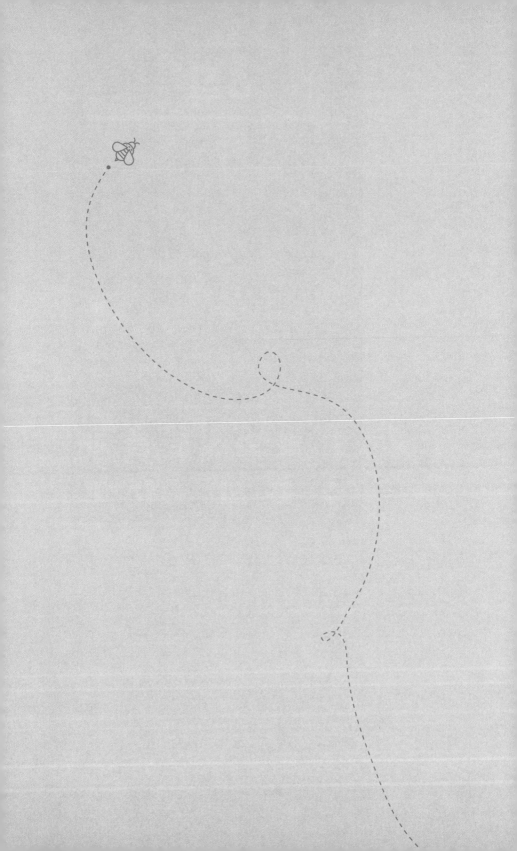

샌프란시스코 베이 남동쪽에는 실리콘밸리Silicon Valley가 있다. 길게 펼쳐진 그 길을 쭉 따라가면 멘로 파크Menlo Park가 나오고, 그곳에는 프랭크 게리Frank Gehry가 디자인한 페이스북 본사가 있다. 거기서 더 가면 마운틴뷰Mountain View가 나오고, 거기에는 유리로 된 위엄 있는 구글 본사가 있다. 거기서 또 조금 더 가면 쿠퍼티노Cupertino에 있는 애플 본사가 나오는데, 우주에서 온 거대한 베이글처럼 둥그렇게 생겼다. 더 멀리 새너제이와 그 근교, 고속도로를 모두 넘어가면 수억 명의 삶에 영향을 미치는 또 다른 거대 조직체의 중심지가 나온다.

실리콘밸리가 기술과 소셜 미디어의 장이라면 근처에 있는 센트럴밸리Central Valley는 극도로 효율적인 산업적 농업의 중심지다. 두 군데 모두 무자비함과 혁신이라는 훌륭한 조합으로 현시대를 재정의했다. 센트럴밸리는 북쪽에 있는 캐스케이즈Cascades에서 남쪽에 있는 테하차피산맥까지 724km가 넘도록 길게 뻗어 있다. 이곳은 캘리포니아주의 중심부를 가로지르며 지구상에서 가장 생산적인 농업 지역 중 하나다.

한때 내륙해의 바닥이었던 계곡의 비옥한 토양은 미국에서 생산되는 과일, 견과류, 채소의 40%에 해당하는 수확물을 안겨준다. 센트럴밸리에서는 엄청난 양의 딸기, 포도, 상추, 토마토, 오렌지를 생산한다. 이곳이 아니었다면 미국에서 건포도, 올리브, 복숭아, 무화과를 대규모로 재배하지 못했을 것이다. 센트럴밸리의 영향력은 캘리포니아주와 미국의 범위를 넘어선다. 1850년대에 골드러시 붐이 끝나고 사람들이 밀을 많이 재배하기 시작할 때부터 센트럴밸리는 현재 흔하게 쓰이는 농사 기술을 개척했다.

초창기에 센트럴밸리를 찾은 사람들은 증기 트랙터를 보고 감탄을 금치 못했다. 그 후로 목화 따는 기계, 사탕무 수확기, 토마토 수확기같이 스팀펑크 마니아가 좋아할 만한 새로운 기구가 줄줄이 발명되었다. 센트럴밸리의 농부들은 땅에 물을 대는 방법을 금세 익혔지만, 곧 땅에서 물을 직접 뽑아 올리는 방법을 선택했다. 이런 방법은 환경에 도움이 되지 않으며, 그 결과 땅 여기저기가 매달 5cm씩 가라앉고 있다. 센트럴밸리의 농부들은 값싼 노동력을 이용하고, 새로운 식물을 개발하며, 살충제와 비료를 점점 더 많이 투입한 덕택에 식량 생산 측면에서 430억 달러 이상의 가치가 있는 시스템을 만들어냈다. 수확량과 수익을 극대화하는 집약적인 농법을 세상에 널리 알린 것이다.

이런 기발함과 힘 덕택에 농부들은 땅을 마음대로 다룰 수 있게 되었다. 하지만 이런 거대한 조직도 작은 변수, 즉 꿀벌에게 크게 의지한다. 꿀벌은 매년 점점 더 위태로운 지경에 놓이고 있다. 산업적인 농업을 이어가기 위해서는 수분 매개자가 매우 많이 필요하다. 아몬드를 재배하는 경우에는 특히 더 그렇다. 캘리포니아주는 전 세계 아몬드 생산량의 80%를 책임진다. 그런데도 아몬드 수확량을 늘릴 계획이다. 아몬드나무는 벌써 센트럴밸리의 4,730km²에 달하는 면적을 차지하고 있다. 이는 델라웨어보다 넓은 면적이며 20년 만에 규모가 2배로 늘어난 수치다. 수년 안에 땅 1,214km²가 추가로 아몬드밭으로 쓰일 예정이다.

아몬드나무에서 아몬드를 얻기 위해서는 이화 수분이 이루어져야 한다. 꽃가루가 나무의 한 품종에서 다른 품종으로 옮겨 가야 한다는 뜻이다. 이 작업은 매년 2월에 아몬드나무에 싹이 나고 눈처럼 하얀 꽃이 피는 짧은 기간에 이루어져야 한다. 그런데 이 시기에 벌이 하필 겨울잠을 잔다. 그래서 아몬드나무를 수분할 벌은 야간 근무를 하게 될 줄 몰랐던 비상사태 근무자처럼 잠에서 깨야 한다. 캘리포니아대학교 데이비스 캠퍼스에서 연구를 위해 양봉을 하는 찰스 나이Charles Nye는 "우리는 굉장히 이상한 일을 시도하고 있습니다"라고 말한다.

아몬드밭 4,000m²당 벌집이 2개 있어야 수분이 제대로 이루어진다. 이 말은 전 세계적으로 생산되는 아몬드 대부분이 벌집 234만 개에서 서식하는 벌 약 300억 마리의 노력에 의지한다는 뜻이다. 만일 아몬드나무를 계획대로 더 심으면 벌집이 무려 60만 개나 더 필요해진다.

캘리포니아주에는 벌집이 약 50만 개뿐이다. 그래서 부족한 개수만큼 다른 지역에서 부지런히 실어 날라야 한다. 미국에서는 해마다 상업적으로 쓰이는 꿀벌 군집의 85%가 트럭에 실리고 흔들리지 않게 고정되어 센트럴밸리로 운반된다. 겨울마다 몇 주 동안 꿀벌 잼버리라도 열리는 것처럼 미국의 한 지역이 벌이 든 향나무 통으로 가득 찬다. 이 벌들은 서식지에서 끌려와 새로운 환경에 적응해야 한다. 아몬드나무만 심겨 있고 인위적으로 가지런히 정렬된 들판이 벌들의 새로운 작업장이다. 이 행사는 규모가 가장 큰 수분 행사다. 자연계가 인간의 생활 리듬에 맞춰서 움직이도록 강요하는 충격적인 작업이다.

펜실베이니아주에서 양봉업자로 일하는 데이비드 하켄버그 David Hackenberg는 "밤새 운전하고 중간에 쉴 때 쪽잠을 자다 보면 미국 서부 개척지의 카우보이라도 된 것 같은 기분이 듭니다"라고 말한다. 그는 1962년 고등학교에 다닐 때 양봉을 하기 시작했다. 하켄버그는 매년 캘리포니아주를 넘나들면서 벌집 최대 2,000개를 실어 날랐다.

하지만 이런 노력이 예상과 다르게 흘러갈 때도 있다. 2019년에 캘리포니아주에서 몬태나주로 돌아오던 트럭 한 대가 벌을 가득실은 채 길에서 뒤집히고 말았다. 그 때문에 벌 1억 3,000마리가 공포에 질린 운전자들의 머리 위로 날아다녔다. 결국 보호 장비로 무장한 소방관들이 벌 떼를 제압해야 했다. 1년 뒤에는 벌 수천 마리가 아몬드 재배 지역에 있던 한 여자의 자동차에 우르르 몰려든 사건도 있었다. 운전자는 고속도로를 달려 벌 떼를 쫓아내려고 했지만 실패했다. 그래서 소방서를 찾아갔고, 벌이 깜짝 놀란 소방서장의 자동차로 옮겨 갔다.

양봉업자들의 이 비공식 축제는 '양봉계의 슈퍼볼'이라고 알려져 있다. 아몬드를 대규모로 재배하는 사람들이 내는 넉넉한 수분 요금 때문이다. 하지만 양봉업계에 이 축제만 있는 것은 아니다. 이 벌 중 다수는 다시 트럭에 실려 플로리다주에 있는 멜론, 펜실베이니아주에 있는 사과, 메인주에 있는 블루베리를 수분하러 떠날 것이다.

유럽산 양봉꿀벌Apis Mellifera은 미국에서 산 지 그리 오래되지는 않았지만 미국의 식량 시스템을 지탱하는 무급 순회 계약직 직원으로 빠르게 자리 잡았다. 전 세계적으로도 꿀벌의 노동에 대한 수요가 점점 늘고 있으며, 국제연합에 따르면 수분에 의지하는 농산물의 양은 지난 50년 동안 300%나 증가했다고 한다. 오스트레일리아에서는 벌 약 15억 마리가 빅토리아주의 과수원에서 수분하도록 남쪽으로 운반된다. 오스트레일리아 정부는 이 수송 작업을 자국 역사상 규모가 가장 큰 가축 수송 건으로 분류했다.

하지만 인간이 벌에 의존하는 이 시대에 역설적으로 꿀벌은 치명적인 해충, 질병, 유독한 화학물질의 공격을 받는다. 전 세계적으로 꿀벌을 모니터하는 거의 모든 지역에서 이런 일이 일어난다. 양봉은 전원에서 황금빛 나는 꿀을 두고 즐기는 취미였다. 하지만 이제는 꿀벌 군집이 사라지지 않도록 미친 듯이 투쟁하는 승산 없는 싸움이자 점점 증가하는 수분에 대한 수요를 맞추기 위한 소란으로 변질되었다. 레딩대학교의 벌 전문가 사이먼 포츠는 "양봉은 더는 저렴하고 즐거운 취미가 아닙니다"라고 말한다.

중국에는 토종벌인 아시아산 꿀벌Apis Cerana이 서식한다. 이 벌은 19세기에 먼 친척뻘인 유럽산 양봉꿀벌이 유입된 이후로 개체수가 80%나 줄어들었다. 유럽산 양봉꿀벌이 더 달콤한 꿀을 더 많이 생산해 중국으로 들여오게 되었다. 하지만 이 벌은 토종벌을 대량으로 죽일 수 있는 질병을 옮기기도 한다. 아시아산 벌의 여러 아종이 멸종 위기에 처했다. 그러다 보니 유럽산 꿀벌이 수분해주지 않고 건너뛰는 토종 식물의 미래도 불투명해졌다. 하지만 유럽산 양봉꿀벌 역시 본래의 서식지에서는 어려움을 겪고 있다. 2014년에 유럽연합 회원국 17개국은 꿀벌에 대해 처음으로 포괄적인 연구를 진행했다. 그 결과 벨기에, 스웨덴, 덴마크 같은 국가에서 꿀벌 군집이 겨울마다 20% 이상 사라지고 있다는 사실을 발견했다. 2017년에서 2018년으로 넘어가던 겨울에는 포르투갈, 북아일랜드, 이탈리아에 서식하는 꿀벌 군집의 4분의 1이 죽고 말았다.

　프랑스 양봉업자들은 서리가 평소보다 늦게 내려 꽃이 메말라
버리자 키우는 벌에게 시럽을 먹이기에 이르렀다. 굶주리는 벌들을
위해 꿀을 시럽으로 대체한 것이다. 꿀벌 군집은 1990년대에는 매년
평균 5%씩 사라졌지만 이제는 무려 30%나 사라지고 있다. 프랑스
양봉업자들은 기후변화 때문에 기상 패턴이 엉망이 되었다고 주장
한다. 전국적으로 네오니코티노이드 사용을 엄중하게 단속하고 있
지만, 일반 살충제뿐 아니라 유기농 살충제도 벌에게 해로울 수 있다
는 우려 섞인 목소리가 수그러들지 않는다. 프랑스 전국양봉연맹 사
무국장 앙리 클레망Henri Clément은 이렇게 말한다. "양봉업 하는 분
들이 혼란에 빠졌습니다. 예전보다 벌집을 많이 갖고 있는데도 꿀 생
산량이 오히려 줄어들었거든요. 죽은 벌을 대체하고 군집을 어느 정
도 규모로 유지하려면 벌을 많이 번식시키거나 더 사야 합니다. 꿀
생산량이 아주 바닥을 쳤습니다."

　클레망은 현재 상황이 '비상사태'이며 "농업 생태학적 측면에
서 실질적인 정책이 수립되어야 합니다"라고 말한다. "살충제 사용
횟수를 줄여야 하고, 나무와 산울타리를 늘려야 합니다. 수분 매개자
와 생물 다양성에 신경 쓰면서 농작물도 더 다양하게 재배해야 하고
요." 유럽에서 꿀벌 군집이 사라지는 현상을 살펴본 한 연구는 과수,
유채꽃, 옥수수만 찾는 벌이 식물을 더 골고루 찾는 벌보다 겨울에
더 많이 죽는다는 사실을 밝혀냈다. 이런 상황이 더 심각해지면 유럽

에 사는 사람들의 삶이 불안정해질 우려가 있다. "만일 벌이 없어지면 과일, 채소, 곡물도 없어질 겁니다. 그런 식량이 없어지면 새와 포유동물부터 시작해 온갖 동물이 사라질 겁니다. 벌은 생물 다양성을 이루는 초석이니까요."

영국의 장기적인 추세는 심각하다. 레딩대학교에 따르면 1985년부터 2008년까지 꿀벌 군집은 54%나 없어졌다고 한다. 벌집은 영국에서 재배하는 농작물의 약 3분의 1을 수분할 정도만 남아 있다. 이 말은 수분에 대한 책임 중 대부분이 땅에서 사는 호박벌 같은 야생벌에게 있다는 뜻이다. 레딩대학교 벌 전문가 사이먼 포츠는 이렇게 말한다. "이론적으로 모든 벌집을 적합한 시기에 적합한 장소에 둘 수 있다고 하더라도 수분 매개자의 수는 턱없이 부족할 겁니다. 세계 일부 지역에서는 꿀벌 군집 수가 늘어났지만 적어도 유럽과 북아메리카에서는 군집 수가 지역에 따라 극심한 차이를 보입니다"라고 덧붙인다.

포츠는 지난 30년 동안 벌을 연구했다. 최근에는 수분 매개자가 사라지는 문제가 긴급한 문제임을 알리기 위해 정치계에 발을 들이기도 했다. 그는 영국 정치인을 초대해 아침 식사를 대접한 적이 있는데, 식탁에 음식이 거의 없었다. 잼도 없고, 마멀레이드도 없었다. 수분 매개자가 필요한 식품은 하나도 없었다. 이런 적나라한 예시는 대중의 관심을 끌었다. 포츠는 동네 술집의 단골손님들과 벌이 사라지는 문제에 대해 논쟁을 자주 벌인다. 포츠가 벌 이야기를 먼저 꺼내는 것은 아니다. 이것은 벌이 사람들과 공감대를 가장 잘 형성하고 곤충의 위기를 상징하는 가장 유명한 곤충이 되었다는 증거 중 하나다.

사람들은 벌침을 떠올리면 움찔할지도 모른다. 하지만 대다수는 벌이 중요하며 벌의 세계에 무엇인가가 잘못되었다는 점을 어렴풋이 이해한다. 벌에 대한 걱정이 벌을 더 따뜻하게 대하는 태도로 이어졌는지도 모른다. 일리노이대학교의 곤충학자 메이 베렌바움은 이렇게 말한다. "20년 전에는 뒤뜰에 벌이 있다며 저에게 전화하는 사람들은 벌을 죽일 방법을 알고 싶어 했습니다. 하지만 이제는 어떻게 해야 벌을 도울 수 있는지 알고 싶어 하더라고요."

우리가 벌을 보는 시선은 2006년에 커다란 전환점을 맞았다. 벌의 세계에 불길한 징조가 나타난 것이다. 일벌들이 여왕벌과 어린 벌들을 남겨둔 채 한 번에 3만 마리나 4만 마리씩 벌집을 떠났다. 대규모 이동으로 군집은 순식간에 무너졌다. 양봉업자들은 죽은 벌을 다룬 경험이 많다. 건강한 벌들은 벌집을 청소하면서 사체를 땅바닥에 떨어뜨린다. 하지만 그 벌집에는 벌의 사체가 없었다. 벌이 사라진 것 외에는 범죄가 일어났다는 증거가 전혀 없었다. 따라서 우리가 끔찍하면서도 당황스러운 새로운 국면으로 접어든 것처럼 보인다.

펜실베이니아주의 양봉업자 하켄버그는 양봉업계에서 어느 정도 유명해졌다. 그가 벌집 군집 붕괴 현상을 처음으로 경험했기 때문이다. 하켄버그는 2006년 11월에 플로리다주 탬파 남부에서 자신이 관리하는 벌집 약 400개를 점검하다가 문득 섬뜩한 느낌이 들었다. "아들은 지게차에 타고 있었습니다. 저는 연기를 피워 벌이 벌집에서 나오게 하려고 했고요. 그런데 날아다니는 벌이 거의 없더라고요. 무엇인가 잘못되었다는 오싹한 느낌이 들었습니다. 그래서 벌집 덮개를 정신없이 열어보기 시작했습니다. 집에 아무도 없더라고요. 벌집에 벌이 하나도 없었습니다."

하켄버그는 어리둥절해져서 네발로 자갈이 깔린 땅을 기어 다녔다. 벌 사체를 찾기 위해서였다. "아무것도 없었습니다. 벌집이 400개나 있었는데도 벌이 너무 적어서 18리터짜리 양동이 하나를 채울 수 없었습니다." 하켄버그는 아들에게 무엇이 잘못되었는지 이야기해주려고 했다. 하지만 충격이 너무 커서 말을 더듬었다. "저는 할 말을 잃어본 적이 한번도 없습니다." 그는 이 문제로 그해에 벌집의 80%나 잃었고 곧 다른 양봉업자들도 같은 일을 겪고 있다는 사실을 알았다.

벌집 군집 붕괴 현상이 일어났다는 보고가 플로리다주와 조지아주에서 속속 들어왔다. 2007년 말이 되자 무려 24개 주에서 보고가 들어왔다. 이 현상은 머지않아 스위스와 영국에서도 나타났다. 존 채플John Chapple은 이 현상의 심각성을 처음으로 경고한 영국 양봉업자다. 그는 런던 서부에 있는 자신의 정원에서 꿀벌 군집 14개를 모두 잃고 말았다. 채플은 '벌집 군집 붕괴 현상'보다 더 시적인 용어를 사용하는데, 바로 '매리 셀레스트 증후군Mary Celeste Syndrome'이다. 메리 셀레스트호는 1872년에 항해하는 데 전혀 문제가 없었는데도 바다에서 표류 중인 채 발견되었다. 기이하게도 배에는 아무도 없었다.

이런 불가사의한 현상이 오래지 않아 세계 각지에서 나타나는 바람에 벌의 멸종이 시작되었다고 생각하는 사람들이 생겼다. 2013년에는 〈타임Time〉지 표지에 '벌이 없는 세상'이라는 제목과 함께 꿀벌 한 마리의 사진이 실렸다. '홀 푸드Whole Foods' 식료품 체인은 로드아일랜드주 매장에 있는 식품 중 수분 매개자에 의지하는 것을 일시적으로 전부 없앤 적이 있다. 꿀벌의 중요성을 강조하기 위한 시도였는데, 453개 품목 중 무려 237개가 진열대에서 사라졌다. 그중에는 사과, 아보카도, 당근, 감귤류, 파, 브로콜리, 케일, 양파도 있었다.

벌집 군집 붕괴 현상이 일어나는 원인에 대해서는 전문가들 사이에서도 주장이 엇갈린다. 과학자들은 이런 현상이 질병, 살충제, 스트레스, 영양실조 또는 이런 요소들의 조합 때문에 나타난다는 이론을 제시했다. 하켄버그는 네오니코티노이드가 원흉이라고 단호하게 주장한다. 그는 네오니코티노이드가 여러 면에서 곤충에게 골칫거리라고 설명하면서 이렇게 덧붙였다. "이 문제를 두고 논쟁을 벌이는 것은 화학 회사들뿐입니다. 과학적으로는 이미 분명하게 밝혀진 사안입니다."

하버드대학교에서 실시한 연구에서는 건강한 꿀벌에게 곤충의 중추신경계를 공격하는 네오니코티노이드의 일종인 이미다클로프리드가 함유된 액상과당을 먹였다. 그랬더니 6개월 뒤 시험용 벌집 16개 중 15개가 전멸하고 말았다. 프랑스 연구원들이 진행한 다른 연구에서는 꿀벌에게 초소형 무선 주파수 태그Radio Frequency Tag: RFT를 부착하고 티아메톡삼이 함유된 자당sucrose을 먹였다. 티아메톡삼 역시 흔하게 쓰이는 네오니코티노이드의 일종이다. 이 화학물질에 노출된 벌들은 먹이를 찾고 나서 벌집으로 돌아올 확률이 훨씬 낮았다.

무슨 이유에서인지는 몰라도 언젠가부터 벌집 군집 붕괴 현상이 벌의 생존에 타격을 덜 입히게 되었다. 그 대신 다른 위협 요소들이 선봉에서 벌을 공격하기 시작했다. 맨 앞에는 몸길이가 1mm(연필 끝의 길이)밖에 안 되는 바로아응애가 있다. 바로아응애는 시력이나 청력이 없는데도 전 세계적으로 꿀벌 군집을 대대적으로 파괴하고 있다.

바로아응애(Varroa Destructor, '파괴적인 진드기'라는 뜻)는 마치 벌을 괴롭히는 것이 유일한 존재 이유인 것처럼 보인다. 이 응애는 다리가 네 쌍이 넘어서 꿀벌을 꽉 잡기에 적합하다. 입으로는 벌의 외골격을 능숙하게 뚫고 내장을 빨아먹는다. 구체적으로 말하면, 바로아응애는 꿀벌의 혈림프를 먹는다. 혈림프는 혈액과 비슷하게 벌의 몸속을 순환하는 체액이다. 바로아응애는 벌이 영양분을 저장하고 독소를 거르는 장기를 액화하기도 한다. "모기가 피부에 앉아 피를 빨아먹는 것보다는 모기가 피부에 앉아 간을 액체로 만들고 그 액체를 다 뽑아버리고 나서 날아가는 것과 비슷합니다." 새뮤얼 램지 Samuel Ramsey의 설명이다. 램지는 바로아응애의 공격 방식에서 새로운 사실을 발견한 곤충학자다.

이런 작은 응애는 벌을 타고 돌아다닌다. 성체가 된 벌을 다 먹고 나면 그 자손들도 노린다. 벌집 속에 있는, 밀랍으로 만든 육각형 공간은 벌 유충이 자라는 '아기방'으로 쓰인다. 암컷 응애는 이 공간으로 들어가 유충을 먹는다. 유충 뒤에 숨어 벌과 비슷한 냄새를 풍겨 다른 벌들의 눈에 띄지 않는다.

응애가 알을 낳으면 새끼가 알을 깨고 나와서 성체로 자라고 번식한다. 벌집에 있는 응애는 봄에 개체 수가 4주마다 2배로 늘어난다. 그렇게 응애 수가 더 많아지면 약해진 벌들을 공격하기에 좋다. 응애는 벌의 면역 체계에 손상을 입히고 벌에게 바이러스를 옮겨 꿀벌 군집을 무너뜨릴 수 있다. 바로아응애는 원래 아시아에서 왔으나 시간이 흐르면서 아시아에 서식하는 꿀벌들이 응애를 벌집에서 내쫓는 방법을 알아냈다. 하지만 바로아응애가 1970년대와 1980년대에 유럽과 미 대륙에 상륙했을 때 유럽산 양봉꿀벌은 방어 능력이 없었다. 세계 각지에서 꿀벌 군집이 응애의 공격을 받았고, 오스트레일리아만 유일하게 침입을 성공적으로 막았다. 과학자들은 바로아응애를 퇴치하기 위해 피나는 노력을 하고 있지만, 장기적인 퇴치법은 아직 찾지 못했다.

기생충인 응애, 영양실조, 유독한 화학물질이 벌을 한꺼번에 공격하는 경우가 많다. 그러다 보니 벌집이 점점 약해지다가 결국 무너지고 만다. '문제가 한 번에 한 가지씩 나타나면 꿀벌이 여러 문제를 이겨낼 수 있을지도 모른다. 하지만 문제가 다양한 조합으로 밀어닥치면 꿀벌 군집의 생존 능력이 약해지고 무력화될 우려가 있다.' 미국 농무부에서 발표한 한 분석문에 담긴 말이다.

미국은 꿀벌 군집이 가장 많이 없어진 국가 중 하나다. 사면초가에 몰린 미국 양봉업자들이 조사한 내용에 따르면 2018년에서 2019년으로 넘어가던 겨울에 미국에서 관리하는 꿀벌 군집 중 거의 40%가 사라졌다고 한다. 이런 충격적인 감소율은 벌이 몇 개월 만에 약 500억 마리나 죽었다는 것을 뜻한다. 그해 겨울은 메릴랜드대학교가 벌을 연구한 13년간의 겨울 중 최악이었다. 그 전까지는 꿀벌 군집이 약 10% 사라졌을 때가 최악의 겨울이었는데, 그 기록을 한참 뛰어넘은 것이다.

하지만 다행히 양봉업자들이 벌을 끊임없이 분류해내서 군집 수가 계속 바닥을 치지는 않는다. 꿀벌이 여러 방면에서 공격받는데도 농업의 원동력으로서 꿀벌이 지닌 가치가 꿀벌 세상이 완전히 붕괴하는 것을 막아준다. 양봉업자들은 건강한 벌집을 두 부분으로 나누고 새 군집에 새 여왕벌을 사서 넣는다(여왕벌은 깔끔하게 포장된 채 우편으로 도착한다). 겨울이 오기 전에 양봉업자들은 여왕벌이 알을 더 많이 낳도록 최선을 다해 돕는다. 그래야 겨울에 잃을 알의 수를 상쇄할 수 있다. 한편 미국 같은 일부 국가에서는 부족한 벌의 수를 채

우기 위해 벌을 한 지역에서 다른 지역으로 운반한다.

야생벌은 인간의 도움을 받지 못하지만, 양봉업자들이 키우는 벌들은 인간의 개입 덕택에 멸종 위기를 모면했다. 데이브 굴슨은 이렇게 말한다. "세계적으로 꿀벌이 멸종 위기에 처했다고 볼 이유는 없습니다. 꿀벌이 완전히 없어질까 봐 걱정할 필요도 없습니다. 꿀벌은 가축입니다. 그래서 꿀벌의 개체 수는 다른 무엇보다 경제적인 요인에 좌지우지됩니다." 국제연합에서 발표한 수치에 따르면 이런 경제적 유인책 덕택에 전 세계적으로 벌집 수가 약 1억 개로 증가했다고 한다. 이는 1961년에 집계된 벌집의 약 2배나 되는 수치다.

하지만 벌의 수는 국가와 지역에 따라서 편차가 크다. 꿀벌 군집의 수는 북아메리카와 유럽에서 감소했으나 아시아와 남아메리카에서는 증가했다. 우즈베키스탄, 세르비아, 뉴질랜드에는 양봉 붐이 일고 있지만, 이탈리아, 프랑스, 이집트의 양봉업자들은 위기감을 느끼고 있다. 이렇게 보면 군집의 수가 주기적으로 변화한다고 생각할 수도 있다. 곤충학자 중에는 여기저기서 쉽게 볼 수 있는 것 같은 꿀벌의 현 상태에 안주하는 것이 위험하다고 경고하는 사람들도 있다. 마이애미대학교의 벌 전문가 알렉스 좀첵은 이렇게 말한다. "만일 벌을 대규모로 번식시키는 방법을 알아내지 못했더라면 벌은 멸종 단계에 이르렀을 겁니다. 저는 '멸종'이라는 단어를 쉽게 쓰지는 않습니다."

좀첵은 꿀벌이 약 2억 년 동안 살아남았다는 점을 강조한다. 그

긴 시간 동안 지구의 대륙이 이동했고 공룡이 지구를 점령했다가 사라졌다. 인간이 다른 영장류에서 나뉘어 바퀴, 인쇄기, 아이폰을 만들기도 했다. "그런데 인간이 벌을 대대적으로 번식시키는 능력이 없었더라면 벌은 멸종 위기에 놓였을 겁니다. 그 정도로 벌은 지난 30년 동안 인간 때문에 큰 어려움을 겪었습니다. 그리고 최근에는 위험한 상황에 놓였습니다. 우리는 벌을 먹이 피라미드에 투입했죠. 과일과 채소는 수분 매개자가 있어야 하는데, 그 역할을 하는 것이 바로 벌입니다. 우리는 매우 효율적인 시스템을 개발했지만, 이 시스템은 한순간에 매우 약해질 수도 있습니다."

이 시스템의 효율성은 사람들의 오랜 예상을 뒤집었다. 조지 핸슨George Hansen은 예전에는 다른 사람들처럼 양봉업의 주된 수확물이 꿀이라고 생각했다. 그가 1970년대 중반에 오리건주 서부에 '풋힐스 허니Foothills Honey'를 처음 창업했을 때만 하더라도 업무는 간단했다. 벌을 키우고, 꿀을 생산하고, 꿀을 토스트에 발라 먹거나 팬케이크에 뿌리고 싶은 사람들에게 꿀을 팔면 되었다. "저는 제가 꿀과 관련된 일을 하게 됐다고 생각했습니다." 핸슨은 인상이 강하고 눈은 연한 푸른색이다. 눈은 야구 모자에 가려져 있었는데, 모자에 벌이 그려져 있었다. "우리 회사는 이름을 바꾸지는 않았지만, 사업의 성격이 달라졌습니다."

2020년 1월에 필자는 핸슨을 만나기 위해 캘리포니아주 센트럴밸리 한복판에 있는 머데스토Modesto 외곽을 찾았다. 우리는 핸슨의 트럭에 앉아 그가 오리건주에서부터 운반한 벌집 7,000개를 보고 있었다. 그중 수백 개는 우리 앞에 있는 울타리 친 보관 구역의 콘크리트 바닥에 깔끔하게 줄지어 있었다. 1980년대와 1990년대에 핸슨은 아몬드 재배자들이 수분 작업을 위해 돈을 더 내고 벌집을 사는 모습을 봤다. 벌집 1개의 가격이 15달러에서 20달러로 올랐다. 그러다가 50달러로 올랐을 때 핸슨은 그것이 최고가일 것으로 예상했다. 하지만 벌집 가격은 계속 올랐다. "이제는 벌집 1개에 200달러를 내야 합니다. 구할 수만 있다면요. 규제가 없다 보니 어떤 면에서는 개척 시대의 황량한 미국 서부와 비슷합니다."

무법 지대를 연상시키는 이런 분위기 속에서 실제로 가축 도둑질이 일어나기도 한다. 여기서 말하는 가축은 흔히 도난당하는 소가 아니라 벌이다. 벌집의 가치가 점점 높아지고 과잉 공급되는 아몬드를 재배하는 사람들이 수분 매개자를 찾다 보니 벌을 훔치면 큰 수익을 올릴 수 있었다. 2016년에 벌집 절도 사건이 폭발적으로 증가했다. 뷰트 카운티Butte County 경찰관 로디 프리먼Rowdy Freeman에 따르면 그 전해에 벌집이 101개 도난당한 것과 달리 2016년에는 1,695개나 도난당했다고 한다. 프리먼은 '벌 절도 담당 형사'로 통한다. 참고로 2017년에는 벌집 1,048개가 도난당한 것으로 신고되었다.

경찰은 벌집 절도 사건이 급증한 것이 우크라이나 갱단 때문이라고 추측했다. 이 갱단은 캘리포니아주의 여러 주를 돌면서 범죄 행각을 벌였다. 갱단 단원 2명이 체포되어 재판을 받았는데, 이 갱단은 어두운 밤을 틈타 지게차로 벌집을 들어서 대기 중인 자동차에 빠르게 싣고 도망가는 정교한 수법을 사용했다. 경찰은 프레즈노 근처에 있는 지저분한 땅이 '춉숍(chop shop, 훔친 자동차를 분해해서 부품을 비싼 값에 파는 불법적인 가게 – 역주)'으로 쓰였을 것으로 추정했다. 그곳에서 여러 양봉업자에게서 훔친 벌집이 새로운 벌집 여러 개로 다시 태어난다. 본래 주인의 이름은 상자에서 지운다.

이런 범죄는 아몬드가 엄청난 붐을 일으키고 있다는 것을 보여준다. 아몬드는 캘리포니아주에 상륙한 지 수백 년 만에 최고의 전성기를 보내고 있다. 아몬드나무는 1700년대에 스페인의 프란시스코 수도사들을 통해 처음으로 캘리포니아주에 들어왔다. 그러고는 모래가 뒤덮인 양토壤土와 지중해성기후에서 무럭무럭 자랐다. 첫 아몬드 농장은 1843년에 새크라멘토 근처에 있는 베어강변에 자리 잡았고, 최근 들어서 미국의 아몬드 수확량이 급증했다. 1960년대와 1970년대에 아몬드 셰이커, 아몬드 스위퍼, 아몬드를 운반하는 기계 같은 혁신적인 기계가 개발되었다. 그래서 사람이 직접 나무를 흔들어 아몬드를 떨어뜨리고, 방수포에 아몬드를 받고, 아몬드를 운송하는 고생을 하지 않아도 되었다.

아몬드 재배 방식은 극도로 현대화되어 실리콘밸리의 그 무엇과 견주어도 손색이 없을 정도다. 센트럴밸리에 있는 어떤 도시에서 어떤 방향으로 가든 아몬드나무가 끝없이 펼쳐진 광경을 볼 수 있다. 어느 곳을 봐도 획일적인 풍경이 눈에 들어오고, 수익과 상관없는 들꽃 한 송이 보기가 어렵다.

데니즈 퀄스Denise Qualls는 이런 풍경 속에서 운전하다가 4,000m²가 조금 넘는 땅이 딸린 집을 지나간다. 땅에는 아몬드나무가 잔뜩 심겨 있었다. "여기 사는 사람들은 전부 아몬드를 키웁니다. 전부요." 그녀는 예전에는 은행에서 고위직으로 일했다. 하지만 아몬드업계의 규모가 커지는 모습을 보고는 아몬드 붐이 일면서 생긴 특이한 직업을 선택했다. 바로 벌 브로커다. 퀄스는 양봉업자와 아몬드 재배자 몇십 명을 고객으로 두고 서로 연결해준다. 다양한 농장을 오가면서 벌이 아몬드 농장과 잘 맺어지도록 힘쓰는 것이다. 그녀는 이 노다지를 제대로 공략하기 위해 매년 1월과 2월에 머데스토에 집을 빌린다. 이 기간에 일감이 어찌나 많은지 퀄스는 나머지 기간에 일하는 대신 골프를 쳐도 될 만큼 많은 돈을 쓸어 담는다.

"15년 동안 밸런타인데이에 남편을 못 만난 것 같습니다." 그녀는 핑크색 양봉 작업복을 입고 방충 모자까지 쓴다. 자동차 뒷좌석에는 아몬드가 들어 있는 지퍼 백이 여러 개 있었다. 필자와 퀄스는 핸슨의 작업장과 멀지 않은 곳에 있는 아몬드 농장에서 담소를 나누는 중이다. 우리는 텍사스주에서 온 벌집 수백 개가 트럭 뒤편에서 지게차로 내려지는 모습을 바라본다. 한 감독관이 불개미가 없는지 살펴보고 있다. 불개미는 텍사스주에 서식하는 침입종이며 농작물과 토종 동물에 해를 끼친다. 감독관은 트럭에 몰래 탄 수상쩍은 개미 한 마리를 발견해서 추가 검사를 위해 플라스틱 튜브에 가

두고 봉해버린다.

근처에 있는 소 떼가 고약한 냄새를 좀 풍기기는 하지만 벌집 뒤로 해가 지는 모습은 장관이다. 그러다가 벌 한 마리가 필자의 얼굴로 달려들어서 가시 돋친 침으로 윗입술을 찌른다. 그러고는 장렬하게 전사한다. 호박벌은 순한 편이지만 침으로 상대방을 원하는 만큼 쏠 수 있다. 하지만 꿀벌은 침으로 쏘는 행위 때문에 배와 소화관 일부가 찢겨나가서 죽고 만다. 양봉업자들은 벌침에 쏘여도 크게 개의치 않아 하길래 필자도 아픈 소리를 조금만 내려고 노력한다.

퀼스의 직업이 돈은 많이 벌지 몰라도 유사(流砂, 바람이나 흐르는 물에 의하여 흘러내리는 모래 - 역주) 위에 지은 집처럼 느껴질 수도 있다. 공급자가 구매자의 요구를 충족할 수 있을지 보장하기 어려운 시나리오에서 브로커 역할을 하기란 간단한 일이 아니다. 퀼스는 "모두가 걱정합니다. 벌이 줄어든다는 데이터가 있거든요. 벌의 수에 한계가 있기도 하고, 세이프웨이(Safeway, 슈퍼마켓 체인 이름 - 역주)에 가서 벌을 살 수도 없잖아요?"라고 말한다. 그녀는 점점 늘어나는 양봉업자들의 부담을 덜어주기 위해 바로아응애를 퇴치할 더 나은 방법이 필요하다고 생각한다. 현재의 수분 시스템은 오래 유지하기 어려울 것이기 때문이다. "어디선가 변화를 줘야 합니다. 그게 어디인지는 몰라도 변화를 주긴 해야 합니다. 계획이 필요해요."

수분 매개자로 활약할 벌들을 캘리포니아주로 데리고 오려면 벌이 살아 있고 건강해야 한다. 그래야만 아몬드 재배자들과 거래할 수 있다. 그래서 핸슨은 다른 양봉업자와 마찬가지로 자신이 키우는 벌들이 잘 견디도록 돕는 여러 비법을 찾아냈다. 건조한 보관 구역에서는 벌이 먹을 것이 거의 없다. 그래서 핸슨은 뒤집은 버섯처럼 생긴 파란색 플라스틱 통을 설치했다. 그러면 벌 수천 마리가 이 장치의 입구로 내려가려고 서로 경쟁한다. 장치의 바닥에는 얇은 널빤지에 양조 효모, 콩꽃, 약간의 설탕과 비타민으로 만든 단백질 덩어리가 있다. 똑같은 재료로 햄버거처럼 생긴 반죽을 만들어서 벌집 안에 놓아두는 방법도 있다. 설탕 시럽으로 만든 탄수화물을 플라스틱 통에 보관하고 노즐을 통해 벌집에 넣어줄 수도 있다. 운전자가 차에 주유하는 것처럼 벌에게 연료를 공급하는 것이다.

양봉업자들은 꿀벌 중에서도 여왕벌에게 관심을 더 많이 쏟는다. 벌집의 운명에 대한 책임이 주로 여왕벌에게 있기 때문이다. 여왕벌은 알을 낳는 기계나 마찬가지이며 하루에 알을 2,000개나 낳기도 한다. 여왕벌이 알을 충분히 낳지 못하면 꿀벌 군집이 불안정해질 수 있다. 그래서 핸슨은 일종의 훈련 캠프처럼 여왕벌을 한 상자에 모아놓는다. 여왕벌은 작은 우리 안에서 지내며 칸막이를 통해 다른 벌들이 공급하는 먹이를 먹는다. 이렇게 남는 여왕벌들은 핸슨이 커다란 벌집을 2개로 나눠 군집이 2개가 될 때 투입된다. 한 군집에는 새로운 리더가 필요하기 때문이다. 핸슨과 팀원 10명은 벌집을 살피면서 벌이 수분을 매개하기에 최상의 상태를 유지하도록 노력한다. 그들이 찾으려고 하는 것은 알을 적게 낳거나 일정하지 않게 낳는 여왕벌이다. 이때 남는 여왕벌이 군집에 있던 기존 여왕벌을 대체하기도 한다. "알을 잘 못 낳는 여왕벌을 발견하면 벌집에서 빼내고 다른 여왕벌을 투입합니다. 새 여왕벌은 어리고 활기가 넘쳐서 군집을 잘 돌볼 거예요. 그런 군집은 경제적으로 가치 있는 상품이 됩니다. 여왕벌을 바꿔주지 않았으면 군집은 무너졌을 겁니다."

지난 몇 년 동안 핸슨은 자신이 키우는 벌들의 건강을 유지하기 위해 이런 방법을 쓸 필요가 없었다. 아몬드업계가 잘 돌아간 덕택도 있을 것이다. 이제는 그가 벌어들이는 수입의 약 80%가 수분 서비스를 통해 창출된다. 그 액수의 절반은 아몬드에서 나온다.

아몬드업계는 전반적으로 마케팅을 능숙하게 해냈다. 미국에서만 지난 5년 동안 아몬드 밀크 판매량이 250%나 증가했다. 아몬드는 캘리포니아주의 국내총생산GDP에 매년 110억 달러를 보태며 일자리도 10만 개나 창출한다. 아몬드업계의 발전은 여러 면에서 놀라운 성공 스토리다. 비만 환자가 늘어나고 고기 섭취와 관련된 다양한 환경문제에 대한 걱정이 가득한 사회에서 건강하고 맛있는 견과가 승리한 것이다. 하지만 이런 성장세는 아몬드업계가 자연계를 한계까지 밀어붙이는 것은 아닌지 걱정하게 만든다. 그렇다면 꿀벌에게 압력을 더 가하지 않으면서도 아몬드를 생산할 방법은 없을까?

인간이 주로 기술의 도움으로 딜레마를 극복하듯 농업 종사자들도 기술 개선 덕택에 구원받았다. 아몬드 재배자를 대표하는 캘리포니아 아몬드협회는 회원들이 의지하는 수분 매개자를 도울 계획을 세웠다. 그중에는 바로아응애에 맞설 새로운 무기를 개발하고 땅 주인들에게 들꽃을 더 심어달라고 부탁하는 방법도 있었다. 특색 없는 나무만 줄줄이 서 있는 곳에서는 벌이 먹을 것이 제한적이다. 그래서 더 다채롭고 탄탄한 식단을 위해 들꽃을 심기로 한 것이다. 들꽃 심기 계획은 진전이 제법 있었다. 2013년 이후로 아몬드 재배자들은 들꽃을 심는 데 농장의 땅 140km²를 할애했다. 이 정도는 단일 재배하는 아몬드나무가 차지하는 면적에 비교하면 새 발의 피다. 몇몇 재배자들은 벌이 돈이 되는 아몬드나무보다 들꽃 위에서 더 많은 시간을 보낼까 봐 걱정한다는 사실을 인정한다. 하지만 아몬드 관계자들은 업계가 진보적인 방향으로 나아가고 있다고 주장한다.

캘리포니아 아몬드협회의 농무 책임자 조젯 루이스Josette Lewis는 "저희는 양봉업자와 토종 수분 매개자들에 대한 책임을 진지하게 생각합니다. 하지만 벌이 아몬드를 수분하는 것이 부자연스러운 일은 아니라는 점도 반드시 기억해야 합니다"라고 말한다. 루이스는 아몬드 농장에서 네오니코티노이드를 많이 사용하지 않는다고 강조한다. 꽃이 피는 시기에 살충제도 예전보다 덜 뿌리고 있다고 한다. 야생벌을 돕기 위해 아몬드 재배자의 3분의 1이 산울타리를 만들려고 노력한다. 그중 절반은 지피작물(겨울에 토양의 침식이나 비료의 유실을 막기 위해 심는 클로버나 호밀 따위의 작물 - 역주)을 심기로 했다. 루이스는 인위적으로 깔끔한 단일 재배 모델에 변화가 찾아오고 있다고 주장한다. "모든 아몬드 재배자가 깨끗하고 깔끔한 농장을 추구하는 것은 아닙니다. 우리의 사고가 발전하고 있다는 증거죠." 그녀는 농부들이 새로운 농사법을 위한 연구 비용을 지원하려고 하는 태도가 오랫동안 지속 가능한 농사법을 포용하려는 그들의 의지를 보여준다고 덧붙인다. "농부들이 세운 비전은 오랫동안 지속 가능한 풍경에 속하는 오랫동안 지속 가능한 아몬드 농장을 운영하는 겁니다."

새로운 기술의 개발 덕택에 벌에 대한 수요를 둘러싼 광란이 조금은 누그러질지도 모른다. 아몬드업계가 '인디펜던스 Independence'라고 불리는 아몬드 품종을 개발한 것이다. 이 품종은 자가 수정형이라서 벌이 수분해주지 않아도 된다. 바람이 부는 것만으로도 끈적거리는 수분이 몇 밀리미터를 이동해 꽃의 암술에 도달해 아몬드를 만들 수 있다. 현재 투입되는 벌의 절반만으로도 인디펜던스 아몬드의 생산량을 늘릴 수 있을 것이다.

하지만 수분 매개자가 필요 없는 작물을 만드는 시나리오가 벌에게 꼭 좋은 일만은 아니다. 벌은 현재 인간이 의존하는 수분 사이클에 속해 있는데, 그 덕택에 농부들이 벌이 멸종되지 않도록 신경 쓴다. 어쩌면 작물 수분이 살충제 사용량이 급증하는 것을 막아주는 몇 안 되는 보호 장치 중 하나일지도 모른다. "사람들이 꿀벌의 역할을 인정하고 높이 평가하면서 꿀벌 덕택에 농장의 건강한 환경이 인간의 건강과 연결된다는 사실이 널리 알려졌습니다." 하와이대학교의 연구원 에설 비야로보스Ethel Villalobos는 이렇게 말한다. 그가 참여한 연구는 인디펜던스 아몬드도 벌이 있어야 생산이 더 원활하다는 점을 밝혀냈다. "우리는 자연을 보호하는 것이 가져다주는 이득이 무엇인지 잊어버리는 경향이 있습니다. 벌은 우리가 자연을 보호하기 위해 선택해야 할 것들이 있다는 사실을 직시하도록 도왔습니다."

어쩌면 바로아응애를 어떻게 처리할지 결정하는 것이 가장 어려운 문제일지도 모른다. 잔인할 정도로 진화론적인 해결책은 바로아응애가 꿀벌을 공격해서 전멸하도록 놓아두는 것이다. 그러면 살아남은 벌들이 면역력을 얻어 수백 년에 걸쳐 응애로부터 자유로운 종으로 거듭날 수 있다. 물론 이 계획의 문제점은 그 수백 년 동안 우리가 먹을 음식이 있어야 한다는 것이다. 그래서 양봉업자들이 고생할 수밖에 없다. 조지 핸슨은 다른 양봉업자들처럼 주州에서 승인한 응애 퇴치제가 가득 묻은 플라스틱 조각을 벌집 안에 넣어준다. 벌들이 응애를 몇 마리라도 없애버리길 바라는 마음에서다. 2019년 겨울에 핸슨은 군집의 20%나 잃고 말았다. 개인적으로는 역대 최악의 손실이었지만 미국 평균치보다는 나은 수치였다. 재앙을 피하기 위해 농부들은 끊임없이 투쟁한다. "자연에서도 벌이 아무리 많아 보여도 매년 벌의 개체 수가 늘어나지는 않습니다. 매해 수가 겨우 같은 정도입니다. 만일 군집의 50%가 죽어버리면 저는 그 결과에 만족하지 못할 겁니다."

핸슨의 두 번째 작업장에는 열매가 열리지 않는 벚나무 몇 그루 옆에 파란색과 하얀색 벌집이 모여 있다. 벌집은 아몬드 농장으로 운반되기 전에 마지막 준비 과정을 거치는 중이다. 이곳은 벌을 위한 정차 장소나 마찬가지다. 방충 모자를 쓴 일꾼들이 부지런히 작업한다. 벌 떼가 러시아인으로 이루어진 일꾼들의 머리 위로 날아다닌다. 일꾼들은 벌집의 틀을 제거하고 재배열한다. 땅에는 벌 사체가 널려 있다. 핸슨의 말을 빌자면 군집이 '대청소를 하고 나서' 남긴 잔해다. 벌은 몇 주밖에 살지 못한다. 그래서 벌집에서는 새 생명이 끊임없이 태어나야 한다. 핸슨은 러시아어 전공자답게 일꾼들에게 러시아어로 이야기한다. 일꾼들은 1월의 햇볕을 쬐면서 기분 좋게 벌집을 다룬다.

벌집을 정리하는 작업은 전해 여름에 시작되었다. 핸슨은 여왕벌이 활동하는 시기가 돌아오면 알을 최대한 많이 낳도록 신경 썼다. 군집에 탄수화물과 단백질을 먹여 겨울에 벌이 많이 죽더라도 너무 큰 타격을 입지 않도록 개체 수를 늘리기도 했다. 이렇게 하더라도 양봉업자들이 할 수 있는 노력에 한계가 있다는 느낌을 지우기 어렵다. 핸슨은 이렇게 말한다. "실패할 염려가 없는 관리 방법은 없습니다. 성공이 보장된 비결이 없는 것이죠. 저희가 할 수 있는 최선은 군집을 최대한 건강한 상태로 유지하고 장기적으로 봤을 때 자연적인 면역력이 군집의 몰락을 막을 수 있길 바라는 것뿐입니다. 그것이 저희가 할 수 있는 일입니다."

벌이 죽으면 벌을 인공적으로 채워 넣는 이런 새로운 시스템은 꿀벌이 자연을 상징하는 곤충이라고 여기는 사람들에게는 불편한 진실일 수 있다. 이 세상에는 벌이 2만 종 이상이나 있지만, 인간이 벌에게 기대하는 모든 일을 해내는 것은 꿀벌이다. 꿀벌은 배에 노란색과 검은색 띠가 있고, 8자 춤을 추고, 벌침을 쏘며, 꿀도 만든다. 곤충이 줄어들고 있다며 시위하는 사람 중 꿀벌 차림을 한 사람이 꼭 있게 마련이다.

하지만 실용적 관점에서 보면 꿀벌은 날아다니는 작은 소나 돼지와 크게 다르지 않다. 마트에 과일, 채소, 꿀이 떨어지지 않도록 인간이 체계적으로 사육하는 가축이나 마찬가지다. 우리는 벌이 태평한 여름에 목초지에서 윙윙거리며 날아다니는 모습을 상상하길 좋아한다. 하지만 현실은 미국을 포함한 여러 국가에서 특정 작물을 수분할 야생벌의 수가 충분하지 않다는 것이다.

현재의 식량 시스템이 결점이 많을지 몰라도 인간이 꿀벌을 관리하지 않으면 이 시스템은 완전히 무너질 것이다. 핸슨은 친구의 10대 아들이 사과를 먹으면서 핸슨이 벌을 제대로 대우해주지 않는다고 불평했던 아이러니한 상황을 기억한다. 사과는 중앙아시아의 토종 과일이며 유럽의 식민지 개척자들이 북아메리카로 들여왔다. 사과를 1년 내내 마트에서 살 수 있는 것은 인간이 관리하고 보살피는 꿀벌 무리가 이화 수분을 하는 덕택이다.

하지만 이런 걱정거리가 상호 배타적인 것은 아니다. 꿀벌의 체계적인 수분 시스템은 현대 농업에 필수이며 식량 생산을 안정화하고 양봉업자들에게 꼭 필요한 수익을 제공해준다. 하지만 이런 시스템 속에서 꿀벌은 유독한 화학물질에 노출되고, 응애의 공격을 받고, 질병에 걸리며, 인간의 조화롭지 못한 개입에 시달리는 어려움을 겪는다. 이런 갈등은 양봉업자들이 해결하려고 애쓰는 문제다. 데이비드 하켄버그는 캘리포니아주까지 트럭으로 꿀벌을 운반하는 일을 몇 년 전에 그만두었다. 벌이 센트럴밸리에서 사용하는 화학물질의 영향을 받는 것이 싫었기 때문이다. 하켄버그는 "거기 다녀오면 벌들의 상태가 많이 나빠졌습니다"라고 말한다.

트럭에 실린 채 이동하는 것은 벌에게도 스트레스로 작용한다. 한 지역에서 다른 지역으로 질병이 퍼질 우려도 있다. 벌은 원래 군집을 위한 새로운 서식지를 찾기 위해 움직이는데, 기껏해야 2km 정도만 이동한다. 그런데 인간이 벌집을 운송하는 바람에 벌의 이동 거리가 급격하게 늘어난 것이다. 알렉스 좀첵은 "우리가 보는 풍경에는 '병든' 벌과 벌집이 드문드문 있습니다. 여러 지역을 오가는 양봉업자들이 병에 걸린 꿀벌 군집을 들고 오면 해당 지역의 벌과 식물군도 그 병에 걸리고 맙니다"라고 말한다. 병에 걸린 벌은 식물을 먹으면서 병균을 남겨둘 수 있다. 그러면 다른 수분 매개자들이 그 식물을 찾았다가 병균에 노출되는 것이다. 좀첵은 코로나19 바이러스가 퍼지는 과정도 마찬가지라고 말한다. "바이러스 종류만 다를 뿐, 메커니즘은 똑같습니다."

꿀벌 운송을 계속하는 사람들에게는 양봉이 마치 둥둥 떠 있는 커다란 체에서 물을 퍼내는 것과 같다는 느낌이 들 때가 많다. "지난 40년 동안 '캘리포니아 미네소타 허니 팜스California Minnesota Honey Farms'를 운영해온 양봉업자 제프 앤더슨Jeff Anderson은 이렇게 말한다. "우리는 헤로인 중독자나 마찬가지입니다. 아몬드를 수분하려고 여기까지 나와야 합니다. 그러지 않으면 장사를 접어야 하죠. 이게 벌에게 좋을까요? 당연히 안 좋죠. 매일 독을 먹는다고 생각해보세요. 금방 아플 수밖에 없습니다."

꿀벌은 여러모로 벌 전체를 대표하는 종은 아니다. 미국 정부는 꿀벌과 다른 벌의 경계를 분명히 했다. 꿀벌에게 위협적인 요소를 연구하고 해결하는 정부 부처를 따로 둔 것이다. 한편 미국 농무부 내에는 미국에서 볼 수 있는 다른 벌 4,000종을 전부 책임지는 더 작은 실험실이 있다. 멸종 위기에 놓인 모든 곤충이 상업적으로 가치 있는 가축으로 여겨졌다면 곤충의 세계에 위기가 찾아오지 않았을지도 모른다. 메릴랜드주 벨츠빌에는 1930년대부터 미국 농무부의 꿀벌 연구소가 있었다. 이곳은 워싱턴 D.C.에서 얼마 걸리지 않는 거리에 있다. 벌 실험실은 창문이 불투명하고 벽돌로 지은 커다란 건물 중 3층에 있다. 1층과 2층은 소를 연구하는 공간이다. "아무래도 벌이 연구하기에 더 흥미로운 대상이죠." 이것이 벌 실험실에서 연구를 주도하는 제이 에번스Jay Evans의 확고한 의견이다. 그는 웨이브가 있는 머리에 체크무늬 셔츠를 입고 있으며 꿀벌을 위협하는 다양한 요소 때문에 온종일 노심초사한다.

에번스는 최근에 꿀벌 군집이 대거 죽은 것은 말도 안 되는 일이라고 한다. "겨울이 오기 직전에는 군집의 상태가 제법 좋아 보입니다. 그런데 겨울을 잘 못 나더라고요. 이 일은 예전에는 수동적이었습니다. 스트레스도 적게 받는 편이었고요. 그런데 이제는 스트레스를 아주 많이 받습니다."

벌 실험실은 작은 실험실 여러 개로 구성되어 있다. 실험실에는 벌이 담긴 통이 줄지어 놓여 있고 현미경과 컴퓨터도 있다. 벽은 벌과 관련된 각종 용품으로 가득하다. 양봉업자들은 아픈 벌이나 죽은 벌을 이곳으로 보내 무엇이 문제인지 무료로 알아볼 수 있다. 그래서 한 작업대에는 몸을 가누기 힘들어 보이는 벌이 담긴 봉투와 플라스틱 우편낭이 있다. 냉장고에는 바로아응애가 매달려 있는 벌들이 투명한 유리병에 들어 있다. 지옥에 있을 법한 벌 호텔의 모습이다. 이곳에서 이루어지는 연구 대부분은 꿀벌에게 닥치는 몇 가지 재앙에 대한 이해를 높이고 재앙을 극복하는 것을 목표로 삼는다. 이 재앙에는 노제마Nosema병과 날개의 기형을 유발하는 바이러스 등이 포함되어 있다. 이런 병은 바로아응애의 체내 침입과도 관련이 있다. 병에 걸린 벌에게는 짤막하고 쓸모없는 날개가 생긴다. 그러면 군집에 도움이 안 되고, 이런 벌이 많은 군집은 파멸을 맞을 수밖에 없다. 한편 미국 부저병에 걸린 벌은 냄새가 지독하다. 이 병에 걸린 벌의 유충과 번데기에서는 죽은 물고기와 비슷한 냄새가 난다. 미국 부저병은 세균성 질병이며 벌 유충을 죽인다. 전염력이 워낙 강한 탓에 박테리아가 있는 벌집과 장비를 전부 소각해야만 병이 더 퍼지지 않는다.

벌 연구원들은 이런 질병이 어떻게 퍼지는지 더 잘 이해하게 되었다. 하지만 큰 성과는 올리지 못하고 자잘한 성과만 올리는 실정이다. 맞서 싸워야 할 적이 점점 더 사악해지는 것도 문제다. 2019년에 벌 실험실은 날개 기형을 유발하는 바이러스가 유전적으로 더 다양해졌다는 사실을 발견했다. 이 말은 새로운 치료법을 찾기가 훨씬 어려워졌다는 뜻이다. 바로아응애는 온갖 종류의 살충제에 면역력이 생기고 있어 과학자들은 다른 해결책을 찾느라 고생 중이다. 그들은 최근에 벌의 내장에 있는 박테리아가 응애를 퇴치하는 무기로 쓰일 수 있다는 사실을 알아냈다.

연구원들은 실험실에서 일어나는 기이한 사건도 해결하지 못했다. 실험실 창문 옆에는 나무틀 안에 든 유리 진열장이 있었는데, 그 안에 들어 있던 벌 군집이 최근에 사라지고 말았다. 에번스의 말에 따르면 유난히 따뜻했던 어느 1월에는 여왕벌이 알을 낳는 이상한 일도 있었다고 한다.

2019년 9월에 필자는 에번스를 만나기 위해 벌 실험실을 찾았다. 우리는 하얀색 양봉 작업복을 입었는데, 필자는 옷이 너무 커서 체중이 급격하게 줄어든 귀신처럼 보였다. 우리는 벌 실험실 뒤쪽으로 향했다. 그곳에는 야외용 벌집이 여러 개 있었다. 에번스는 훈연기를 이용해 연기를 내면서 군집의 상태를 확인했다. 벌 떼가 산불이 다가오고 있다고 생각하도록 속여서 벌들의 주의를 흐트러뜨리기 위해서다. 벌이 틀에 잔뜩 몰려든 사이에 상태를 점검하면 된다. 이날은 모든 것이 좋아 보였지만, 위협적인 요소는 언제나 멀리 있지 않다. 벌에 관련된 연구를 선도하는 이 실험실에서도 연구원들의 장기적인 전망은 암울하다. 그들은 점점 더 많이 죽는 벌을 끊임없이 대체해야 할 것으로 예측한다.

우리가 유럽산 꿀벌이라고 알고 있는 종은 사실 북아프리카에서 왔다. 인간은 유럽산 꿀벌의 수가 많은 점을 활용해 유럽 전역에 이 종을 퍼뜨리고 번식시켰다. 그 결과 이베리아반도, 이탈리아-스위스, 튀르키예산 아종이 생겼다. 그러다 초창기 식민지 개척자들이 유럽산 꿀벌을 짚으로 만든 벌집에 담아 아메리카 대륙으로 들고 갔다. 깜짝 놀란 북아메리카 원주민들은 이 꿀벌을 '백인이 가져온 파리'라고 불렀다. 양봉은 한동안 소소하고 별난 취미 정도로 여겨졌다. 그러다 1850년대에 오하이오주 옥스퍼드에서 조용한 혁명이 일어났다. 로렌조 랭스트로스Lorenzo Langstroth라는 성직자가 '곰돌이 푸에 나오는 나무'로 불리는 나무들이 베이고 자신의 집 옆으로 운반되는 모습을 유심히 지켜보았다. 그러고는 벌이 나무에 만든 벌집의 크기가 다 똑같다는 사실을 발견했다. 벌이 통과할 수 있도록 틈이 전부 1cm 정도 되는 것이다.

현재 옥스퍼드에 사는 좀책은 "그것이 그가 깨달음을 얻은 순간이었습니다. 그런 공간은 벌이 서식하기에 최적의 조건을 갖췄습니다. 크기가 너무 크지도 않고 작지도 않죠. 간격을 그렇게 맞춰주면 벌집을 상자로 옮길 수도 있습니다. 그러면 벌은 그 상자 안에서 군집을 형성할 겁니다"라고 말한다. 이런 휴대용 벌집의 발명은 땅의 생산성을 극대화하고 미국이 소규모 가족 농장이 많은 국가에서 기업형 농업을 선도하는 국가로 발전하도록 도왔다. 이제 미국에는 잡초 하나 없는 광활한 들판이 끝없이 펼쳐져 있으며, 그곳에서 온갖 종류의 살충제를 동원해서 단일 작물을 키운다. 좀책은 "휴대용 벌집 없이는 현대 농업을 논할 수 없습니다"라고 덧붙인다.

우리는 그 이후 꿀벌을 여러모로 활용할 방법을 생각해냈다. 북대서양조약기구NATO가 자금을 댄 한 프로젝트에서는 꿀벌이 매우 특이한 일을 한 적이 있다. 꿀벌이 설탕물을 폭발물의 냄새와 연관시키도록 훈련받은 것이다. 그 결과 크로아티아에서 진행한 실험에서 벌이 벌집의 반경 2km 안에서 폭발물을 능숙하게 찾아냈다. 놀랍게도 폭발물 탐지견보다 좋은 성적을 거두었다. 우리는 식량을 생산할 때 꿀벌을 동원하는 데서 그치지 않고 꿀벌이 지뢰도 찾아주길 바라는 것이다.

이런 새로운 현실은 꿀벌에게는 좋은 면도 있고 나쁜 면도 있다. 하지만 몇 안 되는 꿀벌 종에만 사람들의 관심이 쏠리면서 다른 벌들이 겪는 생존 위기는 알려지지 않았다. 어쩌면 꿀벌이 관심을 독차지하면서 다른 벌들이 위기를 맞았을지도 모른다. 가장 심각한 멸종 위기에 처한 벌은 호박벌과 단생벌을 비롯해 인간이 관리하지 않는 종이다. 문제는 이런 벌들이 지구상에 있는 벌 2만 종의 대부분을 차지한다는 것이다. 랭커스터대학교의 곤충학자 필립 돈커슬리Philip Donkersley는 이렇게 말한다. "꿀벌은 수분 매개자로서 훌륭한 모델이지만 사람들의 관심을 너무 많이 받습니다. 꿀벌이 관심을 독차지하면서 야생 수분 매개자들은 보호받지 못하는 것이죠."

야생벌의 상태는 인간이 관리하는 꿀벌만큼 잘 알려지지 않았다. 하지만 여러 연구를 살펴보면 야생벌의 세계가 잘 돌아가고 있지 않다는 사실을 알 수 있다. 2017년에 발표한 IPBES 보고서에 따르면 유럽 북서부와 북아메리카에서 야생 수분 매개자가 줄어들고 있다고 한다. 이 말은 위기의 정확한 규모를 파악하기 위해서는 '국가적으로 또는 국제적으로 수분 매개자와 수분 활동을 장기적으로 모니터하는 일이 시급하다'는 뜻이다. 우리는 조사해보지 않아도 야생 수분 매개자의 개체 수가 조금만 줄어들지는 않았으리라는 것을 안다. 국제자연보전연맹은 2015년에 처음으로 유럽에 서식하는 야생벌 거의 2,000종을 평가했다. 그러고는 데이터가 부족하다는 점을 인정하면서도 야생벌 10종 중 1종이 멸종 위기에 처했다고 언급했다. 이 수치에는 놀랍도록 급감하는 종도 포함되어 있다. 유럽에 서식하는 호박벌 종의 4분의 1이 완전히 사라질 위험에 놓인 것이다.

이제는 우리에게 익숙해진 여러 요인(살충제의 사용, 사일리지의 집중 생산으로 인한 풀 많은 목초지의 파괴, 농기구로 밀어버린 들꽃)이 야생벌을 괴롭힌다. 꿀벌과 달리 야생벌은 헌신적으로 돌봐주는 사람도 없고 뒤늦게나마 걱정해주는 거대 기업도 없다. 야생벌의 고충은 다른 대륙에서도 이어진다. 미국에서는 사람들이 모하비 포피벌Mojave Poppy Bee의 멸종을 막으려고 안간힘을 쓰고 있다. 모하비 포피벌은 네바다 사막의 특정 지점 일곱 군데에서만 볼 수 있다. 이 벌은 꿀벌처럼 검은색과 노란색 줄무늬가 있지만 배가 더 날씬하다. 희귀한 양귀비꽃 2종이 감소하면서 모하비 포피벌도 보기가 어려워졌다. 이 꽃과 모하비 포피벌이 서로에게 중요하기 때문이다. 미국 동부 지역에서는 뉴햄프셔대학교의 박물관 컬렉션을 분석한 결과, 뉴잉글랜드에 서식하는 벌 14종의 개체 수가 지난 100년 동안 최대 90%나 감소했다는 것이 밝혀졌다. 땅에 집을 짓는 가위벌과 애꽃벌Mining Bee도 여기에 포함된다. 연구원들은 이런 추세 때문에 "핵심 작물 생산과 전반적인 식량 공급이 위태로워질 우려가 있다"라고 경고했다.

야생벌이 급감하고 있다는 사실을 뒤늦게 인정한 기관도 있다. 미국 정부는 2017년에 토종벌 1종을 처음으로 멸종 위기종으로 지정했다. 러스티 패치드 호박벌Rusty Patched Bumblebee의 개체 수가 무려 95%나 감소했기 때문이다. 이 벌은 한때 들꽃, 크랜베리, 사과를 수분하는 중요한 역할을 했지만 미국 동부의 목초지와 초원에서 사라져버렸다. 이제는 외딴 지역 몇 군데에서만 이 벌을 볼 수 있다. 안타깝게도 멸종 위기종으로 지정될 만한 후보는 많다. 생물 다양성 센터Center for Biological Diversity는 북아메리카와 하와이에 서식하는 토종벌 4,000종 이상을 살펴본 결과, 연구 데이터가 충분한 종의 절반 이상이 개체 수가 줄어들고 있다는 것을 알아냈다. 걱정스럽게도 그중 4분의 1이 벼랑 끝에 몰려서 멸종되기 직전이다.

다른 벌들은 꿀벌보다 훨씬 큰 위험에 처해 있다. 문제는 이런 벌들이 꿀벌이 비효율적으로 하는 일이나 아예 못하는 일을 한다는 것이다. 예를 들면 과수원 뿔가위벌(Blue Orchard Bee, 갈대나 버려진 구덩이에 집을 짓고 진흙으로 만든 방에서 새끼를 키우는 벌)은 꿀벌보다 체리와 아몬드를 수분하는 일을 훨씬 잘한다. 하지만 이 단생벌은 번식 속도가 느려서 꿀벌보다 '가성비'가 떨어진다.

다른 벌들이 하는 일 중에는 단순히 꿀벌의 능력치를 넘어서는 일도 있다. 꽃가루는 사실상 식물의 정자나 마찬가지다. 벌은 꽃의 꿀을 무료로 마시는 대신 꽃가루를 몸에 묻힌 채 이동한다. 하지만 꽃가루를 얻기 까다로운 식물도 있다. 토마토, 피망, 호박, 블루베리, 크랜베리는 전부 꽃가루를 방출하기 위해 자극이나 진동 수분이 필요한 작물이다. 호박벌은 날개를 1분에 2만 4,000번 떨 수 있을 만큼 크고 무겁다. 호박벌이 날개를 떨면 화가 난 것 같은 독특한 소리가 난다. 이 정도로 빠른 진동은 전투기 조종사가 경험하는 중력가속도의 5배나 되는 50G의 힘을 낼 수 있다. 꿀벌은 진동 수분을 할 줄 모른다. 이 기술을 사용하면 화방에 있던 꽃가루가 떨어져 나오고 앞에서 열거한 식물들이 번식할 수 있다. 호박벌은 털이 많고 포동포동해서 꽃가루를 끌어모으고 퍼뜨리기에 이상적이다. 따라서 토마토로 가득한 온실에 호박벌 무리가 있으면 매우 유용할 것이다. 유럽에서는 매년 호박벌 군집 약 200만 개가 60개국 이상으로 수출되어 온실로 향한다. 하지만 호박벌의 이런 대대적인 수송이 오히려 역효과를 불러온 국가도 있다.

칠레는 세상에서 가장 큰 호박벌이 있는 국가다. 자이언트 골든 호박벌Bombus Dahlbomii은 털이 매우 많으며 길이가 4cm나 된다. 이 벌은 별명이 '날아다니는 쥐'이며 유럽산 벌이 들어오면서 경쟁에서 밀려나 개체 수가 급감하고 있다. 칠레에서는 자이언트 호박벌을 살리기 위한 공공 캠페인을 벌인다. 이 벌은 현지에서 '왕벌Moscardón'이라고 알려져 있으며, 토착민들은 죽은 자의 영혼이 깃들어 있다고 여기고 이 벌을 숭배한다. 유럽에서 온 벌들이 '왕벌'을 내쫓았다는 것은 침울한 아이러니다. 유럽산 벌들이 막상 고향인 유럽에서는 멸종 위기에 놓여 있기 때문이다. 이런 야생벌은 꿀벌과 달리 많은 개체 수에 의지할 수 없다. 땅에서 사는 호박벌은 기껏해야 수백 마리가 모여 생활하지만, 벌집에서 사는 꿀벌은 수만 마리가 모여 산다.

야생벌 군집의 수가 워낙 적다 보니 살충제나 질병 등 벌의 서식지를 파고드는 어떤 위험 요인이든 큰 재난을 초래할 수 있다. 그래서 진동기를 이용해 토마토를 진동 수분하는 사람들도 있다. 하지만 기계를 이용하는 수분 작업은 인내심 없이는 할 수 없다. 한 실험에서는 진동기로 토마토 모종 640개를 수분하는 데 12시간 가까이 걸렸다. 모종 하나당 1분이 조금 넘게 걸린 것이다.

벌은 매일 무료로 우리에게 득이 되는 여러 일을 해준다. 캐슈부터 그레이프프루트에 이르기까지 각종 식물을 수분할 뿐만 아니라 밀랍을 제공하기도 한다. 밀랍은 벌이 벌집을 만들기 위해 생산하는 밀폐제다. 우리는 밀랍을 립밤이나 프로폴리스 같은 제품에 이용하고 현악기에 광을 내는 데 쓰기도 한다. 일부 국가에서는 밀랍을 치약에도 사용한다. 인간의 기술이 수분 매개자의 역할을 대신할 준비가 되어 있다는 증거는 거의 없다. 따라서 농업의 미래를 생각할 때 대규모 일꾼들이 벌 대신 수분 작업을 하는 광경은 그리 생뚱맞은 것은 아니다.

이런 시나리오는 중국 남서부 일부 지역에서 이미 현실화되고 있다. 살충제 사용이 만연하고 벌의 자연 서식지가 부족해지면서 최근 몇 년 동안 해당 지역의 사과와 배 과수원에서 벌을 보기가 어려워졌다. 그래서 잃어버린 벌을 대체하기 위해 농장 일꾼들이 과수원에 있는 나무를 손으로 수분하기 시작했다. 그들은 꽃가루가 들어 있는 통과 붓이나 닭의 깃털이 한쪽 끝에 붙어 있는 나뭇가지를 이용했다. 꽃가루를 이 꽃에서 저 꽃으로 옮기는 것은 고생스러운 일이다. 하지만 저렴한 노동력 덕택에 중국의 시골에서는 이런 방법을 실제로 쓸 수 있다.

한편 세계 각지에 있는 다른 농장들이 손으로 수분할 노동력을 찾고 그에 따른 비용을 내기는 어려울 것이다. 또 이런 방법으로는 벌만큼 수분을 잘하기도 어렵다. 벌은 최초의 인간이 점심으로 무엇을 먹을지 고민하기 한참 전부터 식물과 함께 진화해왔다. 상황이 이렇다 보니 유럽처럼 야생벌이 농작물 수분의 대부분을 담당하는 지역에서는 걱정이 클 수밖에 없다. 일반적으로 유럽 국가들은 미국보다 들판의 면적이 작고 벌이 좋아하는 산울타리가 더 많이 남아 있다. 이 말은 꿀벌이 농작물을 수분하려고 전략적으로 배치한 상자에서 나와 먼 거리를 날아갈 필요가 없다는 뜻이다.

야생벌이 대거 사라지는 바람에 자연의 질서 정연한 서비스 시스템이 무너지고 있다. 유럽은 농작물을 수분시키기 위해 인간이 관리하는 꿀벌에 더 많이 의존할 것이다. 그러면 중·단기적으로는 식량 안보 위기를 간신히 모면할 수 있을 것이다. 그 대신 미국처럼 꿀벌에게 지나치게 의존할 수밖에 없는 처지에 놓이게 된다. "우리는 갈수록 꿀벌에게만 의지하게 될 겁니다. 하지만 인간이 수천 년에 걸쳐 깨달은 것이 있다면 무엇이든 한 가지에만 의지했다가는 그것이 망가지는 순간 더는 아무것도 하지 못하게 된다는 것이죠." 랭커스터대학교의 곤충학자 돈커슬리의 말이다.

유럽에는 호박벌이 68종 있다. 그중 절반 정도는 개체 수가 줄고 있으며 16종은 멸종 위기에 처해 '적색 목록'에 올라 있다. 돈커슬리가 개인적으로 가장 좋아하는 종은 빌베리 호박벌Bombus Monticola 이다. 이 벌은 배가 주황색과 빨간색이 섞인 매력적인 색이며 산악지대 몇 군데와 고지대 황야에서만 볼 수 있다. 돈커슬리는 요크셔데일스Yorkshire Dales의 한 산봉우리에서 달리다가 빌베리 호박벌 한 마리를 커다란 포충망으로 잡은 적이 있었다. 그는 이를 '전형적인 곤충학자다운' 경험이었다고 표현한다. 하지만 사람들이 뇌조를 사냥하기 위해 빌베리 호박벌의 서식지를 주기적으로 불태우기 때문에 이 벌의 미래는 밝지 않다.

꿀벌이 식물을 무작위로 고르는 것과 달리 호박벌은 식물을 체계적으로 수분한다. 호박벌은 공중에 떠 있으려면 굉장히 빠르게 날갯짓을 해야 한다. 초당 약 200번이나 날개를 움직여야 하다 보니, 그 과정에서 엄청난 양의 에너지를 소비한다. 서식스대학교 생물학 교수 데이브 굴슨은 2010년에 쓴 논문에서 호박벌이 벌새를 포함한 그 어떤 생물보다 대사율이 높다고 밝혔다. 한 남자가 초코바 1개를 먹으면 그만큼의 에너지를 소비하는 데 1시간 정도 걸린다고 치자. 그러면 호박벌은 남자와 같은 크기일 때 같은 양의 에너지를 단 30초 만에 소비할 것이다. 따라서 호박벌은 꿀이 많이 들어 있는 꽃에서 엄청난 양의 에너지를 얻어야 한다. 굴슨은 '이런 점이 현대의 영국에 서식하는 호박벌들이 직면한 여러 문제의 핵심이다'라고 썼다. 그는 100년 전에 흔히 볼 수 있었던 호박벌을 찾느라 잉글랜드 남부를 쓸쓸히 돌아다녔다. 시골에 초원과 들꽃이 거의 다 없어지는 바람에 호박벌을 비롯한 여러 야생벌이 빠른 속도로 줄어들고 있다. 2019년에 발표된 한 연구에서는 영국에 서식하는 야생벌과 꽃등에의 3분의 1이 개체 수가 감소하고 있다는 결론을 내렸다.

호박벌이 사라지면 끔찍한 결과가 나타날 것이다. 굴슨은 "호박벌은 아마도 유럽부터 중국과 북아메리카에 이르기까지 가장 중요한 야생 수분 매개자일 겁니다. 호박벌 없이는 씨앗을 전혀 뿌리지 못할 식물이 제법 많습니다"라고 말한다. 꿀벌과에 속하는 벌(꿀벌, 호박벌 등) 말고도 벌에는 다양한 종류가 있다. 하지만 대부분은 8자 춤을 추거나 꿀을 만들지 못한다. 다행히 여왕벌이나 군집 없이 혼자 사는 단생벌도 수분 작업을 한다. 단생벌은 미국에 서식하는 벌 종의 98%나 차지하며 국제적으로도 중요한 수분 매개자다.

사람들은 대체로 이런 종류의 벌을 말벌이나 미지의 종으로 여긴다. 가위벌과에 속하는 벌은 머리가 크고 턱 힘이 세다. 가위벌은 이런 턱으로 집을 지을 때 사용할 나뭇잎, 진흙, 자갈, 목재 펄프를 으깬다. 가위벌은 땅굴, 나무 구멍, 달팽이 껍데기에서 산다. 가위벌 중에는 갈대 속에서 사는 방법을 익히고 알이 잡아먹히지 않도록 집 입구와 똑같은 크기로 나뭇잎을 자를 수 있는 벌도 있다. 꼬마꽃벌과에 속하는 벌들도 땅에 집을 짓고 산다. 꼬마꽃벌과 중 하나인 땀벌은 땀이 나는 사람의 이마에 묻은 소금기를 핥는 습관이 있어서 그런 이름이 붙었다. 땀벌의 먼 친척뻘인 알칼리벌Alkali Bee은 배에 예쁜 무지갯빛 띠가 있는 것으로 잘 알려져 있다. 오스트레일리아 퀸즐랜드주 최북단에 서식하는 콰지헤스마벌Quasihesma Bee은 크기가 매우 작아서 길이가 1.8mm밖에 안 되고 털이 없다. 애꽃벌은 지하에 굴을 뚫을 수 있고, 독수리벌Vulture Bee은 꽃의 꿀이나 꽃가루 대신 죽은 동물의 썩은 고기를 먹는다. 독수리벌은 날카로운 턱을 이용해 사체의 눈을 찢은 후 고기를 전부 벗겨낸다.

안타깝게도 꿀벌 때문에 이런 경이로운 벌들이 간접적으로 피해를 보는 경우가 있다. 버몬트대학교의 수분 전문가 서맨사 앨저 Samantha Alger는 2019년 여름에 동료 3명과 함께 꿀벌이 야생벌에게 질병을 옮긴다는 것을 증명하기 위한 연구에 돌입했다. 그들은 버몬트에 있는 벌 분포 지역 12곳 이상을 조사했다. 그러고 나서 상업용 꿀벌이 사는 벌집의 반경 300m 내에 있는 호박벌이 다른 호박벌보다 꿀벌이 자주 걸리는 질병에 더 많이 걸린다는 것을 밝혀냈다. 과학자들이 조사한 질병은 날개의 기형을 유발하는 바이러스와 여왕벌에게 치명적인 '검은 여왕벌방 바이러스 Black Queen Cell Virus: BQCV' 였다.

앨저의 팀은 꿀벌이 사는 벌집 옆에 있는 꽃에서도 같은 바이러스를 발견했다. 하지만 벌집에서 멀리 떨어진 호박벌이나 식물에서는 바이러스의 흔적을 찾지 못했다. 이런 연구 결과는 과학자들의 우려가 사실임을 보여줬다. 수분 작업을 위해 꿀벌을 대규모로 이동시키는 행위 때문에 온갖 야생벌이 끔찍한 질병을 얻는 것이다. 앨저는 "사람들은 꿀벌이 수분 매개자 보호를 상징하는 곤충이라고 잘못 생각하고 있습니다. 말도 안 되는 소리죠. 닭이 조류 보호를 상징하는 동물이라고 하는 것이나 마찬가지입니다"라고 말한다.

이 지역에서 이루어진 기존 연구를 검토하는 보고서가 2017년에 발표되었다. 연구 결과는 엇갈렸지만, 사례 대부분에서 꿀벌이 야생벌에게 해를 끼친다는 결론이 나왔다. 꿀벌이 야생벌에게 질병을 옮기기도 하고 같은 서식지에 사는 야생벌과의 경쟁에서도 승리하는 것이다. 한 해 전인 2016년에 발표된 과학 논문에서는 바로아응애가 꽃에 앉아 있다가 호박벌처럼 꽃을 찾아오는 벌의 등에 '민첩하게 올라갈' 수 있다는 것을 발견했다.

벌 사이에서 일어나는 이런 문제는 곤충 위기에 대응하는 가장 인기 있는 방법에 오점을 남겼다. 그 방법은 바로 도시 양봉이다. 전 세계적으로 디트로이트부터 런던과 시드니에 이르기까지 정원이나 옥상에 벌집을 두는 사람의 수가 급격하게 늘어나고 있다. 양봉 강의를 신청하는 사람들도 대거 늘었다. 여러 기업이 회사 옥상에 벌집을 놓고 환경에 신경 쓰고 있다고 자랑하기도 한다. 베를린에서는 도시 양봉이 워낙 인기가 많아 벌을 잡는 사람들 약 30명이 새로운 직업(독일어로 'Schwarmfänger')을 만들어냈다. 이들은 초보 양봉가들이 양봉을 부담스럽게 여겨서 그만두길 원할 때 그들이 관리하던 벌집을 처리해준다. 벌집은 주로 집의 처마 밑이나 가로등 기둥에 붙어 있다. 벌을 잡는 자원봉사자 앨프리드 크라예브스키Alfred Krajewski는 〈뉴욕 타임스〉와 나눈 인터뷰에서 이렇게 말했다. "도시 양봉은 요새 인기가 많습니다. 사람들은 발코니 어딘가에 벌집을 걸어두고 자신이 자연을 위해서 노력한다고 생각합니다."

벌집은 아무나 들일 수 있다. 그래서 전쟁으로 피폐해진 시리아나 탄자니아에 있는 난민 수용소에서도 벌을 키우는 사람이 있다.

그렇다고 해서 꿀벌을 키우는 일이 항상 좋은 것은 아니다. 꿀벌은 수가 워낙 많아 도시 환경을 금세 장악한다. 하지만 도시에는 벌이 먹을 수 있는 식물이 적어 꿀벌이 잔뜩 먹고 나면 수가 부족한 야생벌이 먹을 것이 별로 안 남는다. 다행스럽게도 벌 키우는 것을 좋아하는 사람들은 벌이 먹을 수 있는 다양한 꽃을 심을 확률도 높다. 이런 사람들은 병든 호박벌에게 설탕 시럽을 먹일 확률도 더 높을 것이다. 하지만 도시에서 벌을 키우면 야생벌이 서식지를 잃고 새로운 질병에 걸릴 우려가 있다.

벌은 특이하게 열대보다 온대지방에서 더 다양한 종을 볼 수 있다. 하지만 꿀벌이 사는 벌집이 도시에 가득하다면 이런 차이는 크게 나타나지 않을 것이다. 영국 왕립식물원Kew Gardens은 2020년에 발표한 보고서에서 영국의 도시 지역에 있는 땅 1km²당 벌집을 7개 정도 감당할 수 있을 것으로 추측했다. 하지만 런던에는 지금 땅 1km²당 벌집이 50개가 넘는 지역도 있다. 브리스틀대학교의 생태학자 제인 메모트는 〈가디언〉과의 인터뷰에서 잘 관리되지 않는 벌집은 '전염병과 감염으로 얼룩진 작은 생태계'가 되어버렸다고 말했다.

돈커슬리는 "꿀벌을 들이면 본의 아니게 호박벌과 단생벌을 전부 굶기게 될지도 모릅니다. 도시에는 수분 매개자가 서식할 공간이 많지 않습니다. 그런 상황에서 꿀벌이 늘어나면 공간에 대한 부담만 커집니다"라고 말한다. 시골에서도 꿀벌이 문제를 일으킬 수 있다. 오스트레일리아의 과학자들은 최근 꿀벌을 '해충'이라고 부르면서 국립공원에 인간이 관리하는 벌집을 두지 말 것을 당국에 청원했다. 그들은 꿀벌이 토종벌에게 노제마병을 옮기고 사람들이 싫어하는 침입성 잡초를 수분할까 봐 걱정했다. 농작물을 떠올리거나 수염을 기른 힙스터가 건물 옥상에서 꿀을 만드는 장면을 생각하지 않는 이상 꿀벌에 대한 애정은 금방 식을 수 있다.

좀첵은 "꿀벌은 꿀과 꽃가루를 대단히 잘 모으는 곤충입니다"라고 말한다. 꿀벌은 꿀 45kg을 모아야 군집과 함께 1년을 날 수 있다. 꿀 500g을 얻으려면 꽃이 200만 송이나 필요하다. 따라서 벌집이 100개나 1,000개씩 되면 꽃을 피우는 식물이 수천억 개나 필요해진다. 좀첵은 이렇게 묻는다. "어떤 현대적인 농업 지역이 이런 상황을 감당할 수 있겠습니까? 꿀벌이 시골을 휩쓸고 나면 다른 수분 매개자들은 무엇을 먹고 살까요?"

동물을 보호하려는 노력은 이런 문제로 가득하다. 판다처럼 생태학적으로 미미한 역할을 하는 동물에게 사람들의 관심이 집중된다. 그러다 보니 산호초나 용감무쌍한 엔지니어인 비버같이 환경에 핵심적인 역할을 하는 생물이 관심을 충분히 받지 못한다. 하지만 이것이 판다의 잘못은 아니듯 꿀벌에게도 잘못이 없다. 지구를 이상하고 자기 파괴적인 방식으로 재단장한 것은 다름 아닌 인간이다. 특정한 생물이 다른 생물보다 더 가치 있다는 편견은 인간이 만들어낸 것이다.

현대인이 가까이 지내는 동물은 반려동물과 가축, 그리고 광고와 어린이책에 주기적으로 등장하는 자연 다큐멘터리 속 이국적인 동물들이다. 꿀벌은 좋건 나쁘건 이런 카테고리 2개에 걸쳐 있다. 사람들이 친숙하게 느낄 만큼 흔하면서도 꿀을 만드는 마법 같은 면이 있는 것이다. 꿀벌은 인간에게 자신들의 다양한 능력을 착취해달라고 부탁하지 않았다. 우리는 식량 생산에 도움을 받기 위해 꿀벌을 전 세계에 퍼뜨리고, 꿀벌은 돌아다니면서 질병에 걸린다. 정치인들은 꿀벌을 소품처럼 사용했고, 마케팅 담당자들이 조사를 게을리하는 바람에 꿀벌이 졸지에 곤충 보호의 상징이 되어버렸다. 우리가 앞으로 할 수 있는 최선의 일은 꿀벌을 통해 다른 수분 매개자들도 관심을 받도록 신경 쓰는 것이다. 오랑우탄이나 호랑이 같은 '핵심' 동물들이 동물의 세계를 대표해서 사람들이 동물을 보호하도록 유도하는 것처럼 말이다.

벌이 우리에게 유용한 면만 따지기보다는 벌의 본질적인 가치를 존중해주는 것이 좋다. 마구잡이로 뻗어나가는 식량 생산 시스템에서 벌을 제외할 수는 없겠지만, 이런 경이로운 생명체가 오랫동안 건강하게 생활하도록 도울 방법을 생각해볼 수는 있을 것이다.

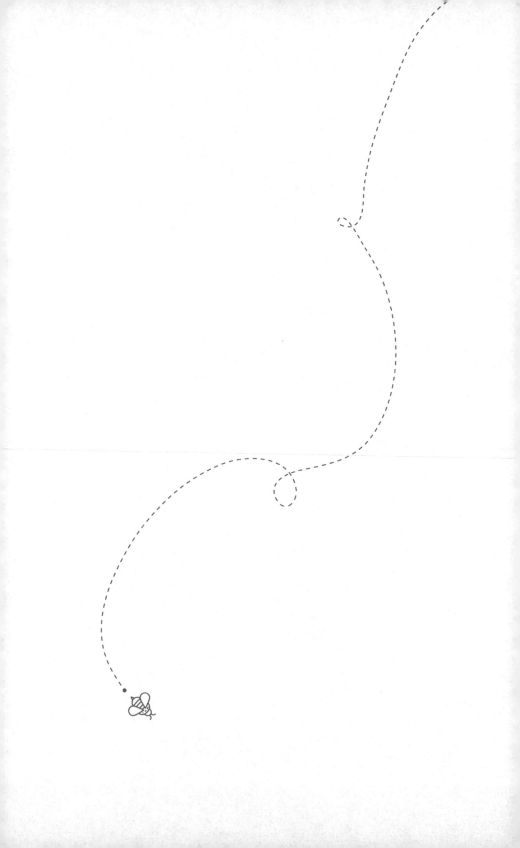

7장

제왕나비의
여정

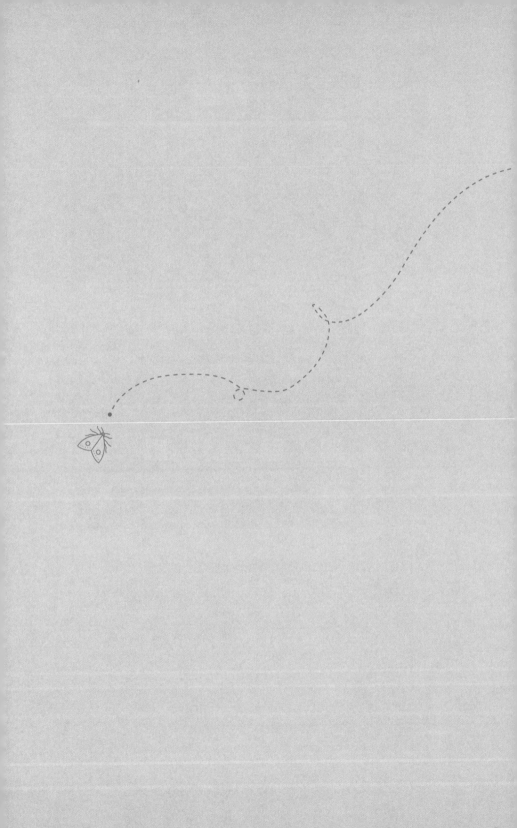

> "제왕나비는 지구상의 독특한 것들을 대표합니다. 하지만 인간
> 이 제왕나비를 없애고 있죠."
>
> _ 나비 전문가 오를리 테일러(Orley Taylor)

캘리포니아주에서는 한 해가 벌의 대규모 유입으로 시작
되고 다른 곤충의 대규모 이동으로 끝난다. 해가 끝나갈 무렵에 이
루어지는 이동에는 트럭 운전사, 전신을 감싸는 하얀색 양봉 작업복,
벌이 가득한 벌집이 필요 없다. 매년 10월 주황색과 검은색을 띠는
제왕나비 떼가 멀게는 아이다호주와 유타주에서 날아와 캘리포니아
해안에 있는 서퍼, 기술직 사람들과 어울린다.

이 장관은 캘리포니아 남부에 점점이 있는 수풀로 관광객들을
이끈다. 그곳에서는 제왕나비가 상대적으로 따뜻한 겨울에 유칼립
투스나무에 모여드는 모습을 볼 수 있다. 이와 거의 같은 시기에 또
다른 제왕나비 무리는 더 멀고 고생스러운 여정을 나선다. 이 나비들
은 여러 세대를 거쳐 국경을 넘는다. 미국 북동부와 캐나다에서 출발
해서 남쪽에 있는 시에라마드레Sierra Madre산맥의 엄선된 비밀 은신

처 약 12군데로 향한다. 시에라마드레산맥은 멕시코 중부를 가로지르는 바위투성이 산맥이다.

현대의 항공기가 엔진을 동원해 약 5시간에 걸쳐 승객들을 뉴욕에서 멕시코시티까지 데려다준다는 점을 생각해보면 같은 길로 다니는 제왕나비의 여정은 실로 놀랍다. 연약하고 가느다란 제왕나비의 무게는 건포도 하나와 비슷하다. 그런데도 날개, 기류, 정교하게 가다듬은 본능을 이용해 거의 4,800km나 되는 여정을 소화해낸다. 놀랍게도 제왕나비 수백만 마리가 겨울마다 이런 여정을 완주하며, 어떤 제왕나비는 하루 만에 무려 400km나 날기도 한다.

과학자들은 제왕나비가 길을 잃지 않고 이렇게 먼 거리를 날수 있는 비결을 알아내려고 오랫동안 골몰했다. 그러다 최근에 몇 가지 답이 제시되었다. 한 연구에서는 나비 여러 마리를 초소형 모의비행 장치에 넣었다. 그 덕택에 제왕나비의 더듬이에 '빛에 민감한 자기 센서'가 있다는 사실이 밝혀졌다. 이 센서는 제왕나비가 남쪽에 있는 멕시코까지 날아갈 때 나침반 역할을 한다.

제왕나비는 추위를 피해 남쪽으로 도망갔다가 알을 낳기 위해 여러 세대에 걸쳐 단계적으로 북쪽으로 돌아온다. 제왕나비가 가장 좋아하는 초본식물은 아스클레피아스milkweed다. 이런 식물이 봄에 꽃을 피우면 거기에 알을 낳는다. 알이 부화하면 나비의 애벌레는 그식물만 먹고 자란다. 제왕나비는 냉혈동물이라서 최적의 기후 조건에서만 번성한다. 제왕나비가 언제 떠나야 하는지 정확하게 알아내는 방법을 밝히려면 복잡한 실험을 거쳐야 한다.

연구원들은 20년에 걸쳐 북아메리카 전역에서 남쪽으로 이동하는 제왕나비를 추적했다. 자원봉사자들은 100만 마리가 넘는 제왕나비에게 작고 동그란 태그를 부착하는 고된 작업을 했다. 태그를 단 제왕나비 떼가 멕시코에 도착한 뒤 태그 중 약 1만 3,000개가 회수되었다. 연구원들은 데이터를 기록하다 흥미로운 사실을 발견했다. 제왕나비가 태양의 각도에 따라 여정을 시작하고 속도를 조절한다는 것이다. 제왕나비 대부분은 출발지가 어디든 상관없이 정오의 태양이 수평선과 약 57도를 이룰 때 날아올랐다. 제왕나비는 여정의 중간쯤에 속도를 높여 하루에 평균 47km나 날아간다. 그러다 하루에 약 16km로 속도를 줄여서 날아 멕시코에 도착한다.

제왕나비의 이동을 둘러싼 미스터리는 밝혀내기 어렵다. 하지만 제왕나비가 나는 모습이나 나무에 앉아 있는 모습은 어쩌면 가장 순수한 형태의 아름다움일지도 모른다. 커다랗고 자애로운 제왕나비 떼가 따분한 색으로 가득한 우리 일상에 주황색과 검은색으로 생기를 불어넣으며 머나먼 땅으로 향하는 모습은 정말 아름답다.

제왕나비가 워낙 대규모로 이동하다 보니 기상 레이더에 포착될 정도다. 이 여정은 영향력이 커서 제왕나비가 지나가는 길 아래에 사는 사람들은 제왕나비의 팬이 되었다. 미네소타주의 상원 의원 에이미 클로버샤Amy Klobuchar는 교사였던 어머니가 매년 제왕나비 분장을 하고 '멕시코 아니면 죽음을 달라'라고 쓰인 팻말을 들고 있던 모습을 기억한다. 사실 곤충 세계에는 제왕나비보다 더 긴 여정을 떠나는 곤충도 있다. 길이가 4cm인 된장잠자리는 1만 8,000km나 되는 인도와 아프리카 사이 지역을 날아간 기록이 있다. 하지만 제왕나비처럼 대규모로 편대를 지어 반복적으로 이주하는 경우는 없다.

제왕나비의 이주를 연구하는 생태학자 대라 새터필드Dara Satterfield는 "생각해보면 너무나 놀랍습니다"라고 말한다. 남쪽으로 향하는 제왕나비들은 텍사스주를 지나갈 때 편대에서 벗어나 뚜렷한 형태 없이 날아가는 경향이 있다. 새터필드는 몇 년 전에 댈러스에서 이런 광경을 목격한 적이 있다. "제왕나비 수백 마리가 한 정원에 있는 프로스트위드frostweed를 정신없이 먹고 있더라고요. 나비들이 꽃을 먹으면서 에너지를 보충하는 데 하도 정신이 팔려 있어서 포도를 따는 것처럼 나비를 꽃에서 손쉽게 떼어낼 수 있었습니다." 제왕나비는 텍사스주를 통과하면서 폭풍이나 굶주림부터 인간으로 인한 재앙에 이르기까지 무수히 많은 위험에 처한다. 10번 주간 고속도로처럼 특정한 로드킬 위험 지역에서는 제왕나비 수백만 마리가 차와 트럭에 치여 목숨을 잃는다. 이 도로는 미국 남부를 느슨한 벨트 모양으로 가로지른다. 여정을 무사히 마친 나비들도 안심할 수 없다. 제왕나비의 약 95%가 은신처 몇 군데에 모여 있다 보니 폭풍이 오거나 기온이 많이 오르는 것만으로도 제왕나비의 개체 수가 크게 줄어들 가능성이 있다. 2016년에 실제로 강력한 폭풍이 제왕나비가 머물던 나무 수천 그루를 쓰러뜨린 일이 있었다. 그런 상황에서 기온까지 영하로 떨어지는 바람에 제왕나비의 약 3분의 1이 죽고 말았다.

봄이 되어 기온이 다시 오름세로 돌아서면 제왕나비는 아스클레피아스와 짝을 찾아 대규모로 멕시코를 떠난다. 제왕나비가 알을 낳으면 부화해 번데기가 되고 새로운 나비로 탈바꿈한다. 이런 과정은 북쪽에 위치한 미국으로 돌아가는 길에도 세대를 거쳐서 계속된다. 남쪽으로 다시 떠나야 할 때가 오면 제왕나비는 조부모도 몰랐던 나무로 본능적으로 돌아간다. 제왕나비가 이런 여정에 도전한다는 것 자체가 경이로우며, 세대를 거듭하면서 성공적으로 이주한다는 것은 상상하기 어려울 정도다. 새터필드는 여기에 대해 이렇게 말한다. "여정을 성공적으로 마친다는 것은 엄청난 일입니다. 우리가 제왕나비의 이주에 매혹되는 것은 어려운 여정이 여러 면에서 와닿기 때문입니다. 매우 인간적인 면이 있죠. 저는 제왕나비의 여정에 매료되었습니다."

잔인하게도 제왕나비의 생존이 위태로워져 연구원들은 몇십 년 안에 제왕나비가 멸종될 것으로 예상한다. 곤충의 멸종을 다룰 때 자주 등장하는 서식지 파괴, 치명적인 살충제의 사용, 기후변화 같은 요인이 전 세계적으로 나비의 개체 수를 감소시키고 있으며, 제왕나비도 다른 나비들과 운명을 같이하고 있다.

겨우내 제왕나비들이 머무는 멕시코 중부 산악 지대의 넓이는 전통적으로 헥타르(ha)로 측정한다(우리나라 독자들의 편의를 위해 우리에게 더 익숙한 제곱미터로 환산했음 – 역주). 1996년에서 1997년으로 넘어가는 겨울에 쉬고 있던 제왕나비들은 18만 m^2나 되는 공간을 장악했다. 이는 야구장 18개 정도와 맞먹는 면적이다. 하지만 2013년이 되자 이 지역은 6,000m^2로 줄어들었다. 런던의 트래펄가 광장보다도 작아진 것이다. 이 말은 땅 1만 m^2당 제왕나비가 2,000만 마리 이상 있었다는 뜻이다. 최근에는 상황이 조금 나아져서 2018년에서 2019년으로 넘어가는 겨울에는 멕시코 중부에 있던 제왕나비들이 6만 m^2를 차지할 수 있었다. 하지만 이런 회복세는 불과 1년 뒤에 멈추고 말았고, 제왕나비들이 지내던 숲은 넓이가 2만 8,000m^2로 줄어들었다.

멕시코 대신 캘리포니아주로 이동하는 서부 제왕나비의 상황은 더 심각하다. 서세스 소사이어티의 조사에 따르면, 이 나비는 1980년대에 개체 수가 약 450만 마리나 되었지만 2019년에는 고작 2만 9,000마리로 줄었다고 한다. 한 해 전인 2018년에는 서부 제왕나비의 수가 2만 7,000마리인 것으로 기록되었는데, 이는 역대 최고 기록의 1%에도 못 미치는 수치다. 제왕나비는 멸종 위기에 놓여 있으며, 개체 수가 급감한 상황에서 일이 조금만 틀어져도 완전한 멸종의 길로 들어설 수 있다. "상황이 달라지지 않는다면 35년 후에는 우리가 아는 서양 제왕나비는 존재하지 않을 겁니다." 워싱턴주립대학교 밴쿠버 캠퍼스에서 제왕나비를 연구하는 셰릴 슐츠Cheryl Schultz는 이렇게 경고했다.

곤충이 흔히 그러듯 제왕나비의 수도 크게 오르내릴 수 있다. 멕시코에서는 최근 몇 년 동안 제왕나비의 개체 수가 증가했으나 장기적으로는 감소세를 면치 못하고 있다. 2015년 미국 어류 및 야생동물 관리국US Fish and Wildlife Service은 1990년 이후로 제왕나비가 약 10억 마리나 사라졌다는 우울한 소식을 전했다. 이는 북아메리카와 남아메리카에 사는 사람의 수를 모두 합친 것과 맞먹는 숫자다.

주황색을 띠는 작은 여행객 수백만 마리가 나무에 앉아 있는 장관은 곧 사람들의 기억에서 사라질지 모른다. 제왕나비는 워낙 많은 수가 나뭇가지 위에 모여 앉아 가지가 휘고 부러지기도 한다. 사자가 한때 유럽을 호령했던 것처럼 나중에는 사람들이 제왕나비의 수가 그토록 많았다는 것을 이해하기 어려워할지도 모른다. 유명한 나비 전문가 오를리 테일러Orley Taylor는 "향후 15년 안에 제왕나비가 눈에 띄게 줄어들 겁니다. 서식지의 환경이 나빠지고 있거든요"라고 말한다. 그는 1992년에 제왕나비를 연구하고 보존하는 단체인 '모나크 워치Monarch Watch'를 설립했다. "제왕나비는 지구상의 독특한 것들을 대표합니다. 하지만 인간이 제왕나비를 없애고 있죠."

과학자들은 1990년대부터 제왕나비의 수가 줄어드는 현상을 추적했다. 하지만 개체 수가 감소하는 원인은 여전히 밝혀내지 못했다. 단일경작으로 자연 서식지가 완전히 파괴되고 화학물질이 살포되는 것이 원인이라 추측된다. "미국 놈들이 라운드업을 마구잡이로 뿌려대서 이 밑에는 나비가 그렇게 많지 않습니다." 평소에는 상냥한 멕시코의 산림학자 쿠아우테모크 사엔스-로메로Cuauhtémoc Sáenz-Romero는 이렇게 말한다.

불길하게도 사엔스-로메로는 살충제와 불도저보다 제왕나비에게 더 큰 위협이 되는 요인을 찾는 데 도움을 줬다. 바로 오야멜 전나무다. 이 나무는 제왕나비가 멕시코에 도착해서 즐겨 찾는 나무지만 인간이 초래한 기후변화 때문에 멸종 위기에 처했다. 기온이 계속 오르고 가뭄도 길어지면서 오야멜 전나무가 자라기 적합한 지역이 사라질 가능성이 크다. 사엔스-로메로가 2012년에 참여한 연구 논문에서는 2090년쯤에는 멕시코 전역에서 오야멜 전나무가 자라기 적합한 서식지가 96%나 감소할 것으로 내다봤다. 이 수치는 제왕나비 생물권 보전 지역 내에서는 100%로 높아질 것이다. 멕시코 중부 산악 지대에 있는 보호구역 내 제왕나비 서식지가 완전히 파괴될 것으로 예상되기 때문이다.

"이런 전나무에 적합한 땅이 조금도 남아 있지 않을 겁니다." 사엔스-로메로는 2020년 1월에 필자가 제왕나비 보호구역을 찾았을 때 이렇게 말했다. 그는 베레모를 즐겨 쓰고 주머니가 많은 조끼를 자주 입는다. 20년 전에는 쌀쌀한 날이면 스웨터를 입고 산을 올라야 했다. 하지만 이제는 그럴 일이 거의 없다고 한다. 멕시코 중부는 1970년대부터 기온이 빠르게 오르는 추세다. "아직 2020년밖에 안 됐는데도 나무가 벌써 죽어가고 있습니다. 나무가 건강하지 않으면 제왕나비도 분명히 사라질 겁니다. 그야말로 최악의 시나리오를 향해서 내달리는 중이죠."

오야멜 전나무는 46m 이상 자라기도 한다. 침엽으로 뒤덮인 나뭇가지가 삐죽 튀어나와서 제왕나비의 쉼터가 된다. 이 나무는 제왕나비를 위해 두 가지 기능을 한다. 첫 번째는 기온이 떨어질 때 땅에서 올라오는 열기를 담요처럼 가둬 나비들을 아늑하게 해주는 것이다. 두 번째는 나뭇가지가 원시적인 우산 역할을 해서 나비들이 비에 쫄딱 젖지 않게 해주는 것이다. 날개에 고인 물이 얼면 나비가 죽을 우려가 있다. 지구가 뜨거워지면 제왕나비가 얼어 죽을지도 모른다는 것이 기후변화의 악랄한 역설 중 하나다.

이 재앙의 어두운 그림자는 오야멜 전나무가 자라기 가장 적합한 높이인 해발 3,000m까지 뻗어나가고 있다. 오야멜 전나무는 다른 나무 품종처럼 시간의 흐름에 따라 달라진 환경에 적응할 줄 안다. 기온이 더 알맞은 곳으로 천천히 이동하는 것이다. 하지만 지구 온도가 급격하게 올라가면서 오야멜 전나무가 좋아하는 기후가 너무 빠른 속도로 산비탈을 오르고 있다. 전나무가 감당할 수 있는 속도의 10배나 빠른 것이다. 얼핏 봤을 때는 오야멜 전나무 대부분이 건강한 것 같았다. 하지만 사엔스-로메로는 금세 한 나무의 갈변한 가지 끝을 가리켰고 다른 나무의 침엽이 아래로 처진 것도 지적했다. 수분 부족과 강한 열기 때문에 전나무가 약해졌다. 그래서 색이 바랬고, 침엽도 떨어졌고, 질병에 점령당하고 말았다.

나무 몇 그루에는 줄기에 수액이 묻어 있었다. 이것은 나무좀이 침입해 나무를 안에서부터 갉아 먹고 있다는 것을 알려주는 전나무의 방어기제다. 우리는 본의 아니게 이런 숲을 손보는 과정에서 길이가 3mm밖에 안 되는 진흙색 나무좀은 위하고 미술과 시에서 신격화되는 나비는 쫓아내고 있다. 나무좀은 대부분 괴로워하는 나무 안에서 시간을 보내면서 나무를 서서히 죽인다. 사엔스-로메로는 이렇게 말한다. "나무가 전부 죽지는 않을 겁니다. 하지만 스트레스를 받겠죠. 제왕나비가 이곳에 영원히 존재하지는 않을 겁니다. 이곳 사람들은 그런 사실을 받아들이기 어려워합니다. 관광으로 먹고살거든요. 그분들은 저를 싫어합니다. 제가 나비를 걱정하면서 그분들에게 미래가 없다고 말하는 것이나 마찬가지니까요."

열대우림에 큰불이 나거나 북극곰이 빙산 위에서 표류하는 모습은 비극이기는 해도 우리에게 크게 와닿지 않는다. 하지만 뒤뜰에서 보던 친숙한 제왕나비가 사라지는 것은 불편할 정도로 가깝게 느껴진다. 상실감을 느끼는 데 과학자들의 의견은 필요하지 않다. 멕시코에서는 사람들이 제왕나비 수가 줄어드는 것을 피부로 체감할 수 있다. 프란치스코 라미레스 크루스Francisco Ramirez Cruz는 필자가 만났을 때 70대 중반이었다. 그는 어렸을 때 멕시코 중부에 있는 알파인 숲을 가로지르면서 나비들이 나무와 공중을 가득 채운 기억을 떠올렸다. "그때는 제왕나비를 어디서든 볼 수 있었습니다. 하지만 이제는 그러지 못하죠. 제왕나비를 떼로 보기는 어렵고 여기저기서 몇 마리씩만 볼 수 있습니다. 개체 수도 줄어들었고, 나비들이 예전보다 훨씬 늦게 도착하기도 합니다."

라미레스 크루스는 생전에 현지에서 존경의 뜻을 담은 '돈 판초Don Pancho'라는 이름으로 알려졌다. 그는 멕시코시티에서 서쪽으로 113km 떨어진 바위투성이 소도시 라 메사La Mesa에서 선거를 통해 선출된 리더로 40년 동안 활약했다. 라 메사 옆에는 제왕나비 생물권 보전 지역이 있다. 이 보호구역은 제왕나비의 서식지를 보호하기 위해 만든 국립공원이며 2008년에 유네스코 세계 유산으로 지정되었다.

*

제왕나비 보호구역은 현지인들에게는 잘 알려졌던 제왕나비의 은신처를 빙 둘러서 경계를 지은 곳이다. 이 은신처는 비교적 최근까지 외국인들에게 알려지지 않았다. 미국과 캐나다 연구원들은 멕시코의 제왕나비 은신처를 찾느라 100년 가까이 보내다가 마침내 성공했다.

1976년에 〈내셔널 지오그래픽〉에는 '발견 – 제왕나비의 멕시코 은신처'라는 제목의 머리기사가 실렸다. 캐나다 동물학자 프레드 어쿠하트Fred Urquhart가 30년 가까이 제왕나비의 은신처를 찾다가 드디어 미초아칸주에 있는 산에서 오야멜 전나무의 가지가 제왕나비의 무게를 이기지 못하고 휘는 광경을 목격한 것이다. 이곳에서 멀지 않은 거리에 라 메사가 있다. 라 메사는 '에히도ejido'의 기능을 한다. 에히도는 주민들이 땅으로 혜택과 수익을 나누는 일종의 공유 공동체다. 멕시코 중부의 산에서 주로 얻을 수 있는 작물은 감자, 밀, 옥수수다.

이 지역에서는 예전부터 사람들이 벌목으로 먹고살았다. 그래서 나비 보호구역 바로 앞까지 나무가 전부 베어져나갔다. 다행히 보호구역 안에서는 최근에 불법적인 벌목이 거의 이루어지지 않는다. 세계적인 관광지가 주는 경제적 이점을 현지인들이 알아차린 것이다. 하지만 제왕나비가 줄어들면 상황이 달라질 우려가 있다.

라미레스 크루스는 필자가 만났을 때 깔끔하게 손질한 수염에 데님 재킷을 입고 카우보이모자를 쓰고 있었다. 그는 아내와 함께 금방이라도 무너질 것 같은 집에서 살고 있었다. 그의 아내는 토르티야를 정말 맛있게 만들었다. 두 사람의 집은 아래에 있는 골짜기 덕택에 전망이 환상적이었다. 집 옆에는 흰색으로 칠한 작은 예배당이 있었다. 예배당은 라미레스 크루스가 공들여서 만들었고 성모마리아와 관계된 물건으로 가득했다. 신중한 라미레스 크루스는 가난한 라 메사를 위해 열심히 일한 것으로 명성을 얻었다. 라 메사는 떠돌이 개가 돌아다니고 물건을 운반할 때 아직도 작은 당나귀를 동원하는 작은 도시다. 이곳 주민들은 라미레스 크루스의 집요함 덕택에 뒤늦게나마 전기를 얻게 되었다.

나비 보호구역으로 향하는 산길에는 사람이 없다. 에히도 일원한 명뿐이다. 그는 나무 오두막집을 관리하면서 돈을 번다. 오두막집은 돈을 내고 묵는 관광객을 위한 숙소로 쓰인다. 하지만 최근 몇 년동안 오두막집은 완전히 비어 있었다. 현지인들의 말에 의하면 나비가 별로 없고 미초아칸주의 치안이 좋지 않아 방문객이 찾지 않는다고 한다.

이런 걱정스러운 상황에서 오메로 고메스Homero Gomez가 2020년 1월에 실종되는 사건이 발생했다. 고메스는 '엘 로사리오 El Rosario 제왕나비 보호구역'을 운영했다. 이곳은 제왕나비 보호구역의 중심에 있으며 지역사회에서 관리하는 11개의 자연보호구역 중 규모가 가장 크다. 그가 실종된 지 2주가 지났을 때 자기 땅에서 소 떼에게 먹이를 주던 한 남자가 못에 떠 있는 시체를 목격했다. 그것은 고메스의 시체였다. 고메스는 제왕나비를 지원하기 위해 엔지니어 일을 그만두었다. 그는 제왕나비를 '태양의 여자 친구'라고 불렀고 소셜 미디어에 나비에 둘러싸인 매혹적인 영상을 올렸다. 이런 활동 덕택에 고메스는 현지에서 불법적인 벌목을 강하게 반대하는 인물로 떠올랐다. 자신도 과거에 벌목 일을 했는데도 말이다. 고메스의 시체가 발견되고 나서 며칠 뒤 라울 에르난데스 로메로Raúl Hernández Romero도 살해당한 채 발견되었다. 그는 제왕나비 보호구역에서 파트타임으로 일하는 투어 가이드였다.

두 사람이 왜 살해됐는지, 그리고 누가 그들을 해쳤는지는 밝혀지지 않을지도 모른다. 불법 벌목은 나비 보호구역에서 거의 근절

되었지만 나무가 베어져나갈 여지는 아직 남아 있다. 살인 사건에 대한 국제사회의 격렬한 반응에도 현지인들은 계산기를 두드리기 바쁘다. 그들은 나비에게서 돈이 나오지 않으면 나무에서라도 돈을 뽑아내려고 한다. 라미레스 크루스는 "제왕나비가 사라지면 저희도 임업으로 돌아가겠죠. 다시 벌목을 하게 될 겁니다"라고 말한다. 그는 다른 지역사회 사람들이 라 메사 근처에 있는, 제왕나비가 좋아하는 나무를 일부러 벤다고 덧붙였다. 관광객을 자신들이 관리하는 나비 보호구역으로 유도하기 위해서다. "다른 지역사회에서도 나무를 베는데 우리는 왜 베면 안 되나요?"

제왕나비의 피난처는 끝나지 않는 순환 시스템에 의해 짓밟히고 있다. 기온이 오르면 나무가 죽고 관광객이 제왕나비를 보러 오지 않는다. 그러면 현지인들이 돈을 벌기 위해 나무를 베고 대기 중에 탄소가 더 많이 방출된다. 이는 지구온난화의 원인으로 작용해 기온이 더 오르게 된다.

사엔스-로메로는 이런 죽음의 순환 고리를 끊기 위해 과감한 계획을 세웠다. 숲을 산 위쪽으로 옮기는 계획이다. 오야멜 전나무를 산비탈 약 350m 위쪽에 대규모로 옮겨 심으면 주변 기온이 나무에 더 적합해질 것이다. 그러면 전나무가 제왕나비를 보호해줄 수 있어 제왕나비가 나무를 계속 찾아올 것이다. 하지만 이 계획에 의구심을 표하는 사람들도 있다. 사엔스-로메로는 "어떤 사람들은 제가 미쳤다고 생각합니다"라고 인정한다. 그래도 몇몇 연구원과 현지의 토지 소유자가 모여 각기 다른 고도에 전나무 시범 식수 구역을 만들었다. 손으로 옮겨 심었을 때 오야멜 전나무가 어떻게 적응하는지 알아보기 위해서다. 전나무의 씨앗은 나무 꼭대기에서 얻을 수 있다. 그래서 현지인들은 밧줄을 꽉 잡고 기도하면서 아찔한 높이를 올라가야 한다.

고도가 가장 높은 식수 구역은 해발 약 3,400m에 있다. 이곳에는 4년 전에 심은 오야멜 전나무 몇 그루가 있는데, 전부 잘 자라고 있다. 근처에 햇빛을 가려주는 관목이 있어서 도움이 된다. 전나무는 400m나 더 높이 이동했는데도 거부 반응을 일으키지 않았고 더 낮은 고도에 사는 전나무와 비교해도 건강하다. 문제는 산꼭대기를 향해 올라갈수록 흙보다 바위가 많다는 것이다. 산이 점점 뾰족해지면서 나무가 살 수 있는 지역이 점점 좁아진다. 기후변화의 가차 없는 공격이 이런 문제를 더 악화시킨다. 멕시코의 평균기온은 세계의 다른 모든 지역과 마찬가지로 수십 년 동안, 어쩌면 수백 년 동안 계속 오를 것이다. 그러면 오야멜 전나무는 이 산에서 더는 위로 올라갈 곳이 없을 것이다. 산꼭대기마저도 온실가스 때문에 더워지면서 이곳에서 더는 전나무를 보지 못할 것이다.

숲으로 뒤덮인 거대한 화산도 한동안 오야멜 전나무의 서식지가 될 수 있다. 근처에 마침 높이가 5,000m 넘는 화산이 여러 개 있다. 하지만 이런 화산도 결국에는 도움이 안 될 것이다. 마치 제왕나비가 사다리에 앉아 있는데, 사다리가 한 칸씩 불타는 것과 같은 상황이다.

제왕나비의 암울한 운명은 고도가 더 낮은 오야멜 전나무 식수 지역에서 미리 엿볼 수 있다. 라미레스 크루스는 전나무 묘목 수백 그루를 그물이 덮인 커다란 나무통에서 키운다. 그는 빗물의 양을 측정할 때 쓸 그릇도 준비해둔다. 문제는 그릇을 집어 들어 보니 놀랍게도 완전히 비어 있었다는 것이다. 이곳의 우기는 대체로 6월부터 10월까지 이어진다. 하지만 농부들은 비가 미리 와야 옥수수를 제때 심어 우기에 옥수수가 자라게 할 수 있다. 멕시코에는 겨울이면 항상 비가 조금씩 왔다(현지에서는 겨울에 내리는 폭우를 '카바뉴엘라스(cabañuelas)'라고 부른다). 하지만 빗물 그릇을 살펴보면 올해는 겨울에 비가 한 방울도 내리지 않았다는 것을 알 수 있다. 라미레스 크루스는 검지를 동원해 재배하는 옥수수 크기가 점점 작아지고 있다고 설명했다.

멕시코에는 가뭄이 길어지고 있으며 비가 더 짧고 집중적으로 내리기 시작했다. 이런 시나리오는 농작물의 성장을 저해하고, 오야멜 전나무를 더 병들게 하며, 산사태를 일으킨다. 2010년에는 라 메사에서 멀지 않은 곳에서 끔찍한 산사태로 수십 명이 목숨을 잃었다. "제가 예상했던 것보다 기후가 훨씬 건조합니다. 걱정스러운 일이죠." 우리 옆에서는 라미레스 크루스가 키우는 칠면조 몇 마리가 시끄럽게 고르륵 고르륵 소리를 내고 있었다. 고도가 가장 낮은 오야멜 전나무 식수 구역은 틀랄푸하우아Tlalpujahua에 있다. 이곳에도 지난 두 달 동안 단비가 내리지 않았다. 사엔스-로메로는 믿지 못하겠다는 듯이 중얼거렸다. "전혀 안 왔어요. 한 방울도 안 왔다고요. 상황이 이렇게 돌아가니까 제가 예상했던 것보다도 저희에게 주어진 시간이 더 적다는 생각이 듭니다."

기온이 오르면서 세계 각지에 서식하는 제왕나비의 수가 급감하고 있다. 기온이 32℃가 넘는 날이 많아지면 텍사스주에서 아스클레피아스를 보기는 어려울 것이다. 미국 중서부와 캘리포니아 해안에 있는 제왕나비 서식지도 뜨거워지고 있다. 오를리 테일러는 "제왕나비의 개체 수가 어떻게 변하는지 단계별로 살펴보면 나비가 앞으로 어떤 운명을 맞이할지 알 수 있습니다"라고 말한다. 테일러가 설립한 단체인 '모나크 워치'에 자원봉사자가 수백 명이나 된다는 것은 제왕나비가 사람들의 헌신을 끌어냈다는 증거다. 여러 미국인이 제왕나비의 수를 늘리는 데 힘을 보태기 위해 아스클레피아스를 심거나 제왕나비를 키우고 있다. 하지만 사람이 키운 제왕나비는 야생에서 자란 제왕나비보다 멕시코까지 무사히 도착할 확률이 낮다. 야생 나비는 자연 속에서 우여곡절을 겪으며 강해진다는 차이가 있다.

안타깝게도 이런 노력이 오히려 역효과를 낼 때도 있다. 2015년에 발표된 한 연구는 제왕나비 팬들이 좋은 의도로 아스클레피아스의 열대 품종을 심은 일을 언급했다. 이 품종은 겨울이 와도 죽지 않았다. 제왕나비들이 이 품종을 좋아하기는 했으나 겨울이 되어도 이 식물을 떠나서 남쪽으로 이주할 이유가 없어졌다. 게다가 이 열대 품종Asclepias Curassavica은 제왕나비를 쇠약하게 만들고 수명이 줄어들게 하는 기생충의 숙주 역할도 한다. 이 기생충에 감염된 제왕나비는 이주를 시도하더라도 멕시코에 도착하지 못하는 경우가 대부분이다.

제왕나비의 멸종을 막는 임무는 사실상 완수할 수 없으며 많은 차질이 빚어진다. 그런데도 연구원과 제왕나비 마니아들은 임무를 포기하지 않는다. 테일러는 제왕나비의 사촌인 남방노랑나비 때문에 죽을 뻔했다가 제왕나비에게 빠져버렸다. 그는 남방노랑나비 알레르기가 너무 심해 천식이 생겼고, 폐가 붓는 증상을 완화하기 위해 약을 먹어야 했다. 테일러는 "폐에서 물을 빼내려고 밖에서 나무에 등을 대고 자야 했습니다. 그 정도로 상태가 안 좋았습니다"라고 회상한다. 그는 한동안 벌을 연구하고 나서 제왕나비를 연구했다. 그러다 자신이 제왕나비에게 매혹되었다는 것을 알아차렸다. 다행히 제왕나비는 테일러의 목숨을 위협하지 않았다. "정말이지 경이로운 생명체입니다. 제왕나비를 보면 생물이 어떻게 살아가는지에 대해 많은 궁금증이 생깁니다. 하지만 상황이 점점 나빠지고 있습니다. 제왕나비의 서식지가 줄어드는 만큼 식물을 심어줘야 하는데, 그러지 못하고 있습니다. 붉은 여왕이 앨리스Alice에게 한 말과 똑같은 상황입니다. 같은 자리에 있으려면 최대한 빨리 뛰어야 합니다. 만일 앞으로 나아가고 싶다면 2배 더 빨리 뛰어야 하고요. 분명한 사실은 저희가 노력을 더 많이 기울여야 한다는 것입니다."

제왕나비의 매력이 제왕나비가 멸종되는 것을 막으려는 노력으로 이어지는데도 성과가 별로 없다는 사실은 매우 놀랍다. 제왕나비는 시민들이 어마어마한 노력을 쏟아붓는 대상이다. 시민들은 나비의 수를 세고, 아스클레피아스를 심고, 나비들이 잃어버린 서식지를 부활시킨다. 미국 의회도 제왕나비 문제로 고심했으며, 제왕나비를 돕기 위한 기금 모금 행사도 셀 수 없을 만큼 많이 열린다. 캐나다 퀘벡주부터 텍사스주 휴스턴과 멕시코의 과나후아토에 이르기까지 시장 수백 명이 힘을 합친 일도 있었다. 그들은 제왕나비의 수를 늘리는 데 힘쓰겠다고 서약했다. 제왕나비가 서식하는 목초지를 보호하고, 위험한 화학물질의 사용을 줄이고, 제왕나비의 중요성을 대중에게 알리기로 한 것이다.

하지만 이 모든 노력에도 제왕나비는 여전히 멸종 위기에 놓여 있다. 북아메리카의 몇몇 지역에 서식하는 제왕나비만 안전하다. 이는 제왕나비와 유전적 특성과 습관이 비슷한 다른 나비와 나방 수천 종에게 청천벽력과 같은 소식이다. 이런 곤충들은 제왕나비와 달리 사람들의 총애를 받지 못하고, 보호 기금도 거의 마련되지 않으며, 중요성을 인정받기도 어렵다.

인시류는 나비와 나방이 포함된 목目이다. 이 목은 곤충의 세계에서 규모가 두 번째로 크며 곤충 16만 종 이상이 포함되어 있다. 불확실한 종과 아직 발견되지 않은 종까지 합치면 실제 수는 이것보다 2배 이상일 확률이 높다. 나비는 색이 예쁘고 눈에 잘 띄며 매혹적이라서 연구원과 자원봉사자가 개체 수를 열심히 기록한다. 다른 곤충과 비교했을 때 자료가 이례적으로 많을 정도다. 예를 들면 우리는 싱가포르에 서식하는 곤충의 전반적인 건강 상태에 대해서는 별로 알지 못한다. 하지만 싱가포르에 사는 토종 나비 종의 거의 절반이 지난 160년 동안 사라졌다는 사실은 알고 있다. 초목이 줄어든 것이 원인으로 꼽힌다.

일본에서도 나비가 처한 상황이 상당히 자세하게 알려져 있다. 정부와 나비 보호 자선단체가 삼림지대에 있는 나비 서식지 192군데를 분석한 결과, 2005년에서 2017년까지 흔히 볼 수 있는 나비 종의 40%가 감소한 것으로 나타났다. 이 나비들은 수가 너무 많이 줄어서 멸종 위기에 처했을 가능성도 크다. 일본을 상징하는 왕오색나비Great Purple Emperor는 개체 수가 90%나 감소했다. 일본 정부는 사슴에 의한 초목 파괴, 살충제의 사용, 수질 오염을 원인으로 꼽았다.

뉴질랜드에 서식하는 곤충에 대한 데이터는 대부분 지역에서 부족한 상태다. 하지만 2019년에 실시한 설문 조사 결과를 살펴보면 뉴질랜드 주민들의 절반이 제왕나비의 알, 애벌레, 번데기를 본 적이 없다고 답했다(제왕나비는 아메리카 대륙에서만 볼 수 있는 것은 아니다. 오스트레일리아, 뉴질랜드, 태평양에 있는 몇몇 섬에서도 볼 수 있다). 태즈먼해 너머로는 나비가 열대기후인 오스트레일리아 북부에서 사투를 벌이고 있다. 이곳이 세계에서 몇 안 남은, 생물 다양성이 가장 풍부한 지역 중 하나인데도 말이다. 케언스 북쪽에 있는 '오스트레일리아 나비 보호구역'은 세계 각지의 관광객이 찾는 명소다. 관광객들은 이곳을 찾아 전시 중인 열대 나비와 아열대 나비 1,500종을 홀린 듯이 바라본다. 이 보호구역에서는 수년 동안 나비와 나방 약 20종을 성공적으로 번식시켰다. 하지만 어느 날 갑자기 이 번식 시스템이 완전히 무너지고 말았다.

나비의 생활 주기는 암컷 나비가 특정한 식물에 알을 낳으면서 시작된다. 나비 애벌레는 식성이 까다로워서 암컷 나비는 식물을 신중하게 고른다. 나비의 종과 계절에 따라 차이는 있지만, 암컷이 알을 낳은 지 약 2~10일이 지나면 애벌레가 알을 야금야금 먹으면서 밖으로 나온다. 그러고 나면 컨베이어 벨트처럼 어미가 골라준 나뭇잎을 끊임없이 먹어치운다. 머지않아 애벌레는 너무 커져서 허물을 여러 번 벗어야 한다. 그래야 더 자랄 수 있다. 탈피와 탈피의 중간 단계는 '영齡'이라고 불린다.

마지막 단계에서 나비의 애벌레는 번데기를, 나방의 애벌레는 고치를 만든다. 이 기간에 애벌레의 몸이 해체되고 나비로 재형성된다. 열대기후에서는 4주면 변태가 끝나고 나비가 밖으로 나올 준비를 마친다. 나비 중에는 변태를 마치기까지 최대 2년이 걸릴 만큼 변태 기간이 긴 종도 있다.

'오스트레일리아 나비 보호구역'에서 일하는 직원들은 나비의 번식을 돕기 위해 최선을 다한다. 나비 애벌레가 먹을 식물을 키우고, 펜타스와 익소라처럼 나비가 좋아하는 식물로 보호구역을 채운다. 나비가 날아다닐 공간을 마련해주고 햇빛을 피할 수 있는 그늘도 제공한다. 자연에서 애벌레가 무사히 나비로 자랄 확률은 약 1%밖에 되지 않는다. 하지만 보호구역에서는 애벌레가 튼튼하게 자라 그 확률이 최대 90%까지 올라간다.

그러다가 2014년에 비정상적인 일들이 일어나기 시작했다. 우기에 장맛비의 양이 줄어들더니 헤라클레스 나방이 겨울이 한창일 때 나타나기 시작했다. 새로운 애벌레들이 성장했고 한 단계 이른 영에 번데기가 되더니 죽고 말았다. 그 후 두 차례에 걸쳐 태어난 새로운 애벌레들에게도 똑같은 일이 일어났다. 대학살이나 마찬가지였다.

보호구역에서 일하는 그 누구도 예전에 이런 일을 겪은 적이 없었다. 보호구역에서 번식 실험실 감독관으로 일하는 티나 쿠프케 Tina Kupke는 "말이 안 되는 상황이었어요. 애벌레가 전멸하는 것은 저희 모두 처음 봤습니다"라고 말한다. 그러다가 2015년 8월에 오차드 제비날개나비 Orchard Swallowtail Butterfly가 윗날개가 약간 말린 상태로 번데기에서 나와 날지 못하는 일이 벌어졌다. 2주가 지나자 모든 애벌레가 제대로 자라지 못했고, 결국 오차드 제비날개나비가 전부 죽고 말았다.

그로부터 얼마 후 왕관에 박힌 파란 보석처럼 색이 영롱한 율리시스 제비나비의 애벌레가 생활 주기가 절반 정도 지났을 때 죽기 시작했다. "성장이 멈추고, 말 그대로 녹아버렸습니다. 액체가 돼서 녹아버렸어요. 애벌레가 아예 없어졌습니다." 이 보호구역은 율리시스 제비나비 종축 대부분을 보유한 만큼 허가증이 있는 다른 나비 사육자들에게 우편으로 나비 알을 정기적으로 보내주는 일도 한다. 따라서 보호구역에서 일어난 문제 때문에 다른 사육자들이 키우는 율리시스 제비나비도 개체 수가 금세 급감하고 말았다.

쿠프케의 말에 따르면 그다음 해 여름에는 우기가 아예 없었다고 한다. 그 대신 열대지방에 이례적인 무더위가 찾아왔고 나비 3종이 추가로 전멸했다. 보호구역 직원들은 새로운 번식법을 찾으려고 분주히 노력했다. 25년 동안 애벌레를 키우는 데 쓴 페트리접시는 과열되거나 너무 습해져서 더는 사용할 수 없게 되었다. 게다가 애벌레들이 지난 25년 동안 잘만 먹던 식물을 더는 먹지 않았다. 보호구역에서 키우는 나비 종의 절반이 두 달 만에 사라졌다. 전부 애벌레 상태로 다양한 단계에서 죽어버렸다.

마치 누가 나비를 저주한 것만 같았다. 쿠프케는 이렇게 말했다. "25년 동안 자잘한 문제가 생긴 적은 있지만 이렇게 나비가 차례차례 100% 전멸한 적은 처음입니다. 거의 모든 종이 1년 반 사이에 어떤 식으로든 심각한 위기를 겪었습니다. 말도 못하게 이상한 일이었죠." 직원들은 율리시스 제비나비를 되살리기 위해 필사적으로 노력했다. 그들은 병균이라도 있을까 봐 보호구역 전체를 깨끗이 청소했다. 그러고는 상황이 리셋되기를 바라는 마음으로 몇 달 동안 번식 작업을 쉬었다. 쿠프케는 야생 율리시스 제비나비를 포획할 수 있도록 특별 허가증을 발급받기도 했다. 야생 나비의 자손들이 더 잘 자랄지 알고 싶었기 때문이다. 직원들은 야생 나비를 실험실 안과 밖에서 키우면서 살균된 용품을 새로 구매해 사용했다. 하지만 이 모든 노력이 수포로 돌아갔다. 쿠프케는 "정말 가슴 아픈 일이었습니다. 지난 5년 동안 나비들은 생존을 위해서 사투를 벌였습니다"라고 말한다.

정상에 가까운 우기가 찾아오고 새로 개발한 번식법이 효과를 보이자 여러 종이 되살아났다. 하지만 이전 수준을 회복하지는 못했다. 게다가 율리시스 제비나비는 어떤 방법으로도 되살리기 어려웠다. 직원들은 율리시스 제비나비의 알과 애벌레의 DNA를 테스트했고 질병이 없는지 확인하기도 했다. 하지만 확실한 증거는 얻지 못하고 이론만 무성해졌다. 기온과 강우량의 변화 때문에 이런 재앙이 닥친 것일까? 먹이 식물이 변형을 일으킨 것일까? 독소가 문제를 일으킨 것일까? 아니면 더 큰 그림에 변화가 생긴 것일까? 원인이 무엇이든 쿠프케는 북아메리카, 남아메리카, 유럽에 있는 나비 전문가들에게서 비슷한 일이 일어났다는 이야기를 들었다. "누구한테 묻든 똑같은 이야기를 해줄 겁니다. 저희만 그런 게 아니에요. 어떤 일을 32년 동안 했으면 지구의 나이를 생각했을 때 긴 시간은 아닙니다. 하지만 지난 5년 동안 일어난 일은 규모가 엄청나고 극적이었어요. 제가 말씀드릴 수 있는 것은 그 정도입니다."

유럽은 상황이 더 나쁘다. 초원이나 초지에 서식하는 초지성 나비들이 1990년부터 2011년까지 50% 가까이 감소했다. 유럽환경청European Environment Agency은 집약적인 농업과 살충제 사용을 원인으로 지목했다. 유럽 땅이 '거의 살균된 수준'이라 나비가 살기 어렵다는 것이다.

유럽연합의 초원에서 서식하는 나비 중 핵심 8종 모두 개체 수가 줄어들었다. 여기에는 연푸른부전나비와 유럽처녀나비도 포함된다. 연푸른부전나비는 유럽, 아시아 일부 지역, 북아프리카에서 볼 수 있다. 유럽처녀나비는 날개에 바랜 빨간색 점이 있으며 수컷이 자신의 영역에 민감한 것으로 알려졌다.

나비는 이제 분포 지역이 너무 좁아져서 유럽 일부 지역에서는 나비를 풀이 나 있는 길가나 철도 대피선에서만 가끔 볼 수 있다. 운이 좋은 나비 몇 마리는 자연보호구역에 집을 짓고 살지도 모른다. 하지만 초원이 대규모로 사라지는 데 따르는 영향을 상쇄할 수 있을 만큼은 아니다. 유럽환경청의 수장이자 벨기에 정치학자 한스 브루이닝크스Hans Bruyninckx는 "이런 서식지를 제대로 관리하지 못하면 여러 종이 완전히 사라지고 말 겁니다"라고 경고했다.

미국의 상황도 크게 다르지 않다. 2019년에 발표된 한 연구에서는 오하이오주에 서식하는 나비 81종을 20년에 걸쳐서 관찰했다. 그 결과, 나비의 총 개체 수가 매년 2%씩 감소했다는 사실이 밝혀졌다. 이 말은 오하이오주에서 한 세대가 끝나기도 전에 나비의 3분의 1이 없어졌다는 뜻이다. 연구를 진행한 타이슨 웨프리치는 이렇게 말한다. "20년에 걸쳐서 나비의 개체 수가 줄어드는 현상은 충격적입니다." 그는 다른 곤충들의 수도 비슷한 감소세를 보일 것으로 짐작한다. 우리가 그저 나비에 대해 더 많이 알고 있을 뿐이다. "지금으로서는 나비가 모니터링 데이터가 부족한 다른 곤충들의 데이터까지 대신 제공하고 있습니다."

방금 살펴본 오하이오 나비 연구는 시민 과학 방식을 채택했다. 나비를 좋아하는 헌신적인 자원봉사자들의 반복적인 관찰 내용에 의지하는 방식이다. 시민 과학 방식은 영국에서 시작되었다. 영국의 생리학자 J. B. S. 홀데인J. B. S. Haldane은 "자연계를 보면 신이 딱정벌레를 과도하게 총애한다는 것을 알 수 있다"는 유명한 말을 남겼다. 만일 영국인이 자연을 만들었다면 이 말에 나비도 포함되었을 것이다. 핀으로 고정된 채 가장 오래 보존된 곤충은 풀흰나비Bath White Butterfly다. 풀흰나비는 영국을 자주 찾지 않는데, 이 표본은 1702년 5월에 케임브리지셔에서 포획되었다. 세월이 많이 흐르면서 나비의 배가 살짝 휘고 날개의 흰색과 검은색이 바랬다. 그래도 여전히 관람객이 보기에 멋진 모습이다. 이 표본을 보려면 옥스퍼드대학교에 예약해야 한다.

나비 수집이 옛날에는 외국 여행을 다니는 사람들의 취미였다. 그들은 나비를 두꺼운 책 사이에 끼워두었다. 하지만 지금은 부자들이 나비를 수집한다. 더는 영국에서 볼 수 없는 큰주홍부전나비Large Copper 같은 종의 표본은 경매에서 수백 파운드에 거래된다. 빅토리아 여왕 시대에는 나비와 나방을 연구하는 사람들이 사회적으로 유명 인사가 되기도 했다. 마거릿 파운틴Margaret Fountaine이 바로 그런 경우였다. 그녀는 유럽, 남아프리카공화국, 인도, 오스트레일리아에서 나비를 수집했다.

파운틴은 연구 논문을 여러 편 썼고 수천 마리의 나비를 알과 애벌레 단계에서부터 키웠다. 나비의 생활 주기가 담긴 그녀의 스케치북은 영국 자연사박물관이 소장할 만큼 가치 있는 것으로 여겨졌다. 2019년 파운틴의 고향인 노리치에는 그녀를 위한 비공식적인 파란 명판(blue plaque, 영국에서 유명한 장소, 인물, 사건 등을 기념하는 영구적인 표지판 – 역주)이 세워졌다. 명판에는 그녀의 이름 밑에 이런 문구가 새겨져 있다. '나는 끝내주는 나비 연구가이고 사랑을 사랑했다.(I'm a bloody lepidopterist and I loved love).'

그 후에는 윈스턴 처칠이 젊었을 때 인도에 살면서 나비에게 매혹되었다. 그는 켄트주 차트웰에 있는 붉은 벽돌로 지은 집에서 살 때도 안에 나비 집을 만들었다. 처칠의 아내 클레먼타인Clementine은 남편이 애벌레 시절부터 키운 나비들을 위해 부들레아와 라벤더 등 꽃에 꿀이 많은 식물을 심었다. 처칠은 자신의 우울증을 늘 곁에 있는 '검은 개black dog'라고 표현할 만큼 우울한 감정에 시달렸으나 나비와 나비의 변태 과정에 매료되었다. 당시에는 사람들이 자연에 열중하고 죄책감을 거의 느끼지 않은 채 자연에서 이것저것 약탈했다. 나비 키우기는 아이, 어른 할 것 없이 모두가 즐기기 좋은 취미였다.

사람들은 즐거운 마음으로 시골에서 포충망을 휘두르고는 낚시꾼들처럼 잡은 나비를 서로 비교했다. 영국의 유명인들만 나비에 푹 빠진 것은 아니었다. 《롤리타Lolita》의 저자인 러시아 소설가이자 시인 블라디미르 나보코프Vladimir Nabokov도 상트페테르부르크에서 자라는 동안 곤충학에 지대한 관심을 보였다. 그는 나중에 하버드대학교 동물학 박물관에서 나비 컬렉션을 개최하기도 했다. 이 박물관은 여전히 나보코프의 '생식기 보관함'을 소장하고 있다. 나보코프가 수컷 청띠신선나비의 장기를 모은 컬렉션이다.

나비 보호를 둘러싼 우려의 목소리가 커지자 나비 채집의 기세가 꺾였다. 하지만 주변에서 쾌활하게 날아다니는 형형색색의 나비는 여전히 사람들의 마음을 사로잡았다. 나비를 좋아하는 사람들은 나비를 보려고 숲과 황야를 함께 돌아다녔다. 영국은 나비를 죽이고 수집하는 국가에서 나비를 세는 국가로 발전했다. 사람들이 '트랜섹트transect'라고 불리는 표본 지역에서 나비를 목격했다고 적어둔 메모를 모았더니 귀중한 자료가 되었다. 곤충학자 대부분은 이런 자료를 구하려고 혈안이 될 것이다.

하지만 안타깝게도 최근에 나비 개체 수가 보이는 추세는 눈 뜨고 보기 어려울 정도다. 영국 정부에서 제시한 수치에 따르면 1976년 이후 특정한 곳(황야 지대나 백악 지대)에서만 사는 나비가 68%나 감소했다고 한다. 서식지를 덜 따지는 다른 나비들은 개체 수가 약 3분의 1이 줄었다. '영국 나비 모니터링 계획UK Butterfly

Monitoring Scheme'에서는 40년 동안 해마다 나비 수를 셌다. 그 자료를 살펴보면 나비가 가장 많이 줄어든 최악의 해 10년 중 7년이 21세기에 몰려 있다.

2015년에는 '국가의 상태'라고 불리는 자료가 발표되었다. 이 자료에서는 나비 개체 수를 매년 세지는 않았다. 자료를 정리한 연구원은 "영국에 서식하는 나비의 수가 장기적으로 계속 감소하고 있으며, 이는 심각한 문제다"라고 언급했다. 1976년 이후 나비를 발견하는 횟수는 70% 감소했고 나비의 수는 57% 감소했다. 전반적으로 영국에 서식하고 영국으로 이주하는 나비 종의 4분의 3이 예전보다 드물게 보이거나 개체 수가 줄어든 것이다. 리처드 폭스는 "간단하게 큰 그림을 말씀드리면 영국에 서식하는 나비 종의 4분의 3이 1970년대 이후에 줄어들었고 나머지 4분의 1만 잘 지낸다는 겁니다"라고 말한다. 그는 영국 자선단체 '나비보호협회'의 부책임자다.

영국인들이 나비를 본격적으로 걱정하기 시작한 것은 1979년부터다. 영국에서 점박이푸른부전나비Large Blue Butterfly가 멸종된 것이다. 이 나비는 근엄하게 생긴 하늘색 곤충이며 유충일 때 붉은 개미의 집에서 개미를 먹으면서 자란다. 점박이푸른부전나비를 영국 남서부에서 되살리려는 부단한 노력이 있었다. 그 과정에서 상황을 복잡하게 만드는 여러 문제도 발생했다. 2017년에 아마추어 곤충학자이자 전직 보디빌더 필립 컬런Phillip Cullen은 집행유예 6개월을 선고받았다. 코츠월즈에 있는 자연보호구역의 잠겨 있던 정문을 뛰어넘어 무단 침입했기 때문이다. 그는 그곳에서 몇 시간 동안 포충망을 휘두르며 돌아다녔다. 나중에 경찰은 컬런의 자택에서 고정된 나비를 여러 마리 발견했는데, 그중에는 점박이푸른부전나비도 두 마리 있었다.

지금도 죽은 채 보존된 나비 희귀종을 팔면 빅토리아 여왕 시대의 공예품처럼 큰돈을 받을 수 있다. 곤충이 희귀해지는 시대가 열리면서 포충망을 든 새로운 세대의 범죄자가 생겼다. 곤충에 대한 수요가 수익으로 이어진다는 사실을 알아차린 것이다. 캘리포니아주에서 벌집을 훔치는 사람들도 이런 부류다.

영국에 서식하는 나비를 둘러싼 불안감이 커진 것은 2001년에 나비의 개체 수가 감소하고 있다는 주요 분석 결과가 나온 후부터다. 이 분석 결과는 언론에 여러 번 노출되었고, 영국 의회에 이와 관련된 질문이 등장하기도 했다. 나비 몇몇 종은 그 후에 개체 수가 많이 늘어났다. '듀크 오브 버건디Duke of Burgundy'라는 고귀한 이름의 나비는 1970년대 이후 분포 지역이 84%나 감소했다. 이 나비가 가장 좋아하는 서식지는 가축이 풀을 뜯는 초원과 덤불이다. 그래서 아직 남아 있던 이런 지역들을 서로 연결했더니 서식스, 켄트, 노스요크셔주에서 듀크 오브 버건디의 개체 수가 많이 늘어났다. 하지만 조사가 그렇게 많이 이루어지고 자원봉사자와 나비 보호 운동가들이 목소리를 높인 것이 무색하게 여러 나비 종의 개체 수가 급감하고 말았다. 제왕나비의 경우와 마찬가지였다.

영국에는 매우 희귀한 나비들도 산다. 그중에는 영국 각지의 고립 지역 몇 군데에서만 볼 수 있는 긴은점표범나비High Brown Fritillary도 있다. 하지만 폭스가 지적하듯이 이제는 '정원에서 볼 수 있는 평범한 나비들'도 생존에 어려움을 겪고 있다. 한때는 수가 너무 많아서 해충으로 여겨졌던 큰흰나비는 2017년에 개체 수가 19% 감소했다.

나비는 나방과 운명을 같이하고 있다. 2013년에 진행된 한 주요 연구는 영국에 서식하는 흔한 나방 337종이 2007년까지 40년에 걸쳐 개체 수가 3분의 2나 줄어들었다는 것을 보여줬다. 크기가 더 큰 나방의 사정은 더 안 좋으며, 영국 남부는 나방 묘지나 다름없게 되었다. 이 지역에서는 나방의 개체 수가 무려 40%나 감소한 것으로 기록되었다.

이런 수치가 직관에 반하는 것처럼 느껴질 수도 있다. 영국제도는 유럽 북서부에 있는 시원하고 습한 곳이다. 이곳은 앞으로 유럽의 남쪽에 있는 국가들이 견딜 수 없을 정도로 더워지면 특정한 나비 종들이 찾는 인기 지역이 될 것이다. 영국은 21세기의 첫 10년 동안 나비를 보호하기 위해서 자금을 평소의 2배나 투입했다. 하지만 2015년에 발표된 연구가 지적하듯이 농지에 서식하는 다양한 나비 종이 2000년과 2009년 사이에 58%나 감소했다고 밝혔다. 이 말은 네오니코티노이드가 주범이라는 뜻이다. 특히 이런 화학물질을 상대적으로 덜 사용하는 스코틀랜드에서 나비의 개체 수가 안정적이라는 점을 생각하면 더욱 그렇다.

영국은 세상에서 나비를 가장 많이 연구하는 국가이자 나비에 헌신적인 사람이 많은 국가다. 그런데도 여러 나비 종이 멸종 위기를 향해 달려가고 있다. 데이터를 더 많이 확보하면 나비에 대한 지식이 더 생길지는 몰라도 그 결과가 마음에 위안을 주지는 못할 것이다. 영국 연구원들은 커튼 뒤에 숨어 피가 몇 방울 튀기는 것을 엿보는 대신 커튼을 옆으로 젖혀서 조용한 대학살의 현장을 목격하게 되었다.

더 큰 그림을 생각해보면 영국에 서식하는 나비에 대한 상세한 기록을 보고 똑같은 재앙이 다른 곳에서도 일어나고 있으리라고 짐작할 수 있다. 다른 국가들도 나비 서식지를 없애버리고, 살충제를 뿌리고, 화석연료를 태워 질소로 인한 환경오염을 유발했기 때문이다. 이 과정에서 토양이 산성화되고 나비 분포 구역이 나비에게 별로 도움이 되지 않는 새로운 식물로 뒤덮인다. 폭스는 이렇게 말한다. "옛날에는 맑은 날이면 정원에서 나비와 나방을 흔히 볼 수 있었습니다. 하지만 벌써 몇 년째 나비와 나방을 보기가 어려워졌습니다. 저는 올해 쉰인데, 초원이 나비로 가득했던 광경을 기억할 만큼 나이가 들지는 않았습니다. 그런데도 요새 시골에서 나비를 보기가 어렵습니다. 저는 나비 한 마리를 볼 때마다 '오, 좋아! 잘 적어둬야겠어'라는 생각이 듭니다." 폭스는 이런 천국 같은 광경이 사람들의 기억에서 사라져 나비를 보호하려는 긴급한 움직임에 제동이 걸릴까 봐 걱정한다. "옛날에 시골 풍경이 어땠는지 사람들에게 계속 상기해줘야 합니다."

아트 샤피로Art Shapiro만큼 나비의 암울한 미래를 자세히 들여다본 사람도 드물다. 샤피로는 만화책, 유명한 문구, 아르헨티나 정치 등 다양한 주제와 관련된 정보를 집착적으로 수집했다. 그중에서도 가장 주목한 것은 캘리포니아주 북부에 서식하는 나비들이었다. 샤피로는 1972년부터 영국의 까다로운 나비 연구 방식에 혼자 맞섰다. 그는 새크라멘토강의 삼각주를 따라 새크라멘토 계곡을 통과해 높이 치솟은 시에라네바다Sierra Nevada산맥까지의 구간을 반복적으로 걸었다. 그러면서 나비를 볼 때마다 적어두었다.

샤피로는 수염이 덥수룩하며 산발한 머리가 얼굴을 거의 다 뒤덮는다. 그는 캘리포니아대학교 데이비스 캠퍼스에서 진화와 생태학을 가르치는 교수로 일하고 있으며, 교내에서 오래전부터 독특한 인물로 알려져 있다. 이 학교에서 차를 타고 남쪽으로 90분 동안 달리면 재스퍼 리지 보호구역Jasper Ridge Preserve에 닿는다. 이곳에서는 또 다른 베테랑 생물학자 파울 에를리히Paul Ehrlich가 1960년에 체커스폿Checkerspot 나비를 연구하기 시작했다. 안타깝게도 이 나비는 2000년에 사라지고 말았다. 샤피로의 연구는 원래 5년만 진행될 계획이었지만 이제는 북아메리카 역사상 가장 오랫동안 이어지는 곤충 모니터링 프로그램으로 등극했다.

2020년 1월의 어느 포근한 날 아침에 필자는 캘리포니아주에 있었다. 샤피로의 운전기사이자 동행인 역할을 하면서 그의 고정 연구 지역 열 곳 중 한 곳으로 향하는 길이었다. 이곳은 아메리칸강을 따라 펼쳐진 지역이었는데, 개활지와 숲이 섞여 있었다. 근처 새크라멘토주 동부에는 깔끔한 주택이 늘어선 란초 코르도바Rancho Cordova라는 도시가 있다. 샤피로의 말에 의하면 1970년대에는 이 45km짜리 물가에서 나비를 5~6종이나 볼 수 있었다고 한다. 하지만 요즈음에는 운이 좋아야 한두 종 볼 수 있다.

샤피로는 나비를 관찰한 내용을 기록할 때 첨단 기술을 이용하지 않는다. 그저 셔츠 주머니에 메모지, 펜 두 자루, 샤프 한 자루를 넣고 다닐 뿐이다. 샤피로는 발견하는 나비뿐만 아니라 날씨와 주변 식물에 대한 사항도 꼼꼼하게 적어놓는다. 그러면 캘리포니아대학교 데이비스 캠퍼스에 있는 그의 동료들이 그 내용을 컴퓨터에 입력한다. 샤피로는 휴대전화를 들고 다니지 않으며 캘리포니아주에 사는 사람으로서는 드물게 자동차도 몰지 않는다.

이론상으로는 란초 코르도바에 있는 이 쐐기 모양의 땅에 신선나비가 살 수 있다. 이 나비는 영국에서 '캠버웰Camberwell의 아름다움'이라고 알려져 있으며 고동색 날개 끝부분이 노란색이라서 눈에 확 띈다. 붉은제독나비와 남방공작나비도 이곳에서 살 수 있다. 남방공작나비는 날개에 동물의 눈과 비슷한 무늬가 있는 것으로 유명하다. 이론은 이론일 뿐 실제로는 샤피로의 메모지를 보면 최근에 그가 나비를 보지 못한 날이 많은 것을 알 수 있다. "이번 겨울은 정말 끔찍했습니다. 아주 가혹했어요." 그는 이렇게 투덜거렸다.

샤피로의 연구 지역은 나비를 좋아하는 사람이라면 누구나 탐낼 만한 곳이다. 그는 해수면에서부터 시에라네바다산맥의 수목 한계선까지 오르내리면서 나비를 150종 넘게 목격했다. 다른 사람들이 이 정도의 성과를 이룩하려면 알프스산맥, 로키산맥, 열대지방의 엄선된 지점에서 시간을 보내야 할 것이다. 나비의 수는 여러 해에 걸쳐서 오르락내리락하는 경향이 있다. 캘리포니아주의 여러 미기후(微氣候, 국한된 지역의 기후 - 역주) 때문에 나비 개체 수의 장기적인 추세를 명확하게 파악하기는 쉽지 않다. 하지만 샤피로는 1990년대 후반까지 자신이 목격한 나비의 수가 점진적으로 줄어드는 것을 알수 있었다.

그러다가 나비 수가 불시에 급락했다.

샤피로는 이렇게 말한다. "1998년과 1999년이 문제였습니다. 저고도에 서식하는 나비 17종의 개체 수가 갑자기 줄어들었습니다. 그때 심각한 일이 벌어지고 있다고 알리는 사이렌이 울리는 것 같았습니다." 샤피로를 포함한 과학자 12명은 팀을 구성해 나비의 수가 급감하는 원인을 찾으려고 노력했다. 그 결과 캘리포니아주 북부의 땅 주인들이 네오니코티노이드 살충제를 더 많이 쓰게 된 것이 문제라고 결론을 내렸다. 땅 주인과 식물 사이에 낀 나비에게는 치명적인 결정이었다.

몇몇 나비 종은 개체 수를 회복했지만, 아예 사라져버린 나비들도 있다. 큰대리석나비Large Marble는 날개가 흰색과 녹색을 띤다. 이 나비는 1980년대에는 흔히 볼 수 있었으나 이제는 멸종된 지역도 있다. 네발나비과에 속하는 필드 크레센트 나비Field Crescent도 마찬가지다. 이 나비는 날개에 주황색, 갈색, 흰색이 섞여 있다. 팔랑나비과에 속하는 커먼 수티윙 나비Common Sootywing는 한때 샤피로의 실험실 밖에서 번식되었는데 이제는 자주 볼 수 없어 'common(흔히 볼 수 있는)'이라는 이름이 무색할 지경이다. 샤피로의 트랜섹트에 남아 있는 커먼 수티윙 나비 군집은 딱 하나다. 샤피로는 "상당히 암울한 상황입니다. 하지만 이 문제에 대해 너무 많이 생각하면 살 수가 없을 겁니다. 제대로 돌아가는 것이 하나도 없다고 보시면 됩니다"라고 말한다.

캘리포니아주의 혹독한 가뭄은 2011년에 시작되었다. 1,000년 만에 닥친 최악의 가뭄이었다. 놀랍게도 저지대에 서식하는 일부 나비에게는 가뭄이 득이 되었다. 하지만 고지대에 사는 나비들은 큰 타격을 입었다. 이런 나비들은 몸이 얼거나 건조해지는 것을 막기 위해 눈덩이로 뒤덮인 들판에 의지하기 때문이다. 가뭄이 해소되자 캘리포니아 사람들은 마음이 놓였지만, 나비의 개체 수는 다시 감소세를 보이기 시작했다. 여기에는 제왕나비도 포함되었다. 나비 중에서 가장 유명한 제왕나비는 가뭄이 계속되던 시기에 크게 번성했다. 그러다가 개체 수가 수백만 마리에서 수만 마리로 급격하게 줄어들고 말았다. 원인은 알 수 없지만, 따뜻하고 축축한 날씨는 나비에게 다양한 박테리아성 질병과 진균성 질병을 일으킬 수 있다.

"아스클레피아스를 심은 사람들이 모두 '와, 우리가 제왕나비를 살렸구나!'라고 생각했습니다. 제왕나비가 번성한 게 그 식물을 심은 것과 아무 상관도 없었는데 말이죠. 그러다가 제왕나비의 수가 다시 줄어들었습니다." 2018년은 아마도 샤피로가 나비를 연구한 48년 동안 가장 나쁜 해였을 것이다. 그해에는 유일하게 모든 고도에서 나비의 수가 감소했다. "그야말로 끔찍했습니다." 샤피로는 이렇게 회상한다.

소나무흰나비와 이발다 북극나비Ivallda Arctic 같은 좋은 높이가 2,774m인 캐슬 피크Castle Peak산에서만 볼 수 있다. 그런데 이런 나비들이 감쪽같이 사라진 것이다. 이발다 북극나비는 3년 연속 눈에 띄지 않다가 2019년에 다시 모습을 드러냈다. 샤피로는 "작년에 한 마리 봤습니다. 딱 한 마리요! 어쨌거나 아직 멸종되지는 않았더라고요"라고 말한다. 그가 연구를 하려고 걸어 다니는 행동은 점점 줄어드는 즐거움을 붙잡으려는 외로운 활동이 되어간다. "마치 우주 전체가 나비를 없애버리려고 음모를 꾸미는 것 같습니다. 저는 환자를 어렸을 때부터 봐온 의사가 된 것 같은 기분입니다. 잘 알고 있는 환자가 죽어가는 거죠. 저도 환자가 죽어가는 건 알지만 원인은 모릅니다."

초원을 가로지를 때 샤피로가 아직 꽃이 피지 않은 피들넥fiddleneck을 손으로 가리켰다. 원래 이맘때면 시에라네바다산맥 기늙의 작은 산이 겨자색으로 물든다. 하지만 2020년에는 모든 것이 늦게 도착했다. 기후변화 때문에 봄이 늘 평소보다 일찍 왔는데 그 해만큼은 달랐다. 샤피로는 지난 40년 동안 겨울잠에서 깨어난 성체 배추흰나비를 살아 있는 상태로 잡아 오는 사람에게 매년 커다란 잔으로 맥주를 사줬다. 지구가 점점 뜨거워지면서 배추흰나비들이 평균적으로 처음 날아오르는 날짜가 1월 18일로 당겨졌다. 샤피로가 이런 전통을 시작한 첫해보다 약 20일이나 당겨진 것이다.

1시간을 가는 동안 우리는 새와 다람쥐 몇 마리는 봤지만 나비는 한 마리도 보지 못했다. 우리는 다시 아메리칸강 가장자리를 따라 터덜터덜 걸었다. 이곳은 캘리포니아의 대단했던 골드러시 때 파낸 부스러기 광물을 나중에 흙으로 덮은 곳이다.

1972년만 하더라도 샤피로는 기후변화의 악영향에 대해 전혀 생각하지 못했다. 자신이 가장 좋아하는 나비인 파타고니아 은나비를 보려고 아르헨티나로 출장을 가게 될 줄도 몰랐다. 파타고니아 은나비는 구름 사이로 새어 들어오는 햇빛 속에서 춤추는 것 같은 모습이었다. 나비의 세계가 달라지고 무너지는 동안에도 샤피로의 루트는 항상 똑같았다. 그는 매일 24km를 걸으면서 나비를 찾는 것 말고 다른 목표는 없다. 74세인 샤피로는 건강하지만 캐슬 피크산을 더는 오르기 어렵다. 무릎 통증이 올라갈 때는 견딜 만하지만 내려올 때 심해지기 때문이다. "제 목표는 최대한 오랫동안 살아 있는 겁니다." 샤피로는 이렇게 말하면서 미니Minnie 고모님 이야기를 들려주었다.

샤피로의 고모는 〈젊은 의사 말론Young Doctor Malone〉이라는 드라마를 가장 좋아하셨는데, 그 프로그램을 보다가 심장마비로 돌아가셨다고 한다. "제가 나비를 찾다가 세상을 뜨게 되면 가장 이상적인 상황일 겁니다."

만일 세상에 있는 나비들이 전부 사라져버리면 우리는 무엇을 잃게 될까? 나방과 나비의 공통된 조상이 살았던 시기는 약 3억 년 전으로 거슬러 올라간다. 그때부터 식물과 배고픈 애벌레의 진화론적인 군비 경쟁이 느린 속도로 펼쳐졌다. 결국 식물과 애벌레는 상호 의존하는 수준까지 도달했다.

하지만 식물이 없으면 더 아쉬운 쪽은 나비다. 수분 매개를 위해 나비에게 전적으로 의존하는 식물은 없다. 또 나비가 없다고 해서 굶어 죽을 상위 포식자도 없다. 아이러니하게도 나비를 살리려는 숱한 노력이 이루어지고 있지만, 우리 삶은 나비 없이도 문제없이 흘러갈 것이다. 에리카 맥앨리스터는 "나비는 생태학적인 관점에서 보면 쓸모가 별로 없습니다"라고 말한다. 그녀는 파리가 나비처럼 사람들에게 인기가 있지는 않더라도 수분 매개자로서 훨씬 가치 있다고 지적한다. "정말 짜증 나는 것은 나비 유충이 돌아다니면서 이것저것 닥치는 대로 먹어치우는데도 성체가 되면 보기에 예쁘니까 사람들이 용서해준다는 겁니다."

나비를 옹호하는 사람들은 이런 평가에 불만을 가질지도 모른다. 하지만 나비와 파리의 유용성을 비교하는 것은 별 의미가 없다.

곤충은 우리가 살아가도록 돕고, 나비는 우리가 살아가는 데 가치를 더해준다. 나비광이던 처칠이 한 말로 잘못 알려졌지만, 전시에 미술에 대한 지출을 줄이자는 제안이 나왔을 때 누군가가 이렇게 말했다. "그럼 우리는 무엇을 위해서 싸우는 겁니까?"

샤피로는 1950년대에 필라델피아 교외에 살았다. 그는 싸늘한 집 분위기에서 벗어나기 위해서 열 살 때부터 나비를 찾아다니기 시작했다. 샤피로는 집 근처에 있는 삼림지대와 초원에서 시간을 보냈다. 재킷 주머니에는 프랭크 러츠Frank Lutz가 쓴《곤충 채집 수첩Field Book of Insects》이 들어 있었다. 나비는 우리를 주변 환경으로부터 격상시켜주며 자연의 쾌락주의에 접근할 수 있게 해준다. 나비는 환경의 변화를 나타내는 예민한 지표로서 중요한 역할을 한다. 하지만 더 근본적으로 우리의 정신 건강을 위해 기운을 북돋아주는 마법사 같은 역할도 한다. 우리는 나비를 보면 마음이 평화로워지고 경외감을 느낀다. 나비는 현실적인 관점에서 돈으로 환산할 수 없는 가치가 있는 보물이다. 따라서 곤충의 위기는 우리가 곤충과 함께 사는 집의 마룻바닥을 뜯어낼 뿐만 아니라 벽에 걸린 아름다운 미술 작품까지 다 떼어내버리는 격이다. 샤피로는 이렇게 말한다. "기본적으로 심미적인 아름다움과 감상주의에 대한 문제죠. 설령 내일 나비가 전부 멸종하더라도 생태계는 무너지지 않을 겁니다. 하지만 사람들은 나비를 좋아합니다. 나비는 예쁘고 사람을 해치지도 않습니다. 나비를 무서워하는 사람들도 만나보기는 했지만 드문 편이죠."

우리는 2시간 동안 돌아다니다가 블랙베리 덤불을 통과해서 차로 향했다. 그때 샤피로가 갑자기 짧게 소리를 질렀다. 앞에 가던 행인이 깜짝 놀라서 뒤를 돌아봤다. 털이 수북한 샤피로는 지나가는 나방 한 마리를 가리키면서 팔을 휘두르고 있었다. 흔히 '하이플라이어highflier'라고 알려진 나방이었다. 나는 아무것도 보지 못했다. 샤피로는 곤충을 한 마리도 못 봤다고 기록하는 일을 겨우 면했다. 샤피로의 루트에 나비는 한 마리도 없었다. 그나마 50번 국도를 타고 란초 코르도바로 가면서 제왕나비 한 마리를 볼 수 있었다.

샤피로는 "나비를 한 마리도 못 봐서 실망스럽습니다. 하지만 그것이 과학과 예술의 차이겠죠. 예술은 현실을 초월하고, 과학은 현실을 묘사하죠"라고 말한다.

멕시코 중부에서는 나비가 단순히 예쁜 곤충 그 이상이다. 나비는 빈곤과 폭력에 시달리는 이 지역의 경제적인 원동력이기도 하다. 하지만 이 지역 사람들은 오래전부터 나비의 아름다움을 알아봤다. 스페인 정복 이전에 만든 도자기가 출토된 적이 있었는데, 도자기 겉면에 나비 그림이 가득했다. 이 지역에서는 자동차 번호판에 제왕나비가 그려져 있고, 학교, 축구 팀, 회사 이름에도 '제왕나비'가 들어간다. 사엔스-로메로는 숲을 산 위쪽으로 옮기려는 계획이 공무원 몇 명의 지지를 얻기 시작했다고 말한다. 그런데 계획을 진행하는 속도가 너무 느린 것이 문제다.

유명한 중국 속담 중에는 '나무를 심기에 가장 좋은 시간은 20년 전이었다. 그다음으로 좋은 시간은 바로 지금이다'라는 말이 있다. 안타깝게도 남쪽으로 이동하는 제왕나비의 경우에는 '지금'을 넘겨 버리면 시간이 별로 남지 않는다. 수령 80세인 오래된 오야멜 전나무가 기후변화의 추세에 맞추어 자리 잡으려면 지금쯤 고지대에 수만 그루가 있어야 한다. 하지만 이런 시나리오가 소규모로나마 전개될 가능성은 보이지 않는다. 따라서 나비는 이곳뿐만 아니라 다른 모든 곳에서도 사라질 확률이 높다. 사엔스-로메로는 이렇게 주장한다. "우리는 이런 나무를 지금 당장 많이 심어야 합니다. 하지만 그런 일은 일어나고 있지 않습니다. 어쩌면 나비를 살리려는 것은 꿈에 불과할지도 모릅니다. 그렇다고 해서 가만히 손놓고 있을 수도 없습니다."

　나비 보호구역의 한가운데에는 '시에라 친쿠아Sierra Chincua 보호구역'이 있다. 이곳으로 향하는, 바퀴 자국이 깊이 팬 구불구불한 길은 걸어서 가거나 제공되는 말을 타고 갈 수 있다. 필자와 사엔스-로메로는 에히도를 떠나 그 길을 말을 타고 가기로 했다. 우리는 라시오카르파 전나무Alpine Fir가 우뚝 솟은 도시를 천천히 통과했다. 멕시코라기보다는 사람들이 스키 여행으로 찾는 스위스 같은 풍경이었다.

　마지막 코스는 말에서 내려서 걸어갔다. 해발 3,150m에 달하는 암석 지대에 가까워지자 제왕나비 몇 마리가 반겨주었다. 그곳은 오야멜 전나무가 잘 자라는 고도의 중간쯤 되는 높이였다. 암석 지대

꼭대기에는 빈터를 가운데 두고 제왕나비로 뒤덮인 나무들이 반원을 그리며 서 있었다. 거기서부터는 다시 내리막길이었다. 마치 나비들이 멕시코 중부에 숲으로 뒤덮인 화산이 여기저기 늘어서 있는 장관을 보려고 그곳을 선택한 것 같았다.

제왕나비 수백만 마리가 전나무를 뒤덮다 보니 나비의 주황색 날개 때문에 나무의 초록색 침엽이 가려질 정도였다. 나뭇가지에 앉은 나비도 있었고, 바위투성이 땅에서 햇볕을 쬐는 나비도 있었다. 그리고 근처에서 자라는 식물을 먹으면서 영양을 보충하는 나비들도 있었다. 그러다가 마치 백일몽이라도 꾸는 것처럼 바람이 불더니 나비 떼가 공중으로 날아올랐다. 나비들은 하늘을 향해 떠오르면서 나무 주변을 쏜살같이 날아다녔다. 나비를 구경하던 사람들이 깜짝 놀라 저마다 한마디씩 던졌다. 말벌 한 마리가 머리카락과 엉켜버렸다고 생각한 한 여자만 빼고 말이다. 이런 소리를 제외하고는 보슬비가 캔버스 천으로 만든 텐트를 때리는 것처럼 제왕나비가 날개를 파닥이는 소리만 들렸다. 현실을 초월한 것 같은 순간이었다.

보호구역을 나서는 길에는 현지의 행상인들이 제왕나비가 그려진 펜, 모자, 바구니 등 별의별 상품을 다 팔고 있다. 출구에는 나비 모양의 석상이 한 쌍 있는데, 세상에서 가장 유명한 제왕나비 전문가 링컨 브로어Lincoln Brower에게 바치는 기념물이다. 브로어는 제왕나비가 멕시코까지 날아오는 모습을 보기 위해 이곳을 정기적으로 찾았다. 그러다가 2018년 86세의 나이로 세상을 떠났다. 브로어는 지미 카터Jimmy Carter 전 미국 대통령과 함께 2013년에 나비 보호구역을 찾은 적이 있었다. 당시 전 대통령이 브로어에게 나비에 대한 질문을 쏟아냈다. 두 사람은 보호구역을 나서면서 관광 안내소 근처에 주차된 관광버스 수십 대를 발견했다. 그러고는 관광객들이 식물을 짓밟았다는 것을 눈치챘다. 2년 후 브로어는 미국 정부가 공식적으로 제왕나비를 멸종 위기종으로 지정해주기를 바라면서 탄원서에 서명했다. 안타깝게도 브로어는 자신이 40년 동안 헌신적으로 연구한 동물이 공식적으로 보호받을 수 있을지 결과를 알지 못한 채 세상을 떴다.

브로어는 생전 마지막 인터뷰 중 하나에서 이렇게 말했다. "우리는 미술이나 음악처럼 야생동물도 문화적으로 존중할 필요가 있습니다. 우리가 모나리자나 모차르트 곡의 아름다움에 신경 쓰는 것처럼 제왕나비에게도 신경 써야 합니다."

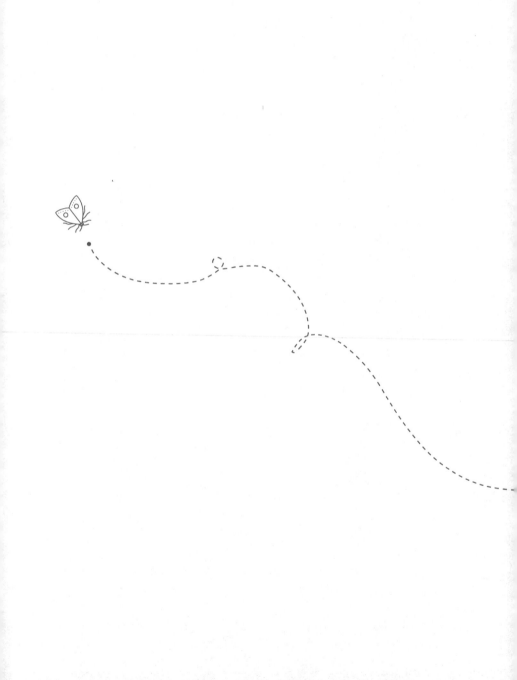

8장

곤충 멸종에
저항하는
다양한 시도

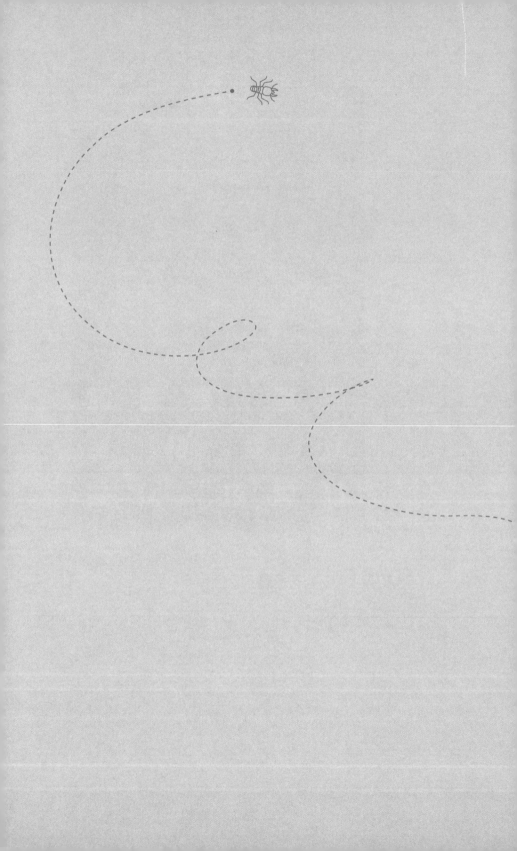

"우리는 자연을 아주 제대로 파괴했습니다. 숲도 사라졌고, 해수 소택지도 사라졌고, 목초지와 초원도 사라졌습니다. 그런 환경을 조금이라도 되찾을 수 있다면 아주 중요한 전환점이 될 겁니다. 이런 환경이 바로 도시에서 가장 취약한 부분입니다. 뉴타운 크리크 같은 곳에서도 건물 위에 생명이 용솟음치는 목초지를 만들 수 있다면 어디에서든 만들 수 있을 겁니다."

_뉴타운 크리크 얼라이언스의 일원,
리사 블러드굿(Lisa Bloodgood)

곤충의 위기가 중요한 사안이 되었음을 알려주는 것은 벌 의상을 입고 절제된 분노를 표출하려는 사람의 수가 늘어났다는 사실이다. 2019년 겨울이 끝나갈 무렵에 독일 남부에서는 벌 분장을 한 사람을 많이 볼 수 있었다. 그들은 검은색과 노란색으로 페이스 페인팅을 한 채 볼록한 배를 하고 뒤뚱뒤뚱 걸었다.

오해의 소지는 다소 있지만 꿀벌이 환경보호를 상징하는 곤충이 된 이후로 이와 비슷한 시위가 곳곳에서 열렸다. 독일 바이에른주 시민들이 영어와 독일어가 섞인 플래카드를 들고 시위하는 사람들을 별나게 생각하는 것도 무리는 아니었다. 플래카드에는 '벌이 영웅이다!'나 '경제가 우리와 함께 윙윙거린다' 같은 글귀가 적혀 있었다.

하지만 이번에는 정치계에 작은 지진이 일어나고 있었다. 환경보호 단체와 정치 단체의 연합체가 생물 다양성 보호를 투표에 부쳤다. 연합체는 곤충을 살릴 수 있도록 유럽 중심부에 있는 농경지에 변화가 필요하다고 호소했다. 청원자들은 농지의 30%를 곤충에게 호의적인 유기농 농지로 전환해달라고 요청했다. 또 습지와 산울타리를 원상 복구하고, 살충제 사용을 줄이고, 광공해를 제한해달라고도 요청했다. 곤충의 부활을 꿈꾸는 계획치고는 '벌을 살리자Save the Bees' 캠페인은 무모하고, 너무 큰 변화를 요구하며 무엇보다 성공 가능성이 희박해 보였다.

바이에른주는 독일에서 가장 보수적인 주이기도 하지만 현재의 농사법을 가장 열렬하게 지지하는 곳이기도 하다. 이곳에서 농업은 엄청난 규모를 자랑한다. 드넓은 들판에 단일경작하는 작물이 끝없이 심겨 있고, 농부들은 살충제를 원 없이 사용한다. 이곳에서는 환경과 관련된 규제를 제정하려던 기존 시도는 물론 풍력 발전용 터빈을 세우려던 시도조차 좌절되고 말았다. 그래서 보수적인 주 정부는 보통 사람들의 이 새롭고도 이상한 형태의 노력을 의기양양하게 비웃었다. 섬뜩한 벌레들을 돕기 위해 농부들에게 불리한 조건을 내걸다니 말도 안 되는 짓이었다.

하지만 결국 주 정부가 크게 졌다. 직접 민주주의의 놀라운 힘이 발휘되어 청원자들은 바이에른주 주민 175만 명의 동의를 얻어냈다. 이는 전체 유권자의 5분의 1에 해당하는 인원이었고, 주 정부가 법을 제정하는 데 필요한 최소 기준인 10%를 한참 넘어선 수치였다. 충격적인 크레펠트 곤충 연구가 발표되고 나서 2년 뒤 유권자들은 주변을 둘러보고는 귀뚜라미, 나비, 호박벌, 종달새가 사라진 것을 눈치챘다. 그러고는 그런 일을 좌시해서는 안 된다고 생각했다. "사실 처음에는 저희도 그렇게 낙관적으로 생각하지 않았습니다." '벌을 살리자' 캠페인의 대변인이 된 마르쿠스 얼바인Markus Erlwein의 말이다. 그는 바이에른주 주민들이 용감하게 추운 날씨를 뚫고 시청 앞에 줄을 서서 청원서에 서명하는 광경을 보았다. 그동안 언론은 계속해서 곤충의 세계가 무너지고 있다는 소식을 전했다. "기반이 다져졌습니다. 때가 온 겁니다. 주민들의 관심이 폭발했어요. 결과가 나왔을 때 저는 울었습니다."

물론 해피 엔딩이 곧바로 찾아오지는 않았다. 거대 기업들이 변화의 바람에 맞서 반격에 나섰다. 농경지를 야생에 더 가깝게 관리하고 살충제를 덜 사용하려는 바이에른주의 시도는 현 상태를 유지하기 위해 농부들에게 보조금을 주는 유럽연합의 정책과 충돌했다. 유럽은 곤충과 곤충에 의존하는 먹이그물을 잔인하게 다루는 방법을 고안하고 세계 각지로 수출한 곳이다. 하지만 유럽은 자연주의자 알도 레오폴드Aldo Leopold의 표현처럼 현대적인 도구로 '원자의 비밀을 풀고 조류의 흐름을 바꿀 수는 있다. 그러나 인류 역사상 가장 오래된 일, 즉 땅을 망가뜨리지 않으면서 살아가는 일을 할 수는 없다'라는 사실을 깨닫기 시작했다.

유럽은 이런 무모한 진척을 멈추고 뒤늦게나마 느린 속도로 예전 모습으로 돌아가고 있다. 프랑스는 네오니코티노이드가 함유된 살충제 사용을 전면 금지했고, 독일은 해가 지고 나면 불을 끄려고 노력하고 있다. 노르웨이는 오슬로 중심부에 벌을 위한 피난처를 마련하기도 했다. 곤충의 위기에 대항해서 인간은 정책을 단편적으로 추진하고, 자금을 충분히 확보하지 못하고, 때로는 혼란스러운 모습을 보인다. 그래도 원상 복구 계획의 틀은 정해졌다. 곤충은 이제 지구상에서 사라지고 있는 생물군에 관한 암울한 대화의 소재로 등장한다. 독일 생물학자 요제프 라이히홀프Josef Reichholf는 이렇게 말한다. "몇 년 전에는 벌이나 나비가 아닌 곤충은 전부 해충으로 여겨졌을 겁니다. 하지만 그런 인식이 달라졌습니다. '곤충'이라는 단어에 대한 우리의 감정이 조금 개선되었습니다. 꿀벌이 중요한 곤충이기는 하지만 다른 곤충들도 중요하다는 사실을 알게 됐죠."

곤충을 죽이던 습관을 버리기란 쉽지 않은 도전처럼 보일 수 있다. 우리는 거대한 농업 시스템을 손보고, 문화 규범을 발전시키고, 생활 수준의 개선과 환경 파괴의 연결 고리를 끊어내야 한다. 핀란드 자연사박물관에서 일하는 생물학자 페드로 카르도소는 "위협은 하나씩 더해지는 것이 아니라 한 번에 폭발적으로 늘어납니다. 만일 곤충이 여러 위협 중 한 가지만 감당해야 한다면 생존할 수도 있습니다. 하지만 위협이 두세 가지로 늘어나면 문제가 굉장히 커집니다"라고 말한다. 우리가 곤충을 보잘것없는 존재로 보는 만큼 이런 개혁을 추진하려면 곤충의 생존이 아닌 다른 것에서 동기를 찾아야 할 것이다. 인간의 건강이나 기후변화에 따른 대처 같은 동기가 곤충을 보호하는 계획과 맞물려야 할 것이다.

하지만 한 발짝 물러나서 생각하면 곤충의 위기를 극복하는 일은 놀라울 만큼 간단할 수도 있다. 그저 몇 가지 행동을 그만두면 된다. 행동에 나서지 않는 것, 즉 자연을 덜 다듬는 것만으로도 충분할지도 모른다. 아폴로Apollo 11호를 만들고 발사하는 것처럼 대단한 일을 하지 않아도 된다. 청정에너지 그리드를 새로 설계하거나 전 세계를 마비시킨 팬데믹을 이겨내기 위해 황급히 백신을 개발할 필요도 없다. 다행히도 우리가 해야 할 일은 그것보다 훨씬 느긋하게 할 수 있다.

이 계획에서 논쟁을 불러일으킬 만한 부분은 특정한 화학물질의 사용을 제한하고 곤충이 살아갈 공간을 마련하는 것이다. 변두리에라도 야생 식물을 골고루 심겠다는 것이다. 계획 중 대부분은 집에서 할 수 있는 소소한 활동이다. 잔디를 깎는 횟수를 줄이거나 밤에 불을 너무 밝게 켜놓지 않으면 된다. 한발 더 나아간 계획이라고 한다면 잘 정돈되고 깔끔하게 손질된 잔디밭이 꼭 필요한지 고민해보는 것이다. 곤충학자 메이 베렌바움은 이런 접근법을 '실천 계획이 아닌 무실천 계획'이라고 요약한다. "우리는 야단을 부리면서 환경이 무너질 때까지 자연을 변형했습니다. 어쩌면 이제는 가만히 앉아서 자연이 기회를 얻으면 어떻게 피어나는지 지켜봐야 할 때인지도 모릅니다."

이런 자연은 어떤 모습일까? 몇몇 환경 운동가는 영국의 남동부에서 조용히 일어나고 있는 생태학적인 혁명을 예로 든다. 넵 Knepp은 면적이 14km² 정도 되는 농장이며 유럽에서 인구밀도가 가장 높은 지역 중 한 군데에 있다. 이곳에서는 집약적인 농업이 곤충과 다른 여러 동물을 죽이지 않았다. 넵은 여러 측면에서 봤을 때 농장이라고 보기는 어렵다. 인간의 개입을 최소화하고 자연이 주도적으로 땅을 이용하게 하는 야심 차고 원대한 프로젝트를 추진하기 때문이다.

넵의 운영자 찰리 버렐Charlie Burrell과 이저벨라 트리Isabella Tree는 전통적인 경작 방식을 도입하려고 몇 년 동안 노력했다. 중장비와 살충제에 투자하고, 진흙과 석회암으로 이루어진 로어 윌드 Lower Weald 지역에서 수익성이 있는 작물을 재배하려고 고생했다. 이곳의 땅은 여름에는 바위처럼 단단해지고 겨울에는 진흙처럼 물렁거린다. 북극 원주민이 하늘에서 내리는 '눈'을 표현하는 단어를 수십 개나 쓰는 것처럼 서식스에 사는 사람들은 '진흙'을 표현하는 단어를 30개 넘게 쓴다. 경작하기 어려운 환경과 규모가 더 큰 경쟁 농장들 때문에 넵은 빚이 쌓여갔다. 그래서 2000년에 파산을 피하기 위해 농기구와 젖소 떼를 팔았다.

그러다가 깨달음의 순간이 찾아왔다. 농장의 일부 지역을 농경지에서 맨땅으로 복구하도록 보호 기금을 받게 된 것이다. 그랬더니 즉시 야생동물들이 나타났고, 곤충이 가장 먼저 모습을 드러냈다. "우리 주변에 곤충이 가득한 느낌을 받을 수 있었습니다. 벌이 윙윙거리고 다른 곤충들이 날갯짓하는 소리가 들렸습니다." 트리는 이렇게 회상한다. 그녀가 무릎까지 오는 토종 풀과 데이지 꽃 사이를 걸으면 한 걸음 내디딜 때마다 메뚜기가 뛰어올랐다. "갑자기 전혀 다른 공간에 있는 것 같았습니다. 무엇이 중요한지 깨달았어요." 버렐과 트리는 네덜란드 생태학자 프란스 베라Frans Vera의 업적에서 영감을 받아 농장에서 작물을 더는 재배하지 않기로 했다. 그 대신 초식동물들이 자유롭게 돌아다니게 놔두기로 했다. 초식동물들은 풀을 뜯으면서 생태계에 영향을 미친다. 이 땅에는 살충제를 살포하지 않았고, 동물에게도 항생제나 인공적인 물질을 제공하지 않았다. 넵에서 키우는 동물 중에는 엑스무어 포니Exmoor Pony, 탬워스 돼지Tamworth Pig, 소 400마리도 있다. 넵은 어찌어찌해서 이런 환경을 활용해 돈을 번다. 매년 유기농 고기 75톤을 판매하고, 돈을 내고 찾아오는 생태 관광객에게 캠핑 장소를 제공하고, 예전에 농장이었던 공간을 빌려준다. 버렐과 트리가 예전과 똑같은 방식으로 농장을 운영했더라면 매우 큰 위험 부담을 질 뻔했다.

덤불이 빠른 속도로 자랐고, 버렐과 트리는 죽은 나무를 치우지 않고 땅에서 썩게 내버려뒀다. 다른 농부들 눈에는 지저분해 보여도 곤충에게는 낙원이나 다름없었다. 무척추동물 600종 이상이 넵에 서식하는 것으로 기록되었다. 그중에는 바이올렛 도르 딱정벌레Violet Dor Beetle도 있었다. 이 곤충은 50년 동안 서식스에서 한 번도 발견된 적이 없다. 트리의 말에 의하면 소똥 한 개에 쇠똥구리 20종 이상이 들어 있었던 적도 있다고 한다. 희귀한 방아벌레의 유충은 오래된 오크나무의 부드러운 그루터기에서 자라다가 성체가 되고, 하루살이와 잠자리가 반짝거리는 깨끗한 연못과 호수 주변을 날아다닌다. 눈이 파란 스케어스 체이서Scarce Chaser는 영국의 일부 지역에서만 볼 수 있는 잠자리인데, 놀랍게도 넵에서 번성하고 있다. 영국에서 번개오색나비를 가장 많이 볼 수 있는 곳도 바로 넵이다. 그래서 여름이면 나비 애호가들이 미끼로 쓰려고 썩은 물고기, 냄새 나는 치즈, 더러운 기저귀를 들고 희귀하고 특이한 번개오색나비를 찾아온다. 트리는 "야생동물이 얼마나 금방 돌아오는지 놀라울 따름입니다. 곤충이 가장 빨리 나타나는 것도 놀랍습니다"라고 말한다.

곤충의 개체 수가 늘어난 것은 당연하게도 새에게 가장 큰 도움이 되었다. 멧비둘기와 나이팅게일처럼 국가적으로 위험에 처한 새도 넵에서 주기적으로 볼 수 있다. 넵에는 감상적이지 않은 농부의 흥미를 끌 만한 또 다른 장점이 있다. 급증하는 쇠똥구리들이 거름을 흙으로 내려보내 토양에 영양분을 다시 채우는 데 도움을 준다. 곤충은 전 세계적으로 엄청난 속도로 없어지고 있는 토양에 체계가 생기도록 돕는다. 국제연합은 매년 세계적으로 표토 400억 톤이 침식으로 사라지고 있다고 추정한다. 집약적인 농업, 경운, 화학물질의 사용이 그 원인으로 꼽힌다. 트리는 이렇게 말한다. "자연에 바탕을 둔 농장 경영으로 노선을 변경하면, 그러니까 곤충을 받아들이거나 곤충이 찾아오도록 유도하면 수익을 더 올릴 수 있습니다. 인풋이 없기 때문입니다. 곤충이 토양을 망가뜨리는 것도 아니고, 돈을 더 받고 판매할 수 있는 유기농 작물을 재배하게 되니까요. 토양을 복구하는 일은 우리가 현재 직면한 거의 모든 위기를 극복하는 데 도움이 됩니다. 기후 문제도 마찬가지고요. 문제는 사람들이 이 사실을 빨리 깨달아서 추가적인 피해를 막을 수 있느냐 하는 것입니다."

트리는 농부가 농기구를 잠시 내려놓고 자연이 조금 침범할 수 있게 내버려둬도 된다고 단호하게 주장한다. 설령 땅을 완전히 소유하지 않았거나 주변에 글램핑장을 세울 만한 경관이 없는 땅의 농부더라도 말이다. 그렇다고 해서 이런 환경이 '재야생화rewilding'라는 단어의 뜻을 가장 잘 나타내는 것은 아니다. 넵은 늑대 같은 최상위 포식자를 농장으로 들여오지 않았다. 늑대는 1990년대에 미국에 있는 옐로스톤 국립공원의 생태계를 성공적으로 재조직했다. 비버 같은 동물도 최근에 영국의 일부 지역에 다시 들어왔다. 넵은 트리가 넵에 대해 쓴 책 제목처럼 '야생화'를 실현하고 있는 곳이다. 야생화란 책에 실리는 그림처럼 환경을 야생의 상태로 엄격하게 복구하기보다는 자연에 통제권을 일부만 넘겨주는 것이다. 트리는 이렇게 말한다. "재야생화가 환경을 예전의 상태 그대로 복구하는 것이라고 오해하는 사람이 많습니다. 하지만 환경은 불과 50년 전과도 완전히 달라졌습니다. 과거를 그대로 복원하는 것은 불가능합니다. 그래서 현재의 상태에 활력을 불어넣고 새로운 생태계를 만들기 위해 자연이라는 도구를 재도입하는 것이 최선입니다."

기존과는 다른 더 건강한 패러다임이 손에 닿을 만한 거리에 있는 것 같다. 코로나19 바이러스와 브렉시트Brexit는 영국을 강타했으나 곤충에게 더 온화하고 행복한 환경을 제공하기도 했다. 팬데믹이 찾아오면서 길가에 있던 풀을 다듬는 작업이 거의 이루어지지 않았다. 그곳은 곤충의 중요한 서식지인데, 그 덕택에 길가에 들꽃이 풍성하게 피었고 야생동물들이 다시 나타났다. 도싯Dorset에 있는 길가의 짧은 구간에 난 풀에 갑자기 영국에서 알려진 나비 종의 절반이 나타났다. 그중에는 영국에서 가장 작은 나비인 꼬마부전나비Small Blue도 있었다. 한편 영국이 유럽연합을 떠나면서 영농 정책에 대변동이 일어나기도 했다. 유럽연합이 땅 주인에게 지급하던 보조금이 영국 정부의 보조금으로 대체되었다. 이 보조금은 토양을 다시 비옥하게 만들고, 살충제의 사용을 줄이고, 삼림지대를 확충하는 땅 주인에게 주어진다.

영국에서 야심 찬 아이디어들이 싹트기 시작했다. 국토의 4분의 1을 자연에 돌려주자는 아이디어도 있었다. 넵처럼 작물을 재배하기에 적합하지 않은 지역에 곤충과 다른 생물이 돌아올 수 있게 하자는 것이었다. 헌신적인 환경보호 활동가들이 희망이 없어 보였던 상황을 성공적으로 반전시킨 사례도 있다. 솜털호박벌을 되살린 경우가 그렇다. 솜털호박벌은 한때 잉글랜드 남부에서 흔히 볼 수 있었지만 2000년에 멸종되었다는 판정을 받았다. 솜털호박벌이 멸종된 것은 벌이 선호하는 초원에 있는 서식지가 끝없이 훼손되었기 때문이다. 지난 10년에 걸쳐 여왕 호박벌 수십 마리가 스웨덴에서 영국으로 날아왔다. 그러고는 켄트주 던지니스Dungeness에 자리 잡았다. 던지니스는 조약돌 해변과 습지가 있는 곳이다. 땅 주인들이 약간의 변화(가축을 새로운 목초지로 옮기고, 들꽃이 다시 자라게 함)를 주자 솜털 호박벌뿐만 아니라 호박벌 여러 종이 무서운 기세로 다시 나타났다.

하지만 산업에 지배당하는 세상에서 서로 흩어진 지역 몇 군데를 재야생화하거나 단순히 복구하는 것만으로는 충분하지 않을 것이다. 2020년에 곤충의 위기를 다룬 영향력 있는 논문이 한 편 발표되었다. 이 논문에서는 우리가 울창한 열대우림부터 철로 옆에 난 지저분해 보이는 풀에 이르기까지 모든 것을 보호하면서도 곤충을 위한 이런 피난처를 서로 연결해야 한다고 주장했다. 연구원들은 논문에 '환경보호를 위한 노력은 카리스마 있는 거대한 동물, 특히 새와 포유동물에게 집중된다. 생태계의 연결성을 고려하는 경우는 거의 없다'라고 썼다. 지금까지 야생동물 통로는 특수한 다리나 지하도를 건설하는 것을 말했다. 그래야 옐로스톤에 사는 가지뿔영양, 스웨덴에 사는 순록, 크리스마스섬에 사는 꽃게가 다른 곳으로 이주할 수 있다. 이제는 사람들이 야생동물 통로를 논할 때 곤충을 포함하게 되었다. 곤충의 유전적인 다양성을 보호하기 위해서 곤충이 적합한 서식지 사이를 이동할 수 있도록 안전한 통로가 필요하다. 통로가 있어야 더 나은 먹이도 찾고 기후변화의 습격 속에서 안전한 피난처도 찾을 수 있다. 고립된 환경보호구역은 곤충이 거기까지 가기 위해 치명적인 양의 화학물질에 노출되거나 콘크리트를 맞닥뜨려야 한다면 큰 도움이 되지 못할 것이다.

농경지에 곤충을 위한 공간을 제공한다는 생각은 최근까지도 기이하게 여겨졌다. 그래서 이런 생각을 지지하는 과학자 스테파니 크리스트만Stefanie Christmann은 10년 전에 이런 주장을 펼쳤다가 농업 연구원들의 비웃음을 샀다. 그녀는 "그분들은 제가 미친 환경 운동가라고 생각했습니다. 저를 보고 웃더라고요"라고 회상한다. 그 이후로는 크리스트만을 보고 웃는 사람이 줄어들었다. 농부들이 수분 매개자의 유용성을 더 잘 이해하게 되었을 때 곤충의 위기가 찾아온 덕택이다. 유럽연합은 벌써 수년 동안 들꽃을 키우도록 농부들에게 돈을 지급했다. 하지만 땅 주인이 잡초라고 생각하는 식물을 키워야 해서 성공률이 그렇게 높지 않다. 들꽃으로 경제적인 이득을 얻을 수 있는 것도 아니다.

크리스트만은 농부들이 더 좋아할 만한 대안이 있다고 생각한다. 그녀는 여러 국가에서 이 대안을 활용하길 기대하고 있다. 특히 수분 매개자와 관련된 유럽연합의 계획에 포함되지 않은 국가들이 알면 유용할 방법이다. 크리스트만은 수년 동안 우즈베키스탄부터 시작해 모로코에 이르기까지 들판을 돌아다니면서 농부들과 대화를 나눴다. 그녀는 간단하면서도 혁명적인 변화에 대해 이야기했다. 들판 가장자리와 농부들이 사용하지 않는 공간에 약초, 향신료, 과일을 심으면 어떨까? 오이, 산과酸果 앵두나무 열매, 딸기 등 농부가 어떤 식물을 선택하든 결과는 비슷할 것이다. 수분 매개자에게 호의적인 서식지의 네트워크가 형성돼 농부들에게 수익을 안겨줄 것이다.

크리스트만은 처음에 회의적인 시각을 많이 접했다. 그녀가 수분 매개 때문에 마음이 불편하다면 왜 꿀벌이 사는 벌집을 구매하지 않았는가? 농작물 근처에서 자라는 이런 잡초 같은 풀들은 언제부터 돈을 벌어다 줄 것인가? 하지만 1년 정도 지나자 땅 주인들은 기분이 좋아졌다. 크리스트만은 이렇게 말한다. "농부들은 존경받는 느낌이 들고 팀의 일원이 된 것 같다고 하셨습니다. 우리에게는 그분들이 수분 매개자를 보호하는 데 앞장서는 주인공이시니까요."

이런 실험은 성공적이었다. 야생벌, 파리, 말벌뿐만 아니라 다른 수분 매개자들도 돌아왔고, 해충의 수도 줄어들었다. 해충이 예전의 절반으로 줄어든 놀라운 사례도 있었다. 다른 연구에서도 특정한 포식성 곤충이 작물을 망가뜨리는 해충에 대항해 자연적인 방패 역할을 할 수 있다는 사실이 입증됐다. 그러면 농작물에 화학물질을 다량으로 투여할 필요가 없다. 특히 기대가 큰 방법은 포식 기생자를 활용하는 것이다. 포식 기생자는 다른 곤충 위에 또는 몸 안에 알을 낳는 말벌이나 파리를 일컫는다. 이런 곤충은 숙주의 유충이 자랄 때 유충을 죽인다. 크리스트만의 아이디어가 여기저기 퍼지려면 아직은 사람들을 설득하고 자금도 확보해야 한다. 게다가 미국 중서부나 캘리포니아주 센트럴밸리처럼 땅이 너무 황폐해져서 곤충이 다시 나타나기까지 시간이 걸리는 곳도 있다. 하지만 이런 지역에서도 농부들이 일을 다른 식으로 하길 원한다는 생각을 조금씩 드러내고 있다. 그들은 제왕나비를 위해 아스클레피아스를 심는 일부터 재생 농업을 포용하는 일까지 다양한 방법에 관심을 보인다. 재생 농업에서는 1) 밭을 덜 갈고, 2) 합성 비료와 살충제를 덜 쓰고, 3) 지피작물을 심으면 토양의 질을 개선하고 침식을 방지하는 데 도움이 된다고 믿는다. 욘 룬드그렌은 과학자로 일하다가 무경운 농법을 선택한 농부가 되었다. 그는 이렇게 말한다. "농업이 달라지리라는 것을 알고 있습니다. 달라질 것이냐 말 것이냐가 문제가 아니라 언제 달라질 것이냐가 문제입니다." 그는 다른 미국인 농부들과 걱정스러운 이야기를 나눈다. 그들은 새로운 방식에 관심은 있으나 전통적인 방식에서 벗어나는 것을 찜찜하게 여긴다. "저희에게는 선택의 여지가 없습니다. 저희가 달라지지 않으면 어떤 대가를 치르게 될까요? 농장이 파산하고 손주들이 고생할 겁니다. 재앙이 닥치려는 조짐을 잘 살펴야 합니다. 곤충의 멸종은 재앙이 다가올 것이라는 첫 번째 징조에 불과합니다."

*

더 낙관적인 상황을 그려본다면 전국적으로, 그리고 국제적으로도 곤충이 보호받는 통로가 네트워크처럼 포괄적으로 형성되는 모습을 떠올릴 수 있을 것이다. 생물학적으로 황폐해진 땅에서 곤충이 활발하게 활동할 수 있는 공간을 조금씩 마련하는 것이다. 영국의 곤충 보호 단체 '버그라이프Buglife'는 컴퓨터 모델을 이용하고 현장 확인을 거쳐서 선구적인 통로 네트워크 모델을 만들었다. 버그라이프는 이 모델을 'B라인스B-Lines'라고 부른다. 여기서 말하는 라인은 곤충이 지나다니는 통로다. 통로는 영국의 도시와 시골을 통과하며 지도상으로는 토마토소스 스파게티 한 덩어리를 높은 곳에서 떨어뜨린 것처럼 보인다. 이 작업에는 많은 노력이 필요하다. 여러 단계에서 정부와 땅 주인과 협상해야 한다. 그런데도 이와 관련된 프로젝트가 수천 건이나 진행되고 있으며, 아이디어가 대체로 좋게 받아들여지고 있다. 버그라이프의 원대한 야망은 길이가 총 5,000km에 달하는 곤충 통로를 만드는 것이다. 각각의 통로는 폭이 3km 정도 되는 들꽃 서식지로 구성된다. 하지만 곤충 통로가 조금만 확보되더라도 위험에 처한 곤충들이 과열되고 유독하고 꽉 막힌 집에서 벗어날 수 있을 것이다.

서식지가 조각난 것은 워낙 심각한 문제라서 나비들의 날개가 더 작아지고 비상근도 더 연약해질 우려가 있다. 버그라이프의 최고 경영자 맷 샤들로Matt Shardlow는 나비들이 몇 세대에 걸쳐 고립되기 때문에 이런 일이 벌어진다고 말한다. 그는 연구 대상이었던 일부 곤충의 개체 수가 줄어드는 원인은 단순히 그 곤충이 예전만큼 많이 날아다니지 못해서일 것으로 추정한다. "서식지를 잘게 쪼개놓고 그 사이에 있는 지역에서는 곤충이 살기 어렵게 만들면서 우리는 진화가 문제에 대응할 기회를 없애버리고 있습니다. 기후변화가 나타나고 있으니까 우리는 여러 종이 다시 이동할 수 있도록 디딤돌을 더 많이 제공해야 합니다." 샤들로 같은 곤충 보호 활동가들은 특정 종이 어떤 국지적인 위협에 시달리는지 고민하는 데 대부분의 시간을 보낸다. 하지만 갈수록 생각의 범위가 넓어지고 있다. 샤들로는 이제 국경을 넘어서는 곤충 고속도로, 화학물질 사용 전면 금지, 토지 이용 방법의 혁명, 인간과 곤충 간의 새로운 거래 등에 대해 고민한다. 만일 우리가 곤충과의 전쟁에서 휴전을 요청할 수 있다면 어떨까? 시골뿐만 아니라 도시 깊숙한 곳을 포함한 모든 지역에서 말이다.

*

뉴욕보다 곤충에게 덜 호의적인 도시를 상상하기는 어렵다. 어쩌면 바퀴벌레만 뉴욕살이를 즐길지도 모른다. 브루클린은 빠른 속도로 주택이 고급화되어간다. 그런데도 여러 지역이 실용적인 콘크리트와 금속에 지배당하고 베이지색과 회색이 난무한다. 단풍버즘나무만 가끔 보일 뿐이다. 뉴욕에 사는 쥐가 피자의 맛을 알게 되었듯 곤충들도 특이한 방식으로 이곳에 적응했다. 몇 년 전에 뉴욕에서 벌집을 돌보던 아마추어 양봉가들이 깜짝 놀란 일이 있었다. 벌집이 호박색이 아니라 강렬한 빨간색으로 뒤덮인 것이다. 조사 결과, 벌이 근처에 있는 공장에 가서 마라스키노 체리Maraschino Cherry 주스를 만들 때 쓰는 빨간색 식용색소를 먹은 것으로 밝혀졌다.

눈에 거슬리는 뉴욕의 중공업 중심지는 뉴타운 크리크Newtown Creek를 따라 펼쳐져 있다. 뉴타운 크리크는 브루클린과 퀸스의 경계 일부를 형성하며 길이가 6.4km 가까이 되는 이스트강East River의 지류다. 이 지역에는 한때 염분이 많은 이스트강으로 담수 개울물이 섞여들면서 간만이 있는 해수 소택지에 생태계가 조성되었다. 이곳에는 1만 2,000년 전에 물러난 빙상이 남긴 빙하 퇴적물이 층층이 쌓여 있다. 이곳 생태계에는 물고기가 가득했고 곤충은 인간의 방해를 받지 않았다. 그러다가 북미 원주민들이 지금은 그린포인트Greenpoint라고 불리는 주변 지역을 빼앗겼다. 그들은 보상으로 고작 구슬과 도끼 몇 개를 받았다. 농업이 이 지역을 장악하면서 습지대의 물이 다 빠지고 흙이 채워졌다. 그러고 나서 19세기 중반에 미국의 첫 등유 정제 공장과 현대적인 첫 정유 공장이 건설되었다. 19세기가 끝나갈 때쯤에는 뉴타운 크리크 양옆으로 기업가들이 세운 가공 처리 공장이 50개도 넘게 있었다. 존 D. 록펠러John D. Rockefeller가 설립한 '스탠더드 오일Standard Oil'도 이곳에 공장을 두고 있었다. 뉴타운 크리크는 해상 운송이 쉽도록 폭도 넓어지고 깊이도 깊어졌다. 비료 제조부터 설탕 정제에 이르기까지 다양한 산업 활동이 거대한 정유 공장 옆에서 펼쳐졌다.

산업 폐기물이 수로와 주변에 있는 땅에 버려지면서 뉴욕의 이 좁은 지역은 금세 세계에서 가장 오염되고 악취가 심한 곳이 되어버렸다. 그러다가 1978년에 더 큰 재앙이 포착되었다. 미국 해안경비대 순찰 요원이 기름이 수로로 흘러 들어가는 광경을 목격한 것이다. 석유 제품에서 흘러나온 석유 최소 6,400만 리터 때문에 물에 기름막이 생겼다. 뉴타운 크리크의 강바닥과 강둑도 까매지고 말았다. 이 문제를 해결하기 위한 정책은 수년 뒤에나 완료될 것이다. 강바닥에 있는 폐기물뿐 아니라 근처에 있는 토양으로 깊이 스며든 오염 물질도 제거해야 하기 때문이다. 만일 넵 농장이 추구하는 고귀한 이상과 반대되는 곳이 있다면 바로 이곳일 것이다.

그런데 곤충의 무덤 같은 이 황량한 지역에서도 정부와 환경보호 단체가 힘을 합쳐 곤충을 되살리기 위한 공간을 마련하고 있다. 팔루스트리스 장미, 울그라스woolgrass, 다른 식물들을 심은 자연 산책로도 만들고 있다. 이 산책로는 뉴타운 크리크를 점령한 건물들 사이에 있으며 이 지역을 습지였던 과거와 연결해준다. 가장 놀라운 광경은 예전에 '스탠더드 오일'의 윤활유 공장이었던 건물의 옥상에 들꽃이 풍성하게 심겨 있다는 것이다. 이 목초지는 지붕 5개 위에 걸쳐져 있다. 이곳에서는 인간이 거칠게 점령한 땅에서 자라는 놀랍도록 파릇파릇한 식물들이 곤충에게 예상하지 못한 오아시스가 되어준다.

필자는 2020년 여름에 '킹슬랜드 와일드플라워스Kingsland Wildflowers'라고 불리는 이곳을 보기 위해서 뉴욕 지하철 G호선을 탔다. 뉴욕을 잔인하게 집어삼킨 코로나19 팬데믹이 약간 진정 국면을 맞았을 때였다. 다양한 공장을 오가는 트럭 옆을 걸어가는데, 날이 너무 무더웠다. 바로 이런 이유로 뉴욕 같은 도시들이 녹지를 더 확보하려고 노력하는 것이다. 나무와 풀이 있으면 콘크리트와 타맥tarmac에 흡수되고 거기에서 내뿜어지는 도시의 강렬한 열기를 식히는 데 도움이 된다. 도시계획 설계자들은 이런 공간을 '녹색 사회 기반 시설'이라는 별로 로맨틱하지 않은 명칭으로 부른다. 녹색 사회 기반 시설은 공기의 질을 개선하고, 주민들의 정신 건강을 증진하며, 빗물을 흡수할 수도 있다. 빗물이 식물에 흡수되지 않으면 하수처리 시설이 넘쳐 강과 개울로 흘러 들어갈 우려가 있다.

킹슬랜드 와일드플라워스는 빨간색 벽돌로 지은 튼튼한 건물 위에 있다. 이 건물은 영화와 TV 프로그램을 제작하는 회사가 들어오면서 용도에 맞게 바뀌었다. 필자는 주변 환경과 어울리지 않는 이동식 코로나19 검사소를 지났다. 그러고는 단단한 금속 계단을 올라가서 리사 블러드굿Lisa Bloodgood을 만났다. 블러드굿은 지역사회 기반의 단체 뉴타운 크리크 얼라이언스Newtown Creek Alliance의 일원이다. 그녀는 필자에게 교육의 허브이자 생태 복원의 보루가 된 공간을 보여주었다. 경치가 기가 막히게 좋았다. 옥상이 눈부신 녹색으로 빛나는 들풀과 들꽃으로 덮여 있고, 그 뒤에는 조화롭지 못하게 고철 재활용 공장, 자동차 정비소, 다른 여러 종류의 공장이 보였다. 한 일꾼이 기다리고 있는 바지선에 쓰레기를 싣는 모습도 보였다. 그 뒤로도 맨해튼의 고층 건물들이 햇빛에 서서히 달궈지는 풍경이 눈에 들어왔다. 도시에 있는 작은 들꽃 구역, 중공업을 대변하는 공장, 금융과 미술을 다루는 거대 기업들이 그토록 가까이 있는 모습이 환상적이었다.

지붕에는 토종 초본 다년생식물이 약 90km²의 면적을 가득 채우고 있다. 산딸기, 미역취, 아스클레피아스도 있고, 토종 풀과 관목도 있었다. 표면적 대부분은 꿩의비름속 식물이 차지하고 있어 지붕이 스펀지처럼 보였다. 지붕 몇 개는 나무와 크기가 큰 관목을 위해 깊이가 15cm 이상인 토양으로 뒤덮여 있었고, 다른 지붕들은 높이 자라지 않는 식물을 위해 토양의 깊이가 얕았다. 킹슬랜드 와일드플라워스는 막을 겹겹이 깔고 그 위에 식물을 심어 배수, 뿌리 보호, 단열이 원활하게 이루어진다. 야생동물에게 적합하지 않다고 판정받았을 공간을 생물학적으로 재단장했다는 점에서 아주 인상 깊은 곳이다.

블러드굿은 이렇게 말한다. "여기에 야생벌이 많이 옵니다. 나비와 말벌도 골고루 찾아옵니다. 단생벌 여러 마리가 흙을 파서 집을 짓기도 하고요. 여기에 나방이 많이 모이다 보니 박쥐도 찾아옵니다. 새도 많이 볼 수 있습니다. 흉내지빠귀, 칼새, 매가 많아졌고, 곤충의 개체 수도 몇 배로 늘어났습니다. 이곳은 제가 무척 좋아하는 공간 중 하나입니다." 우리는 노랑데이지Black-eyed Susan가 햇볕을 쬐는 모습을 보고 있었다. 그 뒤로는 뉴욕에서 규모가 가장 큰 하수처리시설이 보였다. 이 시설은 금속으로 만든 외계인 알 4개처럼 생겼다.

블러드굿은 포장된 길에 튀어나와 있는 뜨거운 돌에서 다른 돌로 폴 짝 뛰어서 건너갔다. 두 번째 돌은 주위에 식물이 자라고 있었는데, 그녀는 식물이 열을 식혀주는 작용을 한다고 설명했다.

지붕 위에서 시간을 좀 보내다 보면 주변이 기이할 만큼 비정 상적인 느낌이 잦아들었다. 그 대신 주위에 있는 다른 건물의 옥상이 왠지 부족하고 비어 보인다는 생각이 들었다. 이상하게 황량해 보이 는 것이다. 우리는 지도에 주택, 산업, 상업, 야생동물의 경계선을 표 시할 때 깔끔한 선을 그린다. 마치 인간과 자연이 서로 의존하며 긴 밀한 관계로 엮이지 않은 것처럼 말이다. 우리는 곤충을 초대해야 할 때 반대로 곤충이 근처에 얼씬도 하지 못하게 했다. 곤충은 우리 삶 에 꼭 필요한 것들의 건강에 중요한 역할을 한다. 생태학적으로 무너 진 도시와 농장의 작은 지역에나마 아름다움을 선사하기도 한다. 우 리는 뒤늦게 우리가 그동안 얼마나 어리석었는지 깨달았다. 이제는 뉴욕에서 새로운 건물을 지을 때 지붕에 녹지를 마련해야 한다. 디트 로이트에서는 사람들이 이용하지 않는 지역에 벌 군집을 두고, 뮌헨 에서는 여기저기에 꽃을 심는다. 뮌헨의 노력 덕택에 단 1년 만에 현 지에 있는 곤충 종의 3분의 1이 찾아왔다. 위트레흐트는 버스 정류 장을 벌 보호구역으로 전환하고 있다. 어쩌면 앞에서 살펴본 생태학 자 뢸 판 클링크의 비유(p.160 참고)처럼 우리는 물에 잠긴 통나무에 서 발을 조금 떼고 곤충이 다시 활기차게 돌아다니게 하는 방법을 서 서히 배우고 있는지도 모른다. 블러드굿은 이런 말을 하며 안타까워

한다. "우리는 자연을 아주 제대로 파괴했습니다. 숲도 사라졌고, 해수 소택지도 사라졌고, 목초지와 초원도 사라졌습니다. 그런 환경을 조금이라도 되찾을 수 있다면 아주 중요한 전환점이 될 겁니다. 이런 환경이 바로 도시에서 가장 취약한 부분입니다. 뉴타운 크리크 같은 곳에서도 건물 위에 생명이 용솟음치는 목초지를 만들 수 있다면 어디에서든 만들 수 있을 겁니다."

*

그런데 곤충의 위기가 실제로 어느 정도 규모인지 불분명한 것처럼 곤충 세계의 회복 능력도 불분명하다. 곤충은 엄청난 번식력을 자랑하며 누군가가 던져주는 생명줄을 잡고 끈질기게 버티는 능력도 뛰어나다. 하지만 우리가 곤충을 너무 많이 죽이는 바람에 곤충 종이 다시 예전만큼 다양해질지는 알 수 없다. 설령 기후 문제에 관심이 많은 정치인들이 화학물질을 사용하지 않고 생태학적으로 연결된 세상을 만들더라도 우리가 좋아하는 일부 곤충은 돌아오지 못할지도 모른다. 맷 샤들로는 "통나무에서 발을 뗄 수는 있겠지만 통나무가 사라졌다면 수면 위로 떠오르지 않을 겁니다. 곤충 종이 돌아올 것이라는 보장은 없습니다"라고 말한다.

곤충을 위협하는 요소는 서로 복잡하게 연결되어 있어서 곤충이 간단한 방법으로 위기에서 벗어나기는 어렵다. 넵 농장처럼 자연의 보고로 변신한 이상적인 공간도 현실의 벽에 부딪힐 때가 많다. 땅을 환경에 영향을 덜 미치는 유기적인 야생동물 피난처로 복원하면서도 무서운 기세로 늘어나는 세계 인구를 먹여 살릴 수 있는지 고민해야 한다. 부유한 유럽 국가에서는 파괴적인 농법의 영향을 되돌릴 수 있을지도 모른다. 하지만 이런 국가들이 식량을 계속 대량으로 수입하면 외국에 있는 우림이 손실될 우려가 있다. 전 세계적으로 농경지에 대한 수요가 증가할 것이기 때문이다. 곤충학자 데이비드 와그너는 이렇게 말한다. "열대우림에 서식하는 곤충들이 기후변화와 삼림 파괴에 시달리는 상황이 저를 공포에 떨게 합니다. 세계적으로 무경운 농법을 이용하는 농장이 많아지면 80억에서 100억 명씩 되는 사람들을 먹여 살릴 수 없습니다. 우리에게는 온갖 종류의 농사법이 골고루 필요합니다. 특정 지역에서는 대단히 집약적인 농업을 시행해야 합니다. 화학물질도 더 많이 쓰고, 유전자 공학의 힘도 빌려야 합니다. 그래야만 토지 면적당 수확량을 늘릴 수 있습니다. 유럽에서 하려는 일은 의도는 좋지만 현실성이 있는 계획인지 의문입니다."

곤충의 세계는 갑자기 망가진 것이 아니다. 곤충이 돌아갈 수 있는 이상향이 있는 것도 아니다. 최근에 가장 야심 찼던 곤충 보호 계획인 E. O. 윌슨의 '지구의 절반'이라는 개념도 세상을 단순히 복구하는 대신 근본적으로 바꿔놓을 것이다. 윌슨은 생물 다양성이 회복될 수 있도록 지구 표면 중 절반에 인간의 손이 닿지 않는 자연보호구역을 만들어야 한다고 주장했다. 우리는 완전히 달라진 세상에서 새로운 길을 개척해야 할 것이다. 하지만 그 길은 기후 위기, 정치인들의 변덕, 생활 방식의 변화 때문에 계속 뒤틀릴 것이다. 곤충 서식지를 복원하고 살충제 사용량을 줄이는 계획은 꼭 필요하다. 하지만 이런 변화는 더 큰 사회적인 틀 속에서 일어나야 한다. 우리는 끊임없이 달라지는 환경에 적응해야 하지만 이번에는 곤충과 함께 적응할 방법을 찾아내야 한다.

요크대학교의 생물학자 크리스 토머스는 "인류세라는 개념 자체가 지구가 새로운 상태에 접어들었다는 뜻입니다. 하지만 이것은 정적인 상태는 아니에요"라고 설명한다. 우리는 온도계의 어는점과 끓는점 사이를 오가는 눈금처럼 계속 움직이고 있다. 우리가 아는 한 지구의 기온은 항상 변덕스럽게 조금씩 오르내렸다. 하지만 이번에는 지구가 수백만 년 동안 일어난 적이 없는 현실을 향해 달리고 있다. "변화를 줄 것이냐 말 것이냐의 문제가 아닙니다. 변화의 속도, 방향, 유형을 현명하게 선택하는 것이 중요합니다."

곤충과 인간이 처한 위기를 헤쳐나갈 방법에 대한 더 폭넓은 시각은 런던 자연사박물관에서 엿볼 수 있다. 이 박물관은 곤충 표본 3,400만 종을 소장하고 있다. 런던 자연사박물관은 우아한 빅토리아 여왕 시대의 건축양식으로 지었으며 입구 홀에 공룡 디플로도쿠스Diplodocus의 뼈대를 전시한 것으로 유명하다(2017년부터는 흰긴수염고래의 뼈대를 전시하고 있다). 이 박물관은 곤충을 다루는 다른 여러 박물관과 마찬가지로 곤충 수집이 고작 몇백 년 전부터 이루어졌다는 사실 때문에 애를 먹는다. 특히 과거에 흔히 볼 수 있었던 곤충일수록 표본을 구하기가 어렵다. 곤충 수집이 흔해진 뒤에도 가장 흥미롭거나 가장 아름다운 곤충에 초점을 맞춰서 취미로 수집하는 사람들이 이 분야를 지배했다. 시간의 깊이가 부족한 것도 문제인데 엎친데 덮친 격으로 종의 표본 수도 부족하다. 런던 자연사박물관은 인간에게 알려진 파리 종의 절반 정도를 소장하고 있다. 하지만 대부분 종마다 표본이 1개에 불과하다. 이런 표본은 정기준 표본이라고 부른다.

그렇다고 해서 런던 자연사박물관에 귀한 표본이 없는 것은 아니다. 피카소 나방Picasso Moth은 날개가 마치 기하학적인 선과 도형으로 채운 캔버스처럼 생겼다. 이곳에는 진짜 나뭇잎처럼 생긴 대벌레도 있고, 주황색 털이 잔뜩 난 청록색 비단벌레도 있다. 살아 있을 때는 썩어가는 살과 과일을 먹길 좋아하는 커다란 붉은나비Crimson Butterfly도 있다. 박물관에는 심지어 고대 파리매의 표본도 있다. 이 파리는 1680년에 햄프턴 코트Hampton Court에서 일하는 영국 여왕의 정원사가 잡아서 책에 끼워둔 것이다.

하지만 우리에게는 곤충의 개체 수가 어떻게 달라지는지 철저하게 추적할 방법도, 의지도 없었다. 옛날에 그런 작업이 무슨 의미가 있었겠는가? 그래서 런던 자연사박물관은 곤충 수가 줄어드는 현상이 사람들의 불안감을 유발하게 되었을 때 곤충에 대한 역사적인 자료가 부족하다는 사실에 땅을 쳤다. 곤충학자이자 큐레이터인 맥앨리스터는 이렇게 말한다. "자금을 확보하는 것이 가장 큰 어려움입니다. 작은 먹파리 한 마리가 판다 한 마리만큼 가치 있다고 사람들을 설득해야 하니까요. 그러니까 곤충의 세계에 무엇인가가 잘못되었다는 것을 사람들이 눈치채고 나면 '박물관이 소장한 자료는 다 어디 갔나요?'라고 묻습니다. 그러면 저희는 '애초에 그런 자료가 있을 거라고 생각하셨습니까?'라고 되묻게 됩니다."

기후학자들은 나무 나이테를 보고 언제 가뭄이 왔는지 알아낸다. 또 그린란드와 남극 대륙에 있는 빙상을 뚫어 긴 얼음덩어리를 추출하기도 한다. 그러면 얼음을 분석해서 수십만 년 전의 기온, 대기 구성 성분, 바람 패턴 등을 알 수 있다. 하지만 곤충의 개체 수는 이런 식으로 과거를 엿볼 수 없다. 최고의 품질을 자랑하는 곤충 컬렉션도 체계적인 면이 조금 떨어진다. 예를 들면 런던 자연사박물관에는 곤충을 '서리', '요크셔', '스코틀랜드'에서 포획했다고 쓰여 있다. 하지만 조금 더 살펴보면 그냥 '아프리카'라고만 쓰여 있는 표본도 있다. 맥앨리스터는 개인적으로 브렉시트의 시대에 어울리게 단순히 '외국산'이라고만 쓰여 있는 나비가 인상적이라고 생각한다.

이런 이유로 곤충학자들은 가면 갈수록 빅데이터와 유전학의 발전에 의지한다. 그래야만 자료의 빈 곳을 조금이라도 채울 수 있다. 다양한 국가의 박물관이 곤충 컬렉션을 디지털화하고 관련 데이터를 공유하기 시작했다. 곤충에 대한 역사적인 발판을 만들기 위해서다. 곤충의 게놈을 살펴보면 새로운 통찰력이 생긴다. 곤충이 주변 환경을 구성하는 여러 요인에 대응하면서 나타나는 미묘한 유전적 변화가 시간과 지역에 따른 개체 수의 변화를 보여줄 수 있다.

곤충의 DNA를 추출하는 일 자체는 쉬울 때도 있다. 문제는 그 과정에서 표본이 망가질 우려가 있다는 것이다. 맥앨리스터는 "희귀한 곤충이나 멸종된 곤충의 다리를 잘못해서 잘라버리는 일은 우리 같은 큐레이터에게 공포감과 혐오감을 안겨줍니다"라고 말한다. 그녀가 웰컴 생어 연구소(Wellcome Sanger Institute, 케임브리지서에 있는 게놈 및 유전학 연구 센터)의 전문가들과 함께 연약한 표본이 손상될 위험을 최소화하려고 시도하는 방법이 있다. 에탄올을 기반으로 한 용액과 표본에 남아 있는 유전물질을 제거해주는 일종의 완충제로 모기 몇 마리를 부드럽게 닦아서 역사적으로 중요한 DNA를 추출할 수 있을지 알아보는 것이다.

곤충을 임계점 건조기critical point dryer라고 불리는 장치에 집어넣는다. 그러면 연약한 표본이 손상되지 않을뿐더러 안구가 내려앉았거나 날개가 변형되었거나 배가 쪼그라든 곤충의 사체도 어느 정도 복구된다. 맥앨리스터는 "사실상 상류층이 이용하는 미용실을 차린 것이나 마찬가지입니다. 생어 연구소에서 표본을 닦으면 제가 건조기로 말립니다. 저희는 그저 박사 학위가 있는 미용사들입니다"라고 말한다.

어떤 종이 어디에서 발견되었는지 알아내려고 전문가들이 이렇게 정교한 노력을 쏟아붓는데도 곤충에 대한 기록이 너무 빈약하다. 그래서 현재 곤충이 지구 역사상 개체 수가 가장 많이 줄어들고 있는지 확인하기가 어렵다. 하지만 과학자들은 현재의 위기가 심오하고 고통스럽다는 증거를 확보했다. 인간의 다양한 일상 활동이 곤충에게 도움이 안 된다는 증거도 있다. 사실 곤충이 과거에 얼마나 시달렸는지 현재와 비교하는 것은 큰 의미가 없다. 곤충이 줄어드는 현상이 우리에게 어떤 영향을 주는지, 그리고 너무 늦기 전에 문제를 해결할 수 있는지와 같은 더 긴급한 질문을 던져야 하기 때문이다.

곤충이 지금 걷는 길이 심각한 대재앙으로 이어질지를 두고 과학자들의 의견이 나뉜다. 하지만 추가 질문을 던지면 우리가 초점을 맞춰야 할 부분이 조금 더 명확해진다. 대재앙이 '누구'에게 타격을 주는 것일까? 곤충의 세계는 인간이 싫어하는 방식으로 구성이 바뀌고 있다. 앞으로 빈대와 모기는 훨씬 많아지고, 호박벌과 제왕나비는 훨씬 줄어들 것이다. 하지만 곤충은 앞으로 계속 나타날 편차를 줄일 방법을 찾을 것이다. 토머스가 지적하는 것처럼 곤충의 전반적인 수는 감소하고 있지만 인간 중심적인 세계에 잘 적응한 곤충 종의 약 3분의 1은 개체 수가 늘어나고 있다. 따라서 곤충의 수가 0을 향해 달려가는 것은 아니다.

반면 인간은 곤충만큼 회복력이 뛰어나지 않을지도 모른다. 인간의 행동으로 곤충 종의 다양성이 줄어들었기 때문이다. 우리가 곤충과의 관계를 신속하게 개선하지 않으면 식량 안보를 확보하지 못한 사람들, 자연환경의 보존 상태, 인간의 삶을 유지해주고 다채롭게 해주는 생물망의 안정성에 대한 불안감이 커질 것이다.

이런 전망은 자신에게 호의적으로 변한 환경에서 급증할 가능성이 있는, 사랑받지 못하는 곤충의 지지자들도 겁나게 한다. 맥앨리스터는 집파리가 피망과 다른 식량을 위한 효과적인 수분 매개자라며 집파리를 자신 있게 옹호할 것이다. 하지만 그녀도 집파리가 급증하기를 바라지는 않는다고 인정했다. 집파리는 다양한 표면 위를 걸어 다니면서 다리를 통해 동물의 배설물과 박테리아를 퍼뜨릴 수 있기 때문이다.

"저도 저 자신을 보호하려는 본능은 있습니다. 인간이 생존했으면 좋겠지만, 우리가 살아 있는 동안 매우 큰 변화가 일어날 것 같습니다. 아니 사실 그런 변화가 벌써 일어나고 있죠. 어느 순간 우리 모두 큰 충격을 받고 '세상에, 설마 우리가 저런 일들을 방해하지는 않았겠지'라는 생각이 들 겁니다. 현재 생태계 상태는 좋지 않습니다. 정말 안 좋아서 빨리 움직여야 합니다." 맥앨리스터의 설명이다.

9장

곤충 없는 세상,
인류의 위기

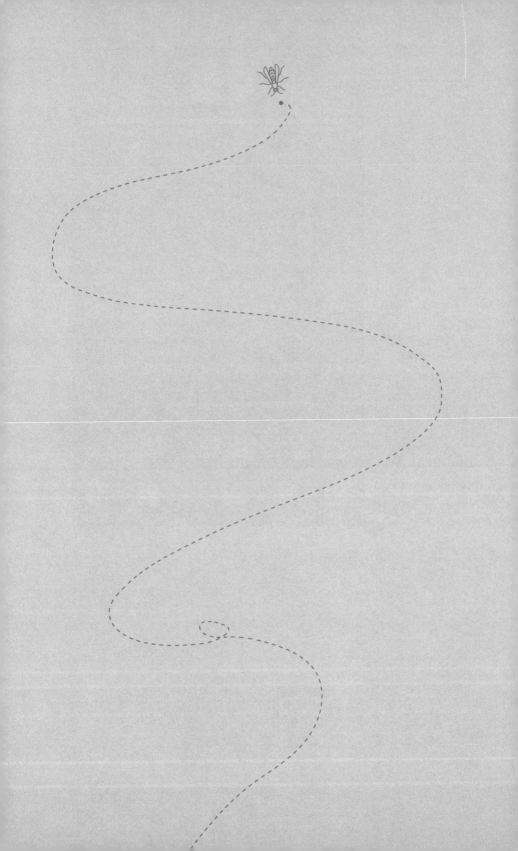

"미래에는 생물군이 대단히 단순화될 것입니다. 곤충이 존재하긴 하겠지만, 크고 독특한 것들은 죽어버렸을 겁니다. 우리 아이들은 작아진 세상에서 살게 되겠죠. 그것이 우리가 다음 세대에게 물려주는 유산입니다."

_코넷티컷대학교 곤충학자 데이비드 와그너(David Wagner)

만일 인류가 행동에 빠르게 나서지 못하면 어떻게 될까? 만일 곤충의 작은 제국이 무너져 생태계가 통째로 흐트러지고 우리 세계가 돌아가던 방식에 대한 기존의 원칙이 흔들리면 그때는 어떻게 될까?

사회 불균형을 생각했을 때 특정 식품의 공급이 줄고 야생동물의 개체 수가 급감하면 가난하고 취약한 사람들의 고통이 더 커지리라고 쉽게 예측할 수 있다. 기본적인 자원이 희귀해지면서 적의나 국수주의가 심해질 우려도 있다. 우리가 자초한 문제를 해결하기 위해 본능적으로 기술적인 해결책을 찾아 나서리라는 예상도 충분히 가능하다. 인간에게는 스스로 만들어낸 문제를 신속하고 간단하게 해결하려는 열의가 있다. 이런 열의 덕택에 어떤 사람들은 공기 중에 있는 이산화탄소를 빨아들이는 커다란 기계를 만들면 기후변화를 해결할 수 있을 것이라고 생각한다. 마찬가지로, 새로운 백신을 개발하면 팬데믹을 손쉽게 무찌를 수 있다고 자신하는 사람들도 있다. 일론 머스크Elon Musk는 우주 로켓으로 만든 '아동용 크기의 작은 잠수함'을 동원해 동굴에 갇힌 태국 어린이들을 구할 수 있으리라고 생각했다. 인간이 증강 현실, 강입자 충돌기Hadron Collider, 빵을 한 번에 네 조각이나 구울 수 있는 토스터도 만드는데, 벌 몇 마리를 대체하지 못할 이유가 없다고 자신하지 않을까?

아직 초기 단계에 있는 여러 환경 프로젝트에 대한 사람들의 기대감이 하늘을 찌른다. 질병과 화학물질에 내성이 생기도록 유전적으로 변형된 수분 매개자를 만드는 프로젝트도 있고, 식물을 향해 꽃가루를 쏘는 작은 대포가 달린 기계를 만드는 프로젝트도 있다. 다른 과학자들은 날개가 달린 곤충의 형태와 기능을 복제하려고 애쓴다. 하버드대학교 연구원들은 수영하다가 물 밖으로 날아오를 수 있는 초소형 로봇을 만들기도 했다. 이 로봇은 부드러운 인공 근육이 있어서 벽 같은 장애물과 부딪혀도 손상되지 않고 튀어 오른다. 네덜란드의 연구 팀은 흔히 볼 수 있는 초파리에게서 영감을 얻었다. 초파리의 빠른 날갯짓을 로봇으로 구현하기 위해 마일라Mylar로 날개를 만든 것이다. 마일라는 은색으로 반짝거리는 보온 담요를 만들 때 사용하는 소재다. 델프트공과대학교가 개발한 델플라이DelFly는 공중에서 맴돌고, 위아래와 상하좌우로 360도 회전하며, 속도를 몇 초만에 인간이 단거리달리기를 하는 정도로 끌어올릴 수 있다.

연구원 마테이 카라세크Matěj Karásek는 곤충의 민첩성과 공간 인지 능력에 오랫동안 매료되었다고 한다. 심지어 델플라이를 위해서 일하기 전부터 말이다. 그는 "밖으로 나가 곤충을 볼 때마다 '이런 걸 어떻게 하는 거지?'라는 생각이 들었습니다"라고 말한다. 카라세크가 만든 로봇은 실제 파리나 벌과 똑같이 생기지는 않았다. 일단 날개 길이가 33cm나 되는데, 초파리의 실제 날개보다 55배나 길다. 게다가 꽃가루를 무겁게 싣고 자유자재로 날아다니는 문제가 해결되지 않아서 아직 실제 초파리처럼 작동하지는 못한다. 하지만 연구원들은 델플라이를 작동시키는 날이 오리라고 확신한다. 기술이 결국 사회의 모든 까다로운 문제를 해결해줄 것이라는 믿음에서 비롯된 생각이다.

어쩌면 해결책은 회전 날개가 6개 달린 미니 드론을 대거 활용하는 것일지도 모른다. 미국 기업 드롭콥터Dropcopter가 운영하는 드론 군단처럼 말이다. 이 군단은 2018년에 처음으로 뉴욕에 있는 사과 과수원을 자동으로 수분했다. 어쩌면 정교한 로봇 팔이 해결책일지도 모른다. 카메라, 바퀴, 인공지능을 이용해 식물의 위치를 파악하고 식물을 수분하는 것이다. 로봇은 사람과 달리 지치거나 지루해하지 않는다는 장점이 있다. 미국 농무부가 이런 프로젝트 하나를 재정적으로 지원하고 있다. 워싱턴주립대학교의 전문가 마노이 카르키Manoj Karkee의 말에 의하면 이 프로젝트는 "자연적인 수분 과정을 실제로 대체할 수 있을 것으로, 그리고 자연적인 수분 매개자인 벌만큼 또는 그보다 더 효율적일 것으로 기대된다고" 한다.

곤충학자들은 인간의 기술 수준이 수분하는 곤충의 자연적인 능력에 필적할 수 있다는 생각 자체를 탐탁지 않게 여긴다. 기본적인 논리의 단계에서도 말이다. 생물학자 데이비드 굴슨은 벌이 꽃을 수분하는 능력이 탁월하다고 지적한다. 벌은 약 1억 2,000만 년 전부터 그 기술을 갈고닦았다. 게다가 꿀벌이 사는 벌집은 전 세계적으로 약 8,000만 개가 있다. 벌집마다 돈을 안 들여도 알아서 번식하는 벌이 수만 마리씩 들어 있다. "벌을 로봇으로 대체하려면 비용이 얼마나 들까요?" 굴슨은 이렇게 묻는다. "인간이 벌보다 수분을 잘하는 로봇을 만들 수 있을 것이라는 생각은 자만심으로 가득합니다." 따라서 인간이 사용할 수 있게 곤충의 특징을 복제하려는 과학자들이 쉽게 성공하지 못하는 것은 놀라운 일이 아니다. 파리와 벌의 진화 과정은 사람들의 감탄을 자아낸다. 그런 과정을 짧은 기간에 인공적으로 이뤄내기는 어렵다. 학자들이 호기심을 충족하기 위해 가볍게 시작한 프로젝트가 우리를 구원할 해결책으로 떠오르게 된 현실이 안타깝다. 어쩌면 우리는 기술적인 해결책을 고려할 때 로봇을 공급하는 문제보다 로봇에 대한 수요가 생긴 이유를 따져봐야 할지도 모른다.

로봇 곤충에 의지하지 않는 다른 새로운 아이디어도 필요하다. 야생에 공간 일부를 돌려주려고 집약적인 농업을 적용하는 땅의 면적을 줄인다면 수직 농업이 잠재적으로 좋은 대안이 될 수 있다. 전全

계절 작물을 창고와 선적 컨테이너에 쌓아두고 토양과 살충제 대신 LED 조명과 수경 재배를 이용하는 방법이다. 만일 실제 곤충이 일을 제대로 못 하게 된다면 로봇 수분 매개자를 함께 활용하는 방법도 나쁘지 않을 것이다.

곤충을 살리기 위해서 곤충을 먹는 방법도 있다. 서양 사회는 직관에 반하는 이런 개념을 감당하려고 노력해야 할지도 모른다. 생물 다양성이 사라져서 사막이 되어버린 거대한 들판은 사람을 직접 먹여 살리는 데 쓰이지도 않는다. 사용 가능한 농경지의 3분의 1은 가축의 사료를 생산하는 데 쓰이며, 가축도 얼음이 덮이지 않은 지구상의 서식지 중 4분의 1이나 차지한다. 거저리와 귀뚜라미는 훌륭한 단백질 공급원이다. 둘 다 좁은 공간에서도 엄청나게 번식할 수 있으며 전통적인 서양 식단에 대한 덜 파괴적인 대안이 될 수 있다. 기후변화, 화학물질의 사용, 토지의 질적인 저하 등 농업이 곤충에 가하는 압박을 완화하는 데도 도움이 될 것이다. 네덜란드 곤충학자 아르놀트 판 하위스Arnold van Huis는 "곤충을 먹으면 환경문제가 훨씬 줄어듭니다. 맛도 좋고요"라고 말한다. 그는 곤충 20종을 먹어본 경험이 있으며 가장 맛있게 먹은 것은 구운 흰개미, 고추와 함께 나온 메뚜기튀김이었다.

곤충을 갈아서 익숙한 음식에 넣으면 문화적인 충격을 줄이는 데 도움이 될 것이다. 실제로 영국에서는 빵에, 벨기에에서는 와플에 곤충을 갈아서 넣는다. 실리콘밸리에도 곤충식 바람이 불고 있다. 여러 스타트업이 장인이 만든 귀뚜라미 단백질 바를 생산하고 미니 농장을 만들어 각자 먹을 곤충을 직접 키우는 사업도 하고 있다. 한편 서양 음식점에서는 아시아와 아프리카에서 오래전부터 사용해온 곤충 재료를 조금씩 쓰기 시작했다. 예전에는 금기시되던 일이었다. 축산은 "우리 환경이 큰 대가를 치르게 합니다. 그것이 바로 우리가 환경에 영향을 덜 미치는 추가적인 또는 대안이 될 수 있는 단백질 공급원이 필요한 이유입니다. 곤충식이 한 가지 아이디어일 수 있습니다." 곤충학자 세라 베이넌Sarah Beynon은 이렇게 말한다. 그녀는 웨일스에 곤충 연구 체험 센터를 세웠다. 이곳에는 영국에서 처음으로 곤충식을 상시 판매하는 음식점도 있다.

어쩌면 로봇 벌이 식량 공급을 지원하는 날이 올지도 모른다. 우리가 먹는 음식에도 큰 변화가 생겨서 곤충의 세계가 망가지는 속도가 좀 느려질지도 모른다. 하지만 곤충의 위기를 성공적으로 모면했다는 기준은 그보다 조금 더 높이 잡아야 한다. 우리가 세상에 마지막으로 남은 곤충이 죽는 모습을 지켜보게 되지는 않을 것이다. 우리는 마지막으로 남은 북부흰코뿔소와 뱅골호랑이가 죽는 모습을 보게 될 것이다. 하지만 마지막으로 남은 곤충이 죽는 모습은 볼 일이 없다. 우리가 곤충을 어떻게 괴롭히든 분명 어딘가에는 곤충이 있을 것이다. 시카고에서 창턱에 놓인 화분 안을 기어 다니거나 베트남에서 논 가장자리를 갉아 먹거나 오스트레일리아에서 불이 붙은 유칼립투스나무를 피해 도망갈 것이다. 곤충은 개체 수가 많고 종이 다양한 것이 큰 장점이다. 하지만 나중에는 개로 치자면 골든레트리버처럼 사람을 가장 편하게 여기는 바퀴벌레와 빈대만 살아남을 것이다. 수분 작용을 위해 어쩌면 로봇 벌이 필요 없을지도 모른다. 우리가 야생벌이 남긴 빈자리를 채우려고 꿀벌을 더 많이 키우는 데 전력을 기울일 것이기 때문이다. 이제는 세상에 있는 포유동물의 96%가 인간과 인간이 키우는 소와 돼지인 것처럼 꿀벌이 곤충의 세계에서 차지하는 비율도 점점 높아질 것이다. 꿀벌은 농업에 필요한 또 하나의 중요한 인풋이 될 것이다. 큰 대가를 치르기는 하겠지만 우리는 난관을 그럭저럭 타개할지도 모른다.

비극은 우리가 환경, 정신, 도덕 측면에서 매우 빈곤한 상태가 될 것이라는 점이다. 과학자들은 호박벌이 축구를 배울 수 있으며 벌집에 있는 어린 벌을 돌보기 위해 잠을 자지 않기도 한다는 사실을 알아냈다. 호박벌은 좋았던 경험과 나빴던 경험을 기억하는데, 이는 벌에게 자각 능력이 있다는 뜻이다. 바이올린 딱정벌레는 놀랍게도 이름처럼 바이올린같이 생겼다. 옆에서 보면 눈에 거의 보이지 않을 정도로 납작하기도 하다. 제왕나비는 아름답고 발을 통해서 꽃의 꿀을 맛볼 수 있다. 곤충이 전부 사라지지는 않겠지만, 이렇게 경이로운 생명체들이 없어진다는 것은 가슴 아픈 일이다. "미래에는 생물군이 대단히 단순화될 것입니다. 곤충이 존재하긴 하겠지만, 크고 독특한 것들은 죽어버렸을 겁니다. 우리 아이들은 작아진 세상에서 살게 되겠죠. 그것이 우리가 다음 세대에게 물려주는 유산입니다." 곤충학자 데이비드 와그너의 말이다.

만일 곤충의 작은 왕국이 무너지는 데 세심한 주의를 기울이지 않으면 곤충이 떠나고 황폐해진 시골에서 기계를 동원해 남아 있는 토양에서 식량을 겨우 뽑아내는 것이 그나마 나은 시나리오가 될지도 모른다. 최신 연구에 따르면 벌의 수가 줄어드는 바람에 사과, 블루베리, 체리 같은 핵심 식용작물의 공급이 제한되기 시작했다고 한다. 곤충을 잡아먹는 새는 이제 프랑스의 특징 없는 들판에서만 사라지는 것이 아니라 아마존 열대우림의 외진 지역에서도 사라지고 있다. 와그너와 그의 동료들은 최근에 전 세계적으로 여러 곤충의 개체 수가 매년 1~2%씩 감소하고 있다는 사실을 확인했다. 그는 이를 '무시무시한' 추세라고 표현한다. 상황은 갈수록 안 좋아질 것이다. 이 재앙은 언젠가 최악의 순간을 맞을 것이다. 다행히 아직은 그 순간에 가까이 다가간 것 같지는 않다. 하지만 우리는 여전히 어딘가로 미끄러져 내려가고 있다.

*

이 시대의 역사적인 무게는 플로이드 쇼클리의 마음을 짓누른다. 쇼클리는 스미스소니언 국립자연사박물관의 5개 층에 걸쳐 커다란 금속 캐비닛에 보관된 곤충 표본 3,500만 개를 감독한다. 이 박물관은 신고전주의 건물이며 도리아 양식의 기둥과 워싱턴 D.C.의 내

셔널 몰National Mall 위에 있는 돔 덕택에 눈부신 아름다움을 자랑한
다. 이곳은 백악관 앞에서 대통령과 관련된 상품을 파는 노점상들과
가끔 보이는 시위자들을 지나서 조금만 걸으면 나온다. 필자가 2019년
11월에 쇼클리의 사무실을 찾아갔을 때 가장 먼저 눈에 띈 것 중 하
나는 벽에 붙어 있는 풍뎅이 포스터였다. 쇼클리는 쾌활하고 수염이
짧고 뾰족한 딱정벌레 전문가다. "사람들이 크기나 색 때문에 깜짝
놀랍니다." 그는 풍뎅이를 가리키면서 말했다. "하지만 저는 작은 갈
색 곤충에 관심이 많습니다. 곤충의 세계에서 다양성에 이바지하는
곤충 대부분은 크기가 5mm밖에 안 되거나 그것보다 작은 벌레들이
거든요."

빽빽하게 늘어선 곤충 표본을 보러 걸어가는 동안 쇼클리는 미
국인이 깔끔하게 손질된 잔디밭에 집착하는 태도를 맹렬하게 비난
했다. 그는 야생벌보다 꿀벌이 인기가 더 많은 것도 마음에 들지 않
았다. 그리고 곤충의 개체 수가 달라지는 추세는커녕 곤충 종을 전부
기록할 수 없는 상황도 개탄했다. 스미스소니언 국립자연사박물관
에 있는 곤충 컬렉션은 규모가 어마어마하다. 서랍 13만 4,000개와
병 3만 3,000개가 곤충으로 채워져 있다. 수서곤충부터 멸종된 나방,
길이가 0.5mm밖에 되지 않고 전시되지도 않는 작은 총채벌레에 이
르기까지 다양한 곤충이 이곳에 있다. 스미스소니언 박물관은 인간
에게 알려진 모든 곤충 종의 약 3분의 1에 해당하는 표본을 소장하
고 있다. 박물관에서 일하는 연구원들은 남아메리카에 있는 열대우

림을 샅샅이 뒤져서 새로운 종이 없는지 살핀다. 출장을 다녀온 연구원들은 곤충의 수가 줄어들고 있다는 사실을 확인시켜주는 증거를 점점 더 많이 발견한다. 쇼클리는 '곤충의 파멸'이라는 말을 좋아하지 않는다. 곤충의 상황이 끝도 없이 나빠지고 있는데, 이 말은 재앙이 마치 기간이 정해져 있고 통제가 되는 사건인 것처럼 표현하기 때문이다. 곤충의 위기는 번개가 치는 것보다는 냄비 안에 든 물이 점점 끓어오르는 것과 비슷하다. 쇼클리는 "우리는 대멸종 사태의 초반부에 접어들었습니다. 만일 인류가 아무것도 바꾸지 않기로 한다면 상황은 더 나빠질 겁니다"라고 말한다.

스미스소니언 박물관의 유명한 공룡 홀에서 진행되는 〈딥 타임Deep Time〉 전시를 보고 있으면 현재 곤충이 처한 위기가 크게 와닿지 않는다. 방문객들은 지구가 46억 년 전에 생성되었을 때부터 시작해서 지구의 역사를 따라 구불구불한 길을 걷게 된다. 땅에 처음으로 살던 곤충은 약 4억 1,000만 년 전에 나타났다. 스코틀랜드의 사암 속에서 납작하게 눌린 채 발견된 '리니오그나타 히르스티Rhyniognatha Hirsti'라고 알려진 종이었다. 다른 생물체들이 여러 지역으로 뻗어나가면서 곤충은 하늘을 나는 첫 동물이 되었다. 식물을 처음으로 소화한 여러 동물 중에는 곤충이 있었고, 초창기 포식자의 눈에 띄지 않게 위장하는 능력을 처음 개발한 것도 곤충이었다. 석탄기부터 중생대까지, 그러니까 약 3억 년 전에 높은 산소 함유량과 열대기후 덕택에 여러 곤충의 크기가 거대해졌다. 전시를 보다 보면 일리노이주의 습지림에 서식했던 메가네우라Meganeura의 그림이 나온다. 거대한 잠자리처럼 생긴 이 곤충은 날개 길이가 최대 71cm나 되었다고 한다. 이 정도면 현대의 청둥오리보다 날개 길이가 조금 짧은 정도다.

지질학적 시간을 따라 흘러가는 이 전시회장 중간중간에는 지구가 경험한 다섯 번의 대량 멸종 사태를 상징하는 기둥이 서 있다. 곤충은 기둥에 묘비로 표시된 모든 대량 멸종 사태에서 꾸준히 살아남았다. 또 공룡보다 먼저 나타나 더 오래 생존하기도 했다. 가장 최근에 일어났던 대량 멸종 사태는 6,600만 년 전에 벌어졌다. 폭이 9.7km나 되는 소행성이 오늘날의 멕시코에 해당하는 지역을 강타하면서 시작된 것으로 추정된다. 들불, 쓰나미, 산성비가 지나가고 나서 공룡이 멸종되었다. 기둥에 쓰여 있는 내용에 따르면 이 사태로 '식물을 먹고 사는 지나치게 까다로운' 곤충들이 사라졌다고 한다. 하지만 그 뒤로 포유동물, 나중에는 인간이 땅을 장악하려고 다른 동물들을 거칠게 밀어내면서 지구의 환경이 회복되었고 생물 종도 다양해졌다. 지구의 긴 역사에서 이렇게 최근에 너무 큰 희생을 치르고 얻은 우리의 승리는 단 하나의 종, 즉 인간이 처음으로 우주에서 유일하게 생명체가 살고 있다고 알려진 지구에 영향을 미치는, 대량 멸종 사태의 주요 원인이 되었다는 뜻이다. 쇼클리는 "이런 사건은 6,000만~7,000만 년마다 반복됩니다. 그러니까 우리도 얼마 남지 않았습니다"라고 말한다. 전시 끝부분에는 코끼리가 사바나를 재현한 곳에 장엄하게 서 있다. "인간은 단 200년 동안 활동하면서 지구에 지대한 영향을 미쳤습니다. 제아무리 곤충이어도 이렇게 빠른 속도로 다가오는 멸종 사태에는 제대로 반응하지 못합니다."

곤충의 위기에 대해 가장 불안한 측면 중 하나는 상황이 어떻게 전개될지 모른다는 것이다. 곤충은 대변동이 일어나는 긴 시간을 평온하게 견디면서 지구 구석구석을 점령한 위대한 생존자임이 분명하다. 하지만 그렇다고 해서 곤충이 이번 위기도 무사히 이겨낼 것이라고 장담할 수는 없다. 2020년 12월 31일, 즉 괴로웠던 해를 마감하는 마지막 날에 한 연구 논문이 시기적절하게 발표되었다. 순純고생물학과 지질학을 연구하는 두 미국인 전문가가 기존 대량 멸종 사태 다섯 건이 곤충에게 무엇을 의미하는지 살펴보았다. 연구의 틀은 여섯 번째 대량 멸종 사태의 현대적인 맥락이었다. 전문가들은 화석 기록을 보고 곤충이 얼마나 많았는지 알아내기는 어렵다고 인정했다. 하지만 증거에 따르면 과거에 곤충의 다양성은 크게 줄어들지 않았다고 한다. 연구원들은 2억 5,000만 년 전 지구상에 있는 생물 종 10개 중 9개를 멸종시킨 페름기 대량 멸종 사태 때도 곤충은 완전히 사라지기보다는 '동물군이 이동했다faunal turnover'라고 밝혔다. 결국 논문 내용을 종합하면 현재 곤충이 역사상 한 번도 겪어본 적 없는 위협에 시달리고 있다는 무시무시한 결론이 나온다. 곤충이 이번에도 개체 수가 다시 급증할 것이라고 함부로 단언할 수 없다. 그동안은 이 정도의 상황을 한 번도 견뎌낼 필요가 없었기 때문이다. 연구원들은 '이것은 곤충의 여섯 번째 대량 멸종 사태가 아니다. 그 대신 첫 대량 멸종 사태가 될지도 모르겠다'라고 썼다.

우리는 땅을 평평하고 유독하게 만들고, 대기의 화학 성분이 달라지게 하며, 진보와 심미적인 가치를 추구한다는 이유로 생물학적인 사막을 형성한다. 이 과정에서 우리는 위험 부담이 큰 실험을 하는 것이나 마찬가지다. 곤충의 기나긴 역사와 비교했을 때 인간의 역사는 상대적으로 짧다. 두 생물의 활동 시기는 이제야 겹치기 시작했지만, 인간은 벌써 지구를 탈바꿈시키고 있다. 우리는 곤충이 우리보다 먼저 지구에서 살기 시작했다는 것을 확실하게 알고 있다. 나중에도 곤충이 우리보다 더 오래 살아남을 확률이 높다. 다양성이 파괴되고 있는 곤충 없이 인간이 여섯 번째 대량 멸종 사태에서 무사히 살아남으리라고 추정하는 것은 오만한 생각이다. 곤충에게 우리가 필요하다기보다는 우리에게 곤충이 필요한 것이다. 따라서 곤충의 위기는 우리의 자기중심적인 시각에서 보면 결국 인간의 위기다.

만일 실제 벌을 로봇 벌로 대체하는 아이디어를 확장하면 SF 소설에 나올 법한 내용에 도달한다. 이런 시나리오가 현실적인 대안이 되리라고 생각하는 사람들도 있다. 인간이 황폐해진 지구를 떠나 화성이나 다른 행성으로 이주한다. 그러고는 바위투성이인 새 행성을 지구처럼 만들어 새로운 기술적 유토피아를 건설하는 것이다. 그곳에는 전쟁, 대기오염, 어리석음이 없다. 쇼클리는 이렇게 황당한 전략에 대한 대화가 미국 정부 내에서 이루어지는 모습을 상상할 수 있다. 하지만 이런 극단적인 우주 이주 시나리오에서도 우리가 곤충과의 관계를 끊을 수는 없을 것으로 생각한다.

"우리가 어디서 식량을 재배하든 벌이 있어야 합니다." 쇼클리는 관광객들이 코끼리 밑에서 셀카를 찍는 모습을 보면서 이렇게 말한다. "인간이 다른 행성을 지배하는 첫 침입종이 될지 몰라도 두 번째 침입종은 벌이 될 겁니다."

감사의 글

● ●

책을 처음 쓴다는 것은 그 자체만으로도 감당하기 어려운 일이다. 그런데 하필 역사적인 팬데믹이 찾아왔을 때 이 책을 쓰게 되었다. 그래서 그토록 많은 사람이 다양한 단계의 트라우마를 겪으며 고생하던 시기에 책을 무사히 마무리할 수 있었다는 것만으로도 감사하고 안심이 된다.

환경에 대한 어떤 글이든 생태계의 풍경, 소리, 향기에 몰두할 때 가장 잘 써진다. 곤충 이야기를 다룰 때도 마찬가지다. 필자는 코로나19로 인한 출입국 제한이 시작되기 직전에 이 책을 쓰기 위해서 놀라운 여정을 떠나는 행운을 얻었다.

책에 나오는 장소를 안내해준 모든 분에게 특별히 감사의 말씀을 드린다. 오야멜 전나무와 제왕나비를 보면서 멕시코 중심부에 있는 산 주변을 함께 둘러본 쿠아우테모크 사엔스-로메로에게 감사드린다. 필자를 집으로 초대해주고 환대해준 라미레스 크루스에게도 감사드린다. 그분은 현지에서 '돈 판초'로 알려져 있다. 필자가 멕시코에서 돌아온 지 8개월이 지났을 때 라미레스 크루스가 암으로 돌아가셨다는 소식을 들었다. 삼가 고인의 명복을 빈다.

플로이드 쇼클리는 스미스소니언 국립자연사박물관에 있는 수많은 곤충을 구경시켜준 박식하고 친절한 가이드였다. 제이 에번스는 필자의 질문에 능숙하게 대답해줬고 양봉 작업복을 무사히 입도록 도와주기도 했다. 데니즈 퀼스는 감사하게도 통찰력과 아몬드 한 봉지를 제공했고, 캘리포니아주의 센트럴밸리에서 벌과 하루를 보낸 날 얼굴을 쏘였을 때도 위로해주었다. 허튼수작을 용납하지 않는 양봉업자 조지 핸슨은 함께하기 즐거운 일행이었고, 그의 솔직담백한 시각을 들을 수 있어서 좋았다. 아트 샤피로와 함께한 산책에서는 나비는 결국 보지 못했지만 즐거운 시간을 보낼 수 있었다.

곤충처럼 다면적이면서도 때로는 잘 알려지지 않은 생물에 대해 책을 쓰려다 보니 어려움이 많았다. 그래서 여러 전문가의 도움이 필요했다. 책에 실린 내용의 정확성을 확인해주신 여러 곤충학자와 다른 과학자분들에게 감사의 말씀을 전한다. 귀한 시간 내주고 인내심을 발휘해준 맷 포리스터, 알렉스 리스, 에리카 맥앨리스터, 데이브 굴슨, 사이먼 포츠, 알렉스 좀첵, 안데르스 파페 묄러, 크리스 루니, 스테파니 크리스트만에게도 특별히 감사 인사를 드리고 싶다. 필자는 콘래드 베루브에게 살인 말벌에게 공격당했을 때 어땠는지 몇 번이나 물었다. 그런데도 질문에 일일이 대답해준 베루브에게 감사드린다. 코비 샬도 바퀴벌레를 끝없이 옹호해준 데 대해 감사드린다.

필자는 이 책을 조이 판야멘타Zoë Pagnamenta와 그녀가 이끄는 훌륭한 팀의 직감과 노고 덕에 쓰기 시작했다. 책에 실린 내용의 형태와 구조는 위대한 쿠인 도Quynh Do의 전문적인 도움의 손길을 받았다. 이 과정의 마지막 단계는 노턴Norton의 멜라니 토르토롤리 Melanie Tortoroli가 능숙하게 살펴주었다. 이 모든 분의 조언과 지도에 감사드린다.

이 책에서는 세계 각지를 돌아다니지만, 막상 책 자체는 브루클린에 있는 작은 아파트에서 대부분을 썼다. 집 밖에서는 코로나19 바이러스가 기승을 부렸고 인종차별에 반대하는 시위가 열렸었다. 집 안에서는 어린아이 2명과 노이로제에 걸린 닥스훈트 때문에 대혼란이 벌어졌다. 따라서 사랑, 응원, 엄청난 참을성을 보여준 훌륭한 아내 린달Lyndal에게 가장 깊이 감사드린다.

참고 자료

1장. 인섹타겟돈, 이 재앙이 지구의 '여섯 번째 대멸종'이 될지 모른다

15쪽 ⋯ '세상은 몇십 년 안에 10억 년 전 상태로 돌아갈 것이다': Edward O. Wilson, "The Little Things That Run the World (The Importance and Conservation of Invertebrates)," *Conservation Biology* 1, no. 4 (1987): 345.

18쪽 ⋯ 인간에게 알려진 동물 종을 전부 살펴보면 그중 4분의 3이 곤충이다: David Britton, "Why Most Animals Are Insects," Australian Museum, 2020, accessed February 25, 2021, https://australian.museum/learn/animals/insects/why-most-animals-are-insects/

19쪽 ⋯ "파리를 없앤다고요? 그러면 초콜릿도 사라집니다": Janet Fang, "Ecology: A World without Mosquitoes," *Nature* 466 (2010): 432-434, https://www.nature.com/news/2010/100721/full/466432a.html

20쪽 ⋯ 과학자들은 항생제 없이 구더기를 이용해 괴저 상처를 치료하고: K. Y. Mumcuoglu, "Clinical Applications for Maggots in Wound Care," *American Journal of Clinical Dermatology* 2, no. 4 (2001): 219.

20쪽 ⋯ 동애등에의 유충에서 추출한 기름은 자동차와 트럭에 주유하는 바이오디젤의 일종으로 활용된다: Qing Li et al., "From Organic Waste to Biodiesel: Black Soldier Fly, *Hermetia illucens*, Makes It Feasible," *Fuel* 90, no. 4 (2011): 1545.

21쪽 ⋯ 다윈이 제시한 진화론은: Dave Hone, "Moth Tongues, Orchids and Darwin—The Predictive Power of Evolution," *The Guardian*, October 2, 2013, accessed February 25, 2021, https://www.theguardian.com/science/lost-worlds/2013/oct/02/moth-tongues-orchids-darwin-evolution

22쪽 ⋯ 비욘세 말파리는 가수 비욘세-, 이름을 땄으며 배가 밝은 금색이다: Jennifer Welsh, "Bootylicious Fly Gets Named Beyonce," *Live Science*, January 13, 2012, accessed February 25, 2021, https://www.livescience.com/17903-gold-butt-beyonce-fly.html

23쪽 ⋯ 아프리카 마타벨레 개미는: Erik Thomas Frank et al., "Saving the Injured: Rescue Behavior in the Termite-Hunting Ant *Megaponera analis*," *Science Advances* 3, no. 4 (2017), accessed February 25, 2021, doi:10.1126/sciadv.1602187

23쪽 ⋯ 꿀벌은 숫자 0의 개념을 이해하고: Scarlett R. Howard et al., "Numerical Ordering of Zero in Honey Bees," *Science* 360, no. 6393 (2018): 1124.

23쪽 ⋯ "곤충이 인류에게 제공하는 서비스가 잘 알려지지 않은 것 같습니다": Transcript of Edith Patch speech, *Bulletin of the Brooklyn Entomological Society*, February 1938, accessed February 25, 2021, https://archive.org/stream/bulletino323319371938broo/bulletino323319371938broo_djvu.txt

24쪽 ⋯ 아직 발견하고 이름 짓지 못한 곤충이 훨씬 더 많다. 그 수가 3,000만이나 된다고 예측하는 사람들도 있지만: Nigel E. Stork, "How Many Species of Insects and Other Terrestrial Arthropods Are There on Earth?," *Annual Review of Entomology* 63 (2018): 31.

25쪽 ⋯ 2016년에 캐나다 과학자들은 곤충 표본 100만 개 이상의 DNA 분석을 완료했다: Paul D. N. Hebert et al., "Counting Animal Species with DNA Barcodes: Canadian Insects," *Philosophical Transactions of the Royal Society B* 371, no. 1702 (2016), accessed

February 25, 2021, doi.org/10.1098/rstb.2015.0333

26쪽 ⋯ 스미스소니언 박물관은 전 세계적으로 곤충이 약 1,000경 마리나 있을 것으로 추정한
다: "Numbers of Insects (Species and Individuals)," National Museum of Natural History,
Smithsonian Institution, accessed February 25, 2021, https://www.si.edu/spotlight/
buginfo/bugnos

26쪽 ⋯ 잉글랜드 남부에 서식하는 곤충 중 매년 날아서 이동하는 곤충만 하더라도 3조 5,000
억 마리나 된다: Matt McGrath, "Trillions of High-Flying Migratory Insects Cross over
UK," BBC News, December 22, 2016, accessed February 25, 2021, https://www.
bbc.com/news/science-environment-38406491

26쪽 ⋯ 만일 세상에 있는 흰개미를 전부 모아 거대한 공으로 만든다면 생물량이라고 불리
는 이 무리는 지구상에 있는 모든 새를 합친 것보다 무게가 더 많이 나갈 것이다:
Yinon M. Bar-On, Rob Phillips, and Ron Milo, "The Biomass Distribution on Earth,"
Proceedings of the National Academy of Sciences of the USA 15, no. 25 (2018): 6506.

26쪽 ⋯ '오늘날 인류는 곤충의 바다에서 표류하는 중이다': Larry Pedigo and Marlin Rice,
Entomology and Pest Management, 6th ed. (Long Grove, IL: Pearson College Division,
2008), 1.

27쪽 ⋯ 호박벌은 킬리만자로산 정상보다 조금 낮은 해발 5,500m에서도 볼 수 있으며: Ian
Johnston, "Bumblebees Set New Insect Record for High-Altitude Flying," *The
Independent*, October 23, 2011, accessed February 25, 2021, https://www.
independent.co.uk/news

27쪽 ⋯ 수컷 나비 중에는 생식기에 눈이 달린 종도 있다: Damian Carrington, "Humanity Must
Save Insects to Save Ourselves, Leading Scientist Warns," *The Guardian*, May 7, 2019,
accessed February 25, 2021, https://www.theguardian.com/environment

28쪽 ⋯ 경종을 울린 문서가 2014년에 나오긴 했었다: Roldofo Dirzo et al., "Defaunation in the
Anthropocene," *Science* 345, no. 6195 (2014): 401.

29쪽 ⋯ 새로 발견한 뿔매미 종은 가수 레이디 가가의 이름을 따서 지은 것이다: Brigit Katz,
"Insect with 'Wacky Fashion Sense' Named after Lady Gaga," *Smithsonian Magazine*,
March 17, 2020, accessed February 25, 2021, https://www.smithsonianmag.com/
smart-news/insect-wacky-fashion-sense-named-after-lady-gaga-180974435/

30쪽 ⋯ '공포 영화의 한 장면처럼 개미가 날아다니다-곤충 떼가 머지사이드주를 습격하
다': Emilia Bona, "Flying Ant Scenes 'Like a Horror Film' as Swarms of Insects
Plague Merseyside," *Liverpool Echo*, July 12, 2020, accessed February 25, 2021,
https://www.liverpoolecho.co.uk/news/liverpool-news/flying-ant-scenes-like-
horror-18585600

31쪽 ⋯ '27년 동안 동물 보호구역에서 날아다니는 곤충의 총 생물량이 75% 이상 감소하다':
Caspar A. Hallmann et al., "More Areas," *PLOS One* 12, no. 10 (2017), accessed
February 25, 2021, doi.org/10.1371/journal.pone.0185809

32쪽 ⋯ '막상 곤충이 사라지면 그리워하게 될 것이다': Cover of *National Geographic*, May
2020 issue, accessed February 25, 2021, https://nationalgeographicpartners.
com/2020/04/magazine-highlights-may-2020/

33쪽 ⋯ '바구미에게 연민을!': Thierry Hoquet, "Compassion pour le charancon! Vers une
nouvelle philosophie de l'insecte," *Le Monde*, November 24, 2017, accessed
February 25, 2021, https://www.lemonde.fr/idees/article/2017/11/24/compassion-
pour-le-charancon-vers-une-nouvelle-philosophie-de-l-insecte_5219507_3232.
html

33쪽 … "세계 각지에서 이메일과 질문을 이렇게까지 많이 보내주실 거라고 전혀 예상하지 못했습니다": Eric Campbell, " 'Insect Armageddon': Europe Reacts to Alarming Findings about Decline in Insects," ABC News, October 14, 2019, accessed February 25, 2021, https://www.abc.net.au/news/2019-10-15/insect-armageddon-europe-reacts-to-alarming-insect-decline/11593538

39쪽 … 연구원 25명이 공동으로 작성한 한 논문에는 '과학자들이 곤충의 멸종에 대해 인류에게 보내는 경고'라는 불길한 제목이 붙었다: Pedro Cardoso et al., "Scientists' Warning to Humanity on Insect Extinctions," Biological Conservation 242, no. 108426 (2020), accessed February 25, 2021, doi.org/10.1016/j.biocon.2020.108426

40쪽 … 2019년에 유엔이 발표한 획기적인 연구 결과에 따르면, 수십 년 안에 무려 100만 종의 동물이 멸종될 위기에 처해 있다고 한다: Jonathan Watts, "Human Society under Urgent Threat from Loss of Earth's Natural Life," The Guardian, May 6, 2019, accessed February 25, 2021, https://www.theguardian.com/environment/2019/may/06/human-society-under-urgent-threat-loss-earth-natural-life-un-report

42쪽 … "지구상의 필수적인 생물망이 점점 줄어들고 소모되고 있습니다": United Nations, UN Report: "Nature's Dangerous Decline 'Unprecedented'; Species Extinction Rates 'Accelerating,'" May 6, 2019, accessed February 25, 2021, https://www.un.org/sustainabledevelopment/blog/2019/05/nature-decline-unprecedented-report/

45쪽 … 관찰 결과가 발표되자 첫 번째 연구 원정 때 얻은 결과와 더 명백하게 비교되었다: Bradford C. Lister and Andrés García, "Climate-Driven Declines in Arthropod Abundance Restructure a Rainforest Food Web," Proceedings of the National Academy of Sciences of the USA 115, no. 44 (2018): E10397-E10406, accessed February 25, 2021, doi.org/10.1073/pnas.1722477115

46쪽 … 오스트레일리아 출신의 과학자 2명, 즉 생태학자 프란치스코 산체스-바요와 크리스 웨익이 현 상황을 분석한 결과를 발표한 것이다: Francisco Sánchez-Bayo and Kris Wyckhuys, "Worldwide Decline of the Entomofauna: A Review of Its Drivers," Biological Conservation 232 (2019): 8.

50쪽 … 초원에서는 곤충 종이 3분의 1이나 줄었고 곤충의 전체 생물량이 3분의 2나 급감했다: Sebastian Seibold et al., "Arthropod Decline in Grasslands and Forests Is Associated with Landscape-Level Drivers," Nature 574 (2019): 671.

2장. 세상이 단조로워지고 있다

57쪽 … 지난 몇십 년 동안 호박벌 4종의 개체 수가 무려 96%나 감소했다는 사실을 알게 되었다: Sydney A. Cameron et al., "Patterns of Widespread Decline in North American Bumble Bees," Proceedings of the National Academy of Sciences of the USA 108, no. 2 (2011): 662.

58쪽 … 프랭클린 호박벌은 오리건주 남부와 캘리포니아주 북부의 좁은 지역에서만 발견할 수 있는데 2006년 이후로 완전히 자취를 감춰버렸다: Robbin Thorp, "Franklin's Bumble Bee," Xerces Society, accessed February 25, 2021, https://www.xerces.org/endangered-species/species-profiles/at-risk-bumble-bees/franklins-bumble-bee

58쪽 … 캐나다에 서식하는 아메리칸 호박벌은 100년 전과 비교했을 때 개체 수가 89%나 줄어들었다: Victoria J. MacPhail, Leif L. Richardson, and Shiela R. Colla, "Incorporating Citizen Science, Museum Specimens, and Field Work into the Assessment of Extinction Risk of the American Bumble bee (Bombus pensylvanicus De Geer 1773) in Canada," Journal of Insect Conservation 23 (2019): 597.

58쪽 … "저희 컬렉션에서 사라져버린 종이 수천 개나 됩니다. 그런 종은 수년째 모습을 드러내지 않고 있습니다": "Expert Warns of 'Huge Decline' in Canada's Bug Population," CTV News, October 4, 2017, accessed February 25, 2021, https://www.ctvnews.ca/canada/expert-warns-of-huge-decline-in-canada-s-bug-population-1.3618579

58쪽 ··· 과학자들은 1970년대 중반 이후 뉴햄프셔주에 있는 삼림 보호구역의 딱정벌레가 '급격하게 감소했다는' 사실을 알아차렸다: Jennifer E. Harris, Nicholas L. Rodenhouse, and Richard T. Holmes, "Decline in Beetle Abundance and Diversity in an Intact Temperate Forest Linked to Climate Warming," *Biological Conservation* 240 (2019), accessed February 25, 2021, doi.org/10.1016/j.biocon.2019.108219

61쪽 ··· 오하이오주에 서식하는 나비는 20년 동안 3분의 1이 사라져버렸다: Tyson Wepprich et al., "Butterfly Abundance Declines over 20 Years of Systematic Monitoring in Ohio, USA," *PLOS One* 17, no. 7 (2019), accessed February 25, 2021, doi.org/10.1371/journal.pone.0216270

61쪽 ··· 캔자스주에서도 메뚜기 개체 수가 20년 동안 이와 비슷한 감소세를 보였다: Ellen A. R. Welti et al., "Nutrient Dilution and Climate Cycles Underlie Declines in a Dominant Insect Herbivore," *Proceedings of the National Academy of Sciences of the USA* 117, no. 13 (2020): 7271.

61쪽 ··· 캘리포니아주에서 매년 무리를 지어 해안으로 이동하는 제왕나비의 수는 1980년대에 기록된 수의 약 1%에 불과하다: Emma Pelton, "Thanksgiving Count Shows Western Monarchs Need Our Help More Than Ever," Xerces Society, January 23, 2020, accessed February 25, 2021, https://xerces.org/blog/western-monarchs-need-our-help-more-than-ever

62쪽 ··· 미시시피강 북부와 이리호 지역에 서식하는 하루살이 개체 수가 2012년 이후 50% 이상 감소했기 때문이다: Phillip M. Stepanian et al., "Declines in an Abundant Aquatic Insect, the Burrowing Mayfly, across Major North American Waterways," *Proceedings of the National Academy of Sciences of the USA* 117, no. 6 (2020): 2987.

63쪽 ··· 네덜란드에 서식하는 나비의 수가 최소 84% 감소한 것을 알 수 있다: Arco J. Van Strien et al., "Over a Century of Data Reveal More Than 80% Decline in Butterflies in the Netherlands," *Biological Conservation* 234 (2019): 116.

64쪽 ··· 영국 은행 가문의 자손 월터 로스차일드는 작은 의상을 입은 벼룩을 수집했다: Kerry Lotzof, "Walter Rothschild: A Curious Life," Natural History Museum, accessed February 25, 2021, https://www.nhm.ac.uk/discover/walter-rothschild-a-curious-life.html

65쪽 ··· 1968년부터 2007년까지 덫에 걸린 나방의 수는 4분의 1 이상 감소했다: Patrick Barkham, "British Moths in Calamitous Decline, Major New Study Reveals," *The Guardian*, February 1, 2013, accessed February 25, 2021, https://www.theguardian.com/environment/2013/feb/01/british-moths-calamitous-decline

67쪽 ··· 연구원들은 영국 노퍽주에 서식하는 나방 중 거의 절반이 식물 수십 종으로부터 꽃가루를 운반한다는 사실을 알아냈다: Richard E. Walton et al., "Nocturnal Pollinators Strongly Contribute to Pollen Transport of Wild Flowers in an Agricultural Landscape," *Biology Letters* 16 (2020), accessed February 25, 2021, doi.org/10.1098/rsbl.2019.0877

69쪽 ··· 영국에 서식하는 나방이 10년마다 10%씩 줄어들고 있다는 사실이 밝혀졌다: Callum J. Macgregor et al., "Moth Biomass Increases and Decreases over 50 Years in Britain," *Nature Ecology & Evolution* 3 (2019): 1645.

69쪽 ··· 2014년에 진행한 다른 나방 연구는 1970년대 이후 나방 260종은 눈에 띄게 개체 수가 줄어들었고, 160종은 눈에 띄게 개체 수가 늘어났다고 보고했다: Richard Fox et al., "Long-Term Changes to the Frequency of Occurrence of British Moths

Are Consistent with Opposing and Synergistic Effects of Climate and Land-Use Changes," *Journal of Applied Ecology* 51, no. 4 (2014): 949-957, accessed February 25, 2021, doi.org/10.1111/1365-2664.12256

69쪽 ··· 야생벌과 꽃등에 353종 중 3분의 1은 1980년과 비교했을 때 활동 범위가 더 좁아졌다고 한다: Damian Carrington, "Widespread Losses of Pollinating Insects Revealed across Britain," *The Guardian*, March 26, 2019, accessed February 25, 2021, https://www.theguardian.com/environment/2019/mar/26/widespread-losses-of-pollinating-insects-revealed-across-britain

70쪽 ··· 서식스대학교의 생물학 교수 데이브 굴슨은 야생동물기금을 위해 2019년에 작성한 보고서에서 곤충이 이렇게 방치되는 것을 '눈에 띄지 않는 대재앙'이라고 묘사했다: Dave Goulson et al., "Reversing the Decline of Insects," Wildlife Trusts, July 2020, accessed February 25, 2021, https://www.wildlifetrusts.org/sites/default/files/2020-07/Reversing%20the%20Decline%20of%20Insects%20FINAL%2029.06.20.pdf

71쪽 ··· 이제는 박물관과 다른 기관들이 벌을 포획하면 1950년대와 비교해 종의 약 절반만 발견하게 된다: Yao-Hua Law, "Collectors Find Plenty of Bees but Far Fewer Species Than in the 1950s," *Science News*, January 22, 2020, accessed February 25, 2021, https://www.sciencenews.org/article/collectors-find-plenty-bees-fewer-species-than-1950s

72쪽 ··· 인간의 이런 무력한 행동은 2013년에 오스트레일리아 생태학자 데이비드 린덴마이어가 쓴 논문에 잘 요약되어 있다: David B Lindenmayer, Maxine P. Piggott, and Brendan A. Wintle, "Counting the Books While the Library Burns: Why Conservation Monitoring Programs Need a Plan for Action," *Frontiers in Ecology and the Environment* 11, no. 10 (2013): 549-555, accessed February 25, 2021, doi.org/10.1890/120220

75쪽 ··· '건물과 건물 사이에 있는 꽉 막힌 좁은 공간에서 크리스마스 풍뎅이의 날개가 윙윙거리는 소리가 마치 멀리 지나가는 비행기 소리처럼 들렸다': Jeff Sparrow, "The humming of Christmas beetles was once a sign of the season. Where have they gone?," *The Guardian*, December 22, 2019, accessed February 25, 2021, https://www.theguardian.com/environment/2019/dec/23/the-humming-of-christmas-beetles-was-once-a-sign-of-the-season-where-have-they-gone

76쪽 ··· 2018년에 발표된 연구에 따르면 꼬마 주머니쥐의 50~95%가 새끼를 전부 잃었다고 한다: Lisa Cox, "Bogong Moth Tracker Launched in Face of 'Unprecedented' Collapse in Numbers," *The Guardian*, September 17, 2019, accessed February 25, 2021, https://www.theguardian.com/environment/2019/sep/17/bogong-moth-tracker-launched-in-face-of-unprecedented-collapse-in-numbers

76쪽 ··· "걱정스러운 점은 곤충의 수가 줄어들고 있다면 그런 곤충을 잡아먹는 새와 도마뱀처럼 몸집이 더 큰 동물의 수도 줄어들고 있다는 겁니다": Andrea Wild, "Australian Researchers Call for Help to Save Our Insects," CSIRO, December 2, 2019, accessed February 25, 2021, https://www.csiro.au/en/News/News-releases/2019/Australian-researchers-call-for-help-to-save-our-insects

78쪽 ··· "우리는 그게 세상에서 가장 큰 대벌레인 줄 알았는데, 중국에 더 큰 게 있더라고요. 하지만 오스트레일리아에서는 제일 크답니다": Kate Baggaley, "World's Longest Insect Is Two Feet Long," *Popular Science*, May 6, 2016, accessed February 25, 2021, https://www.popsci.com/introducing-worlds-longest-insect/

80쪽 ··· 한 연구에서는 브라질 아마존에 있는 파라주에 서식하는 100종에 달하는 쇠똥구리를 관찰했다: Filipe M. Franca et al., "El Nino Impacts on Human-Modified Tropical Forests: Consequences for Dung Beetle Diversity and Associated Ecological Processes," *bioTropica* 52, no. 2 (2020): 252.

80쪽 … 애벌레의 밀집도와 다양성이 감소했다는 사실을 밝혀냈다: Danielle M. Salcido, "Loss of Dominant Caterpillar Genera in a Protected Tropical Forest," *Scientific Reports* 10 (2020): 422.

81쪽 … 잰즌과 할박스는 2019년에 학술지 〈바이올로지컬 컨서베이션〉에 '열대지방에 서식하는 곤충이 어디에 많이 있을까?'라는 제목의 논문을 실었다: Daniel H. Janzen and Winnie Hallwachs, "Perspective: Where Might Be Many Tropical Insects?" *Biological Conservation* 233 (May 2019): 102-108, https://www.sciencedirect.com/science/article/abs/pii/S0006320719303349

82쪽 … '이런 논문들은 상대적으로 질이 떨어진다. 연구원들이 데이터를 잘못 해석했거나 주장을 펼치는 데 지나치게 열성적이기 때문이다': Raphael K. Didham et al., "Interpreting Insect Declines: Seven Challenges and a Way Forward," *Insect Conservation and Diversity* 13, no. 2 (2020): 103.

83쪽 … '과장되었고 실제로 일어날 확률도 낮다': Manu E. Saunders et al., "Moving On from the Insect Apocalypse Narrative: Engaging with Evidence-Based Insect Conservation," *BioScience* 70, no. 1 (2019): 80.

84쪽 … 데이터 대부분이 애초에 곤충에게 호의적이지 않은 환경을 갖춘 인간 점령 지역에서 수집되었다는 사실: Graham A. Montgomery et al., "Is the Insect Apocalypse upon us? How to Find Out," *Biological Conservation* 241 (2020), accessed February 25, 2021, doi.org/10.1016/j.biocon.2019.108327

86쪽 … '곤충이 줄어들고 있다는 증거를 찾으려고 하면 쉽게 찾을 수 있을 것이다': Atte Komonen et al., "Alarmist by Bad Design: Strongly Popularized Unsubstantiated Claims Undermine Credibility of Conservation Science," *Rethinking Ecology* 4 (2019): 17.

91쪽 … '불완전한 지식을 바탕으로 행동에 나서는 것은 우리가 일상생활에서나 일할 때나 늘 하는 일이다': Matthew L. Forister, Emma M. Pelton, and Scott H. Black, "Declines in Insect Abundance and Diversity: We Know Enough to Act Now," *Conservation Science and Practice* 1, no. 8 (2019): e80.

94쪽 … 산체스-바요와 웨익의 연구를 잇는 한 연구에서는 과학자 12명이 곤충의 감소를 다룬, 역대 최대 규모의 연구를 진행했다: Damian Carrington, "Insect Numbers Down 25% Since 1990, Global Study Finds," *The Guardian*, April 23, 2020, accessed February 25, 2021, https://www.theguardian.com/environment/2020/apr/23/insect-numbers-down-25-since-1990-global-study-finds

96쪽 … 북아메리카에 서식하는 수분 매개자가 감소하고 있다는 점: "Hearing Before the Subcommittee On Horticulture and Organic Agriculture," official government ed. (Washington, D.C.: US Government Printing Office, 2007): 8.

101쪽 … 매클레나첸은 1950년대에 찍은 사진들을 찾아보았다: Loren McClenachan, "Documenting Loss of Large Trophy Fish from the Florida Keys with Historical Photographs," *Conservation Biology* 23, no. 3 (2009): 636.

3장. 농작물부터 질병 치료까지, 곤충의 역할

111쪽 … 20년이 넘는 기간 동안 자동차를 타고 진행된 묄러의 연구를 살펴보면 길이가 더 짧은 첫 번째 도로에서 곤충의 80%가 줄어들었다는 것을 알 수 있다: Anders Pape Møller, "Parallel Declines in Abundance of Insects and Insectivorous Birds in Denmark over 22 Years," *Ecology and Evolution* 9, no. 11 (2019): 6581.

112쪽 ··· 유럽 전역에 서식하는 새들을 분석한 한 연구에 따르면, 벌레만 먹는 새는 1990년부터 2015년까지 개체 수가 13% 감소했다고 한다: Diana E. Bowler, "Long-Term Declines of European Insectivorous Bird Populations and Potential Causes," *Conservation Biology* 33, no. 5 (2019): 1120.

113쪽 ··· 연구에 의하면 10년이 조금 넘는 기간에 새끼를 낳는 새가 독일에서 1,270만 쌍이나 사라졌다고 한다: Fabian Schmidt, "Insect and Bird Populations Declining Dramatically in Germany," DW, October 19, 2017, accessed February 25, 2021, https://www.dw.com/en/insect-and-bird-populations-declining-dramatically-in-germany/a-41030897

113쪽 ··· 2018년에는 프랑스 시골에 서식하는 새의 개체 수가 2000년 이후 3분의 1 이상 감소했다는 연구 결과가 발표되었다: Agence France-Presse, "'Catastrophe' as France's Bird Population Collapses Due to Pesticides," *The Guardian*, March 21, 2018, accessed February 25, 2021, https://www.theguardian.com/world/2018/mar/21/catastrophe-as-frances-bird-population-collapses-due-to-pesticides

114쪽 ··· 스웨덴에서는 연구원들이 음향으로 생박쥐를 추적했다: Jens Rydell et al., "Dramatic Decline of Northern Bat *Eptesicus nilssonii* in Sweden over 30 Years," *Royal Society Open Science* 7, no. 2 (2020), accessed February 25, 2021, doi.org/10.1098/rsos.191754

114쪽 ··· 한편 도시에서 살아가는 새들은 곤충이 부족해짐에 따라 개체 수가 통제되고 있다: Nilima Marshall, "Urban Bird Populations Need Insects," *The Ecologist*, May 18, 2020, accessed February 25, 2021, https://theecologist.org/2020/may/18/urban-bird-populations-need-insects

114쪽 ··· "곤충은 건강하고 복잡한 생태계의 초석입니다. 따라서 도시에 곤충이 더 많아져야 한다는 것은 자명한 사실이죠": Gabor Seress et al., "Food Availability Limits Avian Reproduction in the City: An Experimental Study on Great Tits *Parus major*," *Journal of Animal Ecology* 89, no. 7 (July 2020): 1570-1580.

115쪽 ··· 쏙독새뿐 아니라 곤충을 먹고 사는 다른 새들도 구할 수 있는 먹이의 질이 떨어졌다: Philina A. English, David J. Green, and Joseph J. Nocera, "Stable Isotopes from Museum Specimens May Provide Evidence of Long-Term Change in the Trophic Ecology of a Migratory Aerial Insectivore," *Frontiers in Ecology and Evolution* 6, no.14 (2018), accessed February 25, 2021, doi.org/10.3389/fevo.2018.00014

119쪽 ··· 전 세계적으로 매년 140만 명이 추가로 심장 질환으로 사망할지도 모른다: Simon G. Potts et al., "Safeguarding Pollinators and Their Values to Human Well-Being," *Nature* 540, no. 7632 (2016): 220.

122쪽 ··· 곤충 수분 매개자들이 사과 품종 갈라의 생산량을 매년 최대 260만 kg이나 늘려준다는 사실이 밝혀졌다: Sean M. Webber et al., "Quantifying Crop Pollinator-Dependence and Pollination Deficits: The Effects of Experimental Scale on Yield and Quality Assessments," *Agriculture, Ecosystems & Environment* 304 (2020), accessed February 25, 2021, doi.org/10.1016/j.agee.2020.107106

124쪽 ··· 로런 시브룩스와 롱킨 후는 2017년에 발표한 논문에서 '곤충을 활용한 상품은 식물성 상품과 달리 아직 인정받거나 시장에서 성공하지 못했다'라고 밝혔다: Lauren Seabrooks and Longqin Hu, "Insects: An Underrepresented Resource for the Discovery of Biologically Active Natural Products," *Acta Pharmaceutica Sinica B* 7, no. 4 (July 2017): 409-426.

125쪽 ··· 취리히대학교 연구원들은 2018년에 주둥이노린재가 생성하는 자연적인 항생 물질인 타나틴이 특정 박테리아를 막았다고 발표했다: Stefan U. Vetterli et al., "Thanatin Targets the Intermembrane Protein Complex Required for Lipopolysaccharide Transport in *Escherichia coli*," *Science Advances* 4, no. 11 (2018), accessed

February 25, 2021, doi.org/10.1126/sciadv.aau2634

127쪽 ··· 미국에서 진행된 한 연구는 쌍살벌이 이행 추론이라는 개념을 이해한다는 점을 입증했다: Elizabeth A. Tibbetts et al., "Transitive Inference in *Polistes* Paper Wasps," *Biology Letters* 15, no. 5 (2019), accessed February 25, 2021, doi.org/10.1098/rsbl.2019.0015

128쪽 ··· 2019년에 바퀴벌레가 '무적에 가까워지고 있다'는 결론을 내렸다: Brian Wallheimer, "Rapid Cross-Resistance Bringing Cockroaches Closer to Invincibility," Purdue University, June 25, 2019, accessed February 25, 2021, https://www.purdue.edu/newsroom/releases/2019/Q2/rapid-cross-resistance-bringing-cockroaches-closer-to-invincibility.html

131쪽 ··· 2010년에 영국 노팅엄대학교의 연구원들은 바퀴벌레와 메뚜기의 뇌를 가는 작업을 했다: "Cockroach Brains . . . Future Antibiotics?," University of Nottingham, September 29, 2010, accessed February 25, 2021, https://exchange.nottingham.ac.uk/blog/cockroach-brains-future-antibiotics/

132쪽 ··· 쓰촨성 남서부 시창에는 냉난방 시설을 갖춘 바퀴벌레 농장이 있다: Stephen Chen, "A Giant Indoor Farm in China Is Breeding 6 Billion Cockroaches a Year. Here's Why," *South China Morning Post*, April 19, 2018, accessed February 25, 2021, https://www.scmp.com/news/china/society/article/2142316/giant-indoor-farm-china-breeding-six-billion-cockroaches-year

135쪽 ··· 근처에 있는 개미의 꿀을 훔치는 방법을 터득한 것이다: Daniel A. H. Peach, "The Bizarre and Ecologically Important Hidden Lives of Mosquitoes," *The Conversation*, December 2, 2019, accessed February 25, 2021, https://theconversation.com/the-bizarre-and-ecologically-important-hidden-lives-of-mosquitoes-127599

136쪽 ··· '쥐라기 공원 실험'이라고 부르는 프로젝트에서는 플로리다주에 있는 현지 관계자들이 유전자를 조작한 모기 7억 5,000만 마리를 자연에 풀어주는 데 동의했다: "Florida Mosquitoes: 750 Million Genetically Modified Insects to Be Released," BBC News, August 20, 2020, accessed February 25, 2021, https://www.bbc.com/news/world-us-canada-53856776

139쪽 ··· 습지에서 흔히 볼 수 있는 학질모기: Rund Abdelfatah and Ramtin Arablouei, "'Throughline': The Mosquito's Impact on the Shaping of the U.S.," NPR, April 28, 2020, accessed February 25, 2021, https://www.npr.org/2020/04/28/846919774/throughline-the-mosquitos-impact-on-the-shaping-of-the-u-s

4장. 곤충에게 해로운 환경은 인간에게도 해롭다

148쪽 ··· 20세기까지 사람이 살았던 인상적인 동굴 망이 있다. 이곳에는 도주 중인 강도들이 살기도 했다: Ben Johnson, "Castleton, Peak District," Historic UK, accessed February 25, 2021, https://www.historic-uk.com/HistoryMagazine/DestinationsUK/Castleton-Peak-District/

149쪽 ··· 영국에 있는 고대 숲의 절반이 1930년대부터 없어지고 있다: D. A. Ratcliffe, "Post-Medieval and Recent Changes in British Vegetation: The Culmination of Human Influence," *New Phytologist* 98, no. 1 (1984): 73.

151쪽 ··· 제2차 세계대전 이후 영국 농장의 수가 3분의 2나 줄어들었다: Robert A. Robinson, "Post-War Changes in Arable Farming and Biodiversity in Great Britain," *Journal of Applied Ecology* 39, no. 1 (2002): 157.

153쪽 ··· 영국에 있는 석회질 목초지의 약 80%가 주택단지나 양 우리로 바뀌었다: "What's

Special about Chalk Grassland?," National Trust, accessed February 25, 2021, https://www.nationaltrust.org.uk/features/whats-special-about-chalk-grassland

154쪽 … 자연주의자 스티븐 모스는 자신의 책《시골의 뜻하지 않은 모습》에서 환경 운동가 크리스 베인스가 이런 제안을 했다고 밝혔다: Amy Fleming, "Accidental Countryside: Why Nature Thrives in Unlikely Places," *The Guardian*, March 13, 2020, accessed February 25, 2021, https://www.theguardian.com/environment/2020/mar/13/accidental-countryside-why-nature-thrives-in-unlikely-places

155쪽 … 경작지의 10%는 잡초로 채워야 곤충이 먹이사슬에서 제대로 기능할 만큼 많이 살아남을 수 있다고 밝혔다: Barbara M. Smith et al., "The Potential of Arable Weeds to Reverse Invertebrate Declines and Associated Ecosystem Services in Cereal Crops," *Frontiers in Sustainable Food Systems* 3, no. 118 (2020), accessed February 25, 2021, doi.org/10.3389/fsufs.2019.00118

157쪽 … 풀밭종다리와 종다리처럼 한때 흔하게 볼 수 있었던 새들도 개체 수가 줄어들었다: "Bird Populations in French Countryside 'Collapsing,'" Phys.org, March 20, 2018.

158쪽 … 과학자들은 개미가 수천 년 동안 창백한 거대 오크 진딧물을 '사육해온' 사실을 밝혀냈다: Patrick Barkham, "Ants Run Secret Farms on English Oak Trees, Photographer Discovers," *The Guardian*, January 24, 2020, accessed February 25, 2021, https://www.theguardian.com/environment/2020/jan/24/ants-run-secret-farms-on-english-oak-trees-photographer-discovers

158쪽 … '야생동물도 사람과 마찬가지로 살 곳이 있어야 한다': Rachel Carson, *Silent Spring* (Boston: Houghton Mifflin, 1962).

158쪽 … 지구가 너무 빠른 속도로 달라지고 있어서 과학자들에 의하면 아마존처럼 거대한 생태계도 몇십 년 안에 무너질 수 있다고 한다: Gregory S. Cooper et al., "Regime Shifts Occur Disproportionately Faster in Larger Ecosystems," *Nature Communications* 11, no. 1175 (2020), accessed February 25, 2021, doi.org/10.1038/s41467-020-15029-x

159쪽 … '국가의 경제와 식량 안보의 취약성이 증가한다': Marcelo A. Aizen et al., "Global Agricultural Productivity Is Threatened by Increasing Pollinator Dependence without a Parallel Increase in Crop Diversification," *Global Change Biology* 25, no. 10 (2019): 3516.

159쪽 … 세계적으로 보호받는 땅의 3분의 1 이상이 '인간이 가하는 극심한 압박'에 시달리고 있다고 한다: Kendall R. Jones et al., "One-Third of Global Protected Land Is under Intense Human Pressure," *Science* 360, no. 6390 (2018): 788.

164쪽 … 벌들을 모니터해보니 그해가 끝나갈 무렵 전부 비틀거리다가 쓰러졌다고 한다: Adam G. Dolezal et al., "Native Habitat Mitigates Feast-Famine Conditions Faced by Honey Bees in an Agricultural Landscape," *Proceedings of the National Academy of Sciences of the USA* 116, no. 50 (2019): 25147-25155, accessed February 25, 2021, doi.org/10.1073/pnas.1912801116

166쪽 … 현재 미국의 농경지 중 4분의 3은 농장 12%가 관리한다. 농장의 중간 규모는 지난 30년 동안 2배 넘게 커져서: James M. MacDonald and Robert A. Hoppe, "Large Family Farms Continue to Dominate U.S. Agricultural Production," USDA, March 6, 2017, accessed February 25, 2021, https://www.ers.usda.gov/amber-waves/2017/march/large-family-farms-continue-to-dominate-us-agricultural-production/

167쪽 … "100년에 한 번 나올까 말까 한 대발견입니다": Stephen B. Powles, "Gene Amplification Delivers Glyphosate-Resistant Weed Evolution," *Proceedings of the National Academy of Sciences of the USA* 107, no. 3 (2010): 955.

168쪽 … 예를 들면 글리포세이트는 벌의 장내 박테리아를 방해하는 것으로 추측되며, 이 때문에 벌이 질병에 걸리기 더 쉬운 상태가 되었다: Erick V. S. Motta, Kasie Raymann, and Nancy A. Moran, "Glyphosate Perturbs the Gut Microbiota of Honey Bees," *Proceedings of the National Academy of Sciences of the USA* 115, no. 41 (2018): 10305-10310, accessed February 25, 2021, doi.org/10.1073/pnas.1803880115

168쪽 … 살균제의 사용과 벌의 개체 수 감소에는 의미 있는 상관관계가 있다: Scott H. McArt et al., "Landscape Predictors of Pathogen Prevalence and Range Contractions in US Bumblebees," *Proceedings of the Royal Society B* 284, no. 1867 (2017), accessed February 25, 2021, https://doi.org/10.1098/rspb.2017.2181

168쪽 … 살균제가 노제마병의 발병을 악화할 수 있다는 결론이 나왔다: Jeffrey S. Pettis et al., "Crop Pollination Exposes Honey Bees to Pesticides Which Alters Their Susceptibility to the Gut Pathogen *Nosema ceranae*," *PLOS One* 8, no. 7 (2013), accessed February 25, 2021, doi.org/10.1371/journal.pone.0070182

170쪽 … 중국은 2017년에 자국 내 여러 지역에 사는 사람들의 소변을 테스트했는데, 거의 모든 표본에서 네오니코티노이드가 검출되었다: Tao Zhang et al., "A Nationwide Survey of Urinary Concentrations of Neonicotinoid Insecticides in China," *Environment International* 132 (2019), accessed February 25, 2021, doi.org/10.1016/j.envint.2019.105114

170쪽 … 문제의 화학물질을 제조한 바이엘이 양봉업자들에게 보상금을 지급하게 되었다. 하지만 바이엘은 끝내 혐의를 인정하지 않았다: Bernhard Warner, "Invasion of the 'Frankenbees': The Danger of Building a Better Bee," *The Guardian*, October 16, 2018, accessed February 25, 2021, https://www.theguardian.com/environment/2018/oct/16/frankenbees-genetically-modified-pollinators-danger-of-building-a-better-bee

171쪽 … 브라질에는 농업용 화학물질이 점점 더 넘쳐난다: Pedro Grigori, "Um em cada 5 agrotóxicos liberados no último ano é extremamente tóxico," *Publica*, January 16, 2020, accessed February 25, 2021, https://apublica.org/2020/01/um-em-cada-5-agrotoxicos-liberados-no-ultimo-ano-e-extremamente-toxico/

171쪽 … 여러 종류의 곤충에게 네오니코티노이드의 시대는 DDT 시대만큼 잔인하게 느껴질 것이다: L. W. Pisa et al., "Effects of Neonicotinoids and Fipronil on Non-Target Invertebrates," *Environmental Science and Pollution Research* 22 (2014), accessed February 25, 2021, doi.org/10.1007/s11356-014-3471-x

171쪽 … 네오니코티노이드의 일종인 이미다클로프리드 한 티스푼이면 인도에 있는 사람의 수만큼 꿀벌을 죽일 수 있다고 한다: "Neonicotinoids at 'Chronic Levels' in UK Rivers, Study Finds," BBC News, December 14, 2017, accessed February 25, 2021, https://www.bbc.com/news/uk-england-suffolk-42354947

172쪽 … 네오니코티노이드의 단 5%만이 표적 식물에 남는다고 한다: Thomas James Wood and Dave Goulson, "The Environmental Risks of Neonicotinoid Pesticides: A Review of the Evidence Post 2013," *Environmental Science and Pollution Research International* 24 (2017): 17285-325, accessed February 25, 2021, https://doi.org/10.1007/s11356-017-9240-x

172쪽 … 나비, 하루살이, 잠자리, 야생벌, 깔따구, 지렁이 같은 다른 무척추동물의 죽음과도 연관이 있는 것으로 밝혀졌다: Michelle L. Hladik, Anson R. Main, and Dave Goulson, "Environmental Risks and Challenges Associated with Neonicotinoid Insecticides," *Environmental Science & Technology* 52, no. 6 (2018): 3329.

172쪽 … 클로티아니딘에 만성적으로 노출되면 인지 장애가 생겨 학습 능력과 기억력이 떨어질 우려가 있다: Saija Piiroinen and Dave Goulson, "Chronic Neonicotinoid Pesticide Exposure and Parasite Stress Differentially Affects Learning in Honeybees and

Bumblebees," *Proceedings of the Royal Society B* 283, no. 1828 (2016), accessed February 25, 2021, doi.org/10.1098/rspb.2016.0246

172쪽 … 이미다클로프리드의 공격을 받은 벌은 영향을 받지 않은 벌보다 더 짧은 거리, 더 짧은 시간 비행한다: Daniel Kenna et al., "Pesticide Exposure Affects Flight Dynamics and Reduces Flight Endurance in Bumblebees," *Ecology and Evolution* 9, no. 10 (2019): 5637.

172쪽 … 이미다클로프리드는 파리의 눈을 멀게 하고: Felipe Martelli et al., "Low doses of the neonicotinoid insecticide imidacloprid induce ROS triggering neurological and metabolic impairments in Drosophila," *Proceedings of the National Academy of Sciences of the USA* 117, no. 41 (2020): 25840.

172쪽 … (이미다클로프리드는) 꿀벌 군집을 망가뜨리는 것으로 밝혀지기도 했다: G. E. Budge et al., "Evidence for Pollinator Cost and Farming Benefits of Neonicotinoid Seed Coatings on Oilseed Rape," *Scientific Reports* 5 (2015), accessed February 25, 2021, doi.org/10.1038/srep12574

172쪽 … 티아메톡삼은 여왕 호박벌의 번식량을 4분의 1이나 감소시킨 잠재적 원인으로 지목되었다: Gemma L. Baron et al., "Pesticide Reduces Bumblebee Colony Initiation and Increases Probability of Population Extinction," *Nature Ecology & Evolution* 1, no. 9 (2017): 1308.

173쪽 … 꿀벌과 야생벌은 겨울에 은신한 채 저장해둔 꿀을 먹거나 동면과 유사한 상태로 지내야 한다. 하지만 네오니코티노이드 때문에 벌들이 이런 상태에서 안전하게 돌아올 확률이 낮아진다: B. A. WooD.C.ock et al., "Country-Specific Effects of Neonicotinoid Pesticides on Honey Bees and Wild Bees," *Science* 356, no. 6345 (2017): 1393.

173쪽 … 세계 각지에서 꿀 표본을 수집하고 검사를 하자 표본 중 무려 4분의 3에서 네오니코티노이드의 흔적이 발견되었다: E. A. D. Mitchell et al., "A Worldwide Survey of Neonicotinoids in Honey," *Science* 358, no. 6359 (2017): 109.

174쪽 … 유충일 때부터 네오니코티노이드에 노출된 벌은 먹이 보상 테스트에서 좋은 성적을 내지 못했다: Dylan B. Smith et al., "Insecticide Exposure during Brood or Early-Adult Development Reduces Brain Growth and Impairs Adult Learning in Bumblebees," *Proceedings of the Royal Society B* 287, no. 1922 (2020), accessed February 25, 2021, doi.org/10.1098/rspb.2019.2442

175쪽 … 네오니코티노이드가 흠뻑 밴 토양 때문에 땅에 집을 짓고 사는 벌들은 치명적인 농도의 클로티아니딘에 노출된다: D. Susan Willis Chan et al., "Assessment of Risk to Hoary Squash Bees (*Peponapis pruinosa*) and Other Ground-Nesting Bees from Systemic Insecticides in Agricultural Soil," *Scientific Reports* 9 (2019), accessed February 25, 2021, https://doi.org/10.1038/s41598-019-47805-1

175쪽 … 주기적으로 이주하는 흰정수리북미멧새: Margaret L. Eng, Bridget J. M. Stutchbury, and Christy A. Morrissey, "A Neonicotinoid Insecticide Reduces Fueling and Delays Migration in Songbirds," *Science* 365, no. 6458 (2019): 1177.

175쪽 … 네덜란드 연구원들은 특정한 농도 이상의 이미다클로프리드에 노출되면 곤충을 잡아먹는 새의 개체 수가 매년 평균 3.5% 감소한다는 사실을 밝혀냈다: Caspar A. Hallmann et al., "Declines in Insectivorous Birds Are Associated with High Neonicotinoid Concentrations," *Nature* 511 (2014): 341.

176쪽 … 살충제와 신지호에 사는 생물의 감소 사이의 연관성을 설명한 일본 과학자들: Masumi Yamamuro et al., "Neonicotinoids Disrupt Aquatic Food Webs and Decrease Fishery Yields," *Science* 366, no. 6465 (2019): 620.

177쪽 … 지난 25년 동안 미국의 농업 시스템이 곤충에게 무려 48배나 더 해로워졌다고 한다:

Michael DiBartolomeis et al., "An Assessment of Acute Insecticide Toxicity Loading (AITL) of Chemical Pesticides Used on Agricultural Land in the United States," *PLOS One* 14, no. 8 (2019): e0220029.

178쪽 ⋯ 미국의 중심부라고 정의되는 지역(아이오와주, 일리노이주, 인디애나주, 미주리주 대부분, 다른 주 다섯 군데 일부분)은 지난 20년 동안 벌에게 무려 121배나 더 해로워졌다고 한다: Margaret R. Douglas et al., "County-Level Analysis Reveals a Rapidly Shifting Landscape of Insecticide Hazard to Honey Bees (*Apis mellifera*) on US Farmland," *Scientific Reports* 10 (2020), accessed February 2, 2021, doi.org/10.1038/s41598-019-57225-w

179쪽 ⋯ 네오니코티노이드가 수확에 도움이 되었다는 증거가 거의 없었다: Spyridon Mourtzinis et al., "Neonicotinoid Seed Treatments of Soybean Provide Negligible Benefits to US Farmers," *Scientific Reports* 9 (2019), accessed February 25, 2021, doi.org/10.1038/s41598-019-47442-8

180쪽 ⋯ 한 연구에서는 과학자들이 프랑스 전역에 있는 온갖 유형의 농장 약 1,000군데를 살펴보았다: Martin Lechenet et al., "Reducing Pesticide Use While Preserving Crop Productivity and Profitability on Arable Farms," *Nature Plants* 3 (2017), accessed February 25, 2021, doi.org/10.1038/nplants.2017.8

183쪽 ⋯ 몇 달 후 연구원들은 이미다클로프리드가 들어 있는 단백질 패티를 먹은 어린 벌들이 장에 사는 기생충인 노제마의 공격을 이겨내지 못할 확률이 훨씬 높다는 사실을 발견했다: Jeffrey S. Pettis et al., "Pesticide Exposure in Honey Bees Results in Increased Levels of the Gut Pathogen *Nosema*," *Naturwissenschaften* 99, no. 2 (2012): 153.

184쪽 ⋯ 바이엘에 인수된 몬산토가 '라운드업'과 암을 연관 짓는 과학자들의 신뢰도를 떨어뜨리는 캠페인을 벌이려 했다는 사실을 알 수 있다: Lee Fang, "The Playbook for Poisoning the Earth," *The Intercept*, January 18, 2020, accessed February 25, 2021, https://theintercept.com/2020/01/18/bees-insecticides-pesticides-neonicotinoids-bayer-monsanto-syngenta/

184쪽 ⋯ 한편 바이엘은 살충제의 영향을 걱정하는 사람들이 꽃과 대화하길 좋아하는 음모론자라도 되는 것처럼 영상을 만들어 인터넷에 올렸다: Bayer Crop Science, "Bayer for More TRANSPARENCY: Environmental Safety," YouTube video, 2:58, posted by Bayer Crop Science, October 30, 2018, https://www.youtube.com/watch?v=IIk0-aanjUY&feature=youtu.be

184쪽 ⋯ 찻잔에 각설탕이 떨어지는 장면과 여자가 립스틱을 바르는 장면이 나오면서 화면 밖 해설자가 "우리 몸은 매일 온갖 종류의 화학물질을 감당합니다. 지극히 정상적인 일이에요."라고 말한다: Bayer Crop Science, "Bayer for More TRANSPARENCY: Is Our Food SAFE?," YouTube video, 2:46, posted by Bayer Crop Science, May 3, 2018, https://www.youtube.com/watch?v=ZDlHkMTD0lY

185쪽 ⋯ 규모가 가장 큰 살충제 제조업체 다섯 군데가 독성 강한 살충제를 팔아 2018년에 48억 달러를 벌었다고 한다: Damian Carrington, "Firms Making Billions from 'Highly Hazardous' Pesticides, Analysis Finds," *The Guardian*, February 20, 2020, accessed February 25, 2021, https://www.theguardian.com/environment/2020/feb/20/firms-making-billions-from-highly-hazardous-pesticides-analysis-finds

189쪽 ⋯ 국제연합 식량농업기구는 세계 인구가 증가하는 추세와 현재의 식습관을 토대로 2050년까지 매년 고기 2억 톤과 곡물 10억 톤 이상을 추가로 생산해야 할 것으로 전망한다: Food and Agriculture Organization of the United Nations, "2050: A Third More Mouths to Feed," September 23, 2009, accessed February 25, 2021, http://www.fao.org/news/story/en/item/35571/icode/

192쪽 ⋯ 가정집의 잔디밭을 잘 가꾸기 위해 사람들은 물을 매일 265억 리터나 쓰고: Ronda Kaysen, "One Thing You Can Do: Reduce Your Lawn," *New York Times*, April 10,

2019, accessed February 25, 2021, https://www.nytimes.com/2019/04/10/climate/climate-newsletter-lawns.html

193쪽 ··· "집에 딸린 잔디밭을 깔끔하게 손질하고 잡초를 다 뽑아버리는 행위는 청결에 집착하는 영국인의 일면입니다": Phoebe Weston, "Help Bees by Not Mowing Dandelions, Gardeners Told," *The Guardian*, February 1, 2020, accessed February 25, 2021, https://www.theguardian.com/environment/2020/feb/01/help-bees-not-mowing-dandelions-gardeners-told-aoe

195쪽 ··· 현재 광공해는 지구 지표면의 약 4분의 1에 영향을 끼친다: Bernard Coetzee, "Light Pollution: The Dark Side of Keeping the Lights On," *The Conversation*, April 3, 2019, accessed February 25, 2021, https://theconversation.com/light-pollution-the-dark-side-of-keeping-the-lights-on-113489

196쪽 ··· 스위스의 한 연구에 의하면 낮에 수분 활동을 하는 곤충이 많더라도 밤 수분량이 줄어들면 과일 생산량이 13%나 감소할 우려가 있다고 한다: Aisling Irwin, "The Dark Side of Light: How Artificial Lighting Is Harming the Natural World," *Nature*, January 16, 2018, accessed February 25, 2021, https://www.nature.com/articles/d41586-018-00665-7

5장. 곤충과 기후 위기의 상관관계

203쪽 ··· 글레이셔 국립공원에는 19세기 중반에 있던 빙하 150개 중 25개만 남아 있다: National Park Foundation, "America's Last Remaining Glaciers," accessed February 25, 2021, https://www.nationalparks.org/connect/blog/americas-last-remaining-glaciers

204쪽 ··· 멀필드가 참여한 연구에 따르면 빙하로 뒤덮인 이 지역의 면적이 지난 170년 동안 73%나 작아졌다고 한다: Myrna H. P. Hall and Daniel B. Farge, "Modeled Climate-Induced Glacier Change in Glacier National Park, 1850-2100," *BioScience* 53, no. 2 (2003): 131.

204쪽 ··· 존 뮤어는 이런 환경 덕택에 글레이셔 국립공원이 '북아메리카 대륙에서 풍경이 가장 좋은 곳'이 되었다고 말한다: Glacier Bear Retreat, "John Muir's Thought on Glacier National Park," accessed February 25, 2021, https://glacierbearretreat.com/john-muirs-thought-on-glacier-national-park/

207쪽 ··· 만일 멀필드 같은 연구원들이 없었더라면 강도래는 우리가 모르는 사이에 사라졌을 종 중 하나다: J. Joseph Giersch et al., "Climate-Induced Glacier and Snow Loss Imperils Alpine Stream Insects," *Global Change Biology* 23, no. 7 (2016): 2577.

208쪽 ··· 50년 뒤에 무려 12억 명이 현재 사하라 사막의 가장 뜨거운 지역에서나 경험할 수 있는 살인적인 기온에서 살게 된다고 한다: Chi Xu et al., "Future of the Human Climate Niche," *Proceedings of the National Academy of Sciences of the USA* 117, no. 21 (2020): 11350-55, accessed February 25, 2021, doi.org/10.1073/pnas.1910114117

209쪽 ··· 연구원들은 동식물 11만 5,000종이 현재 서식하는 곳의 지리적 범위와 기후 환경에 대한 자료를 수집했다: Damian Carrington, "Climate Change on Track to Cause Major Insect Wipeout, Scientists Warn," *The Guardian*, May 17, 2018, accessed February 25, 2021, https://www.theguardian.com/environment/2018/may/17/climate-change-on-track-to-cause-major-insect-wipeout-scientists-warn

213쪽 ··· 북극 기온이 급상승한다는 것은 2050년쯤 되면 북극 땅벌이 멸종될 확률이 높다는 뜻이다: Pierre Rasmont et al., "Climatic Risk and Distribution Atlas of European Bumblebees," *BioRisk* 10 (2015): 1-236, accessed February 25, 2021, http://www.step-project.net/files/DOWNLOAD2/BR_article_4749.pdf

213쪽 … 잉글랜드에서는 2001년 이후로 반딧불이의 개체 수가 무려 4분의 3이나 줄어들었다고
한다: Tim Gardiner and Raphael K. Didham, "Glowing, Glowing, Gone? Monitoring
Long-Term Trends in Glow-Worm Numbers in South-East England," *Insect
Conservation and Diversity* 13, no. 2 (2020): 162.

213쪽 … 하루살이, 강도래, 날도래의 개체 수가 80%나 감소했다는 충격적인 결과가 나왔
다: Viktor Baranov et al., "Complex and Nonlinear Climate-Driven Changes in
Freshwater Insect Communities over 42 Years," *Conservation Biology* 34, no. 5
(2020): 1241.

214쪽 … 최근 몇십 년 동안 북아메리카에 서식하는 호박벌의 개체 수가 거의 절반으로 줄어
들었다고 한다: Peter Soroye, Tim Newbold, and Jeremy Kerr, "Climate Change
Contributes to Widespread Declines among Bumble Bees across Continents,"
Science 367, no. 6478 (2020): 685.

214쪽 … '호박벌이 현저히 적어지고 생물의 다양성과 식품의 다양성도 현저히 떨어지는':
University of Ottawa, "Why Bumble Bees Are Going Extinct in Time of 'Climate
Chaos,'" February 6, 2020, accessed February 25, 2021, https://media.uottawa.ca/
news/why-bumble-bees-are-going-extinct-time-climate-chaos

215쪽 … 2019년에 과학자들은 새로운 벌 9종이 남태평양에 있는 섬인 피지에서 발견되었다
는 기쁜 소식을 발표했다: James B. Dorey, Michael P. Schwarz, and Mark I. Stevens,
"Review of the Bee Genus *Homalictus* Cockerell (Hymenoptera: Halictidae) from Fiji
with Description of Nine New Species," *ZooTaxa* 4674, no. 1 (2019), accessed
February 25, 2021, doi.org/10.11646/zootaxa.4674.1.1

216쪽 … 찰스 다윈은 이 둘의 관계를 '가장 아름다운 수정 사례'라고 표현했다: Charles
Darwin to J. D. Hooker, April 7, 1874, ed. Darwin Correspondence Project,
The Correspondence of Charles Darwin, vol. 22 (Cambridge, UK: Cambridge
University Press), accessed February 25, 2021, http://cudl.lib.cam.ac.uk/view/MS-
DAR-00095-00321/1

217쪽 … 영국에서는 나비와 나방이 평균적으로 10년마다 최대 6일이나 일찍 고치에서 나온다:
James R. Bell et al., "Spatial and Habitat Variation in Aphid, Butterfly, Moth and Bird
Phenologies over the Last Half Century," *Global Change Biology* 25, no. 6 (2019):
1982.

217쪽 … 미국 일부 지역에서는 곤충의 활동을 촉발하는 봄이 70년 전보다 최대 20일이나 일
찍 찾아온다: Angela Fritz, "Spring Is Running 20 Days Early. It's Exactly What We
Expect, but It's Not Good," *Washington Post*, February 27, 2018, accessed February
25, 2021, https://www.washingtonpost.com/news/capital-weather-gang/
wp/2018/02/27/spring-is-running-20-days-early-its-exactly-what-we-expect-
but-its-not-good/

219쪽 … 2020년 봄에 자선단체 '나비보호협회'의 부책임자 리처드 폭스는 들뜬 마음
으로 트위터에 산네발나비 사진 한 장을 올렸다: Richard Fox, Twitter, April
24, 2020, accessed February 25, 2021, https://twitter.com/RichardFoxBC/
status/1253723902007824384

220쪽 … "나비에 대한 책은 쓰지 마세요. 기후변화의 진행 속도가 너무 빨라서 책이 나올 때
쯤이면 벌써 철 지난 이야기가 됐을 겁니다": Patrick Barkham, "UK Butterfly Season
Off to Unusually Early Start after Sunniest of Springs," *The Guardian*, June 6, 2020,
accessed February 25, 2021, https://www.theguardian.com/environment/2020/
jun/06/uk-butterfly-season-off-to-unusually-early-start-after-sunniest-of-
springs

222쪽 … 스트레스를 받는 식물이 평소와 다른 향기를 풍긴다는 사실을 발견했다: Coline
Jaworski, Benoit Geslin, and Catherine Fernandez, "Climate Change: Bees Are

Disorientated by Flowers' Changing Scents," *The Conversation*, June 26, 2019, accessed February 25, 2021, https://theconversation.com/climate-change-bees-are-disorientated-by-flowers-changing-scents-119256

223쪽 ··· 미국 연구원들은 우리에게 가장 중요한 곡물 세 가지(밀, 쌀, 옥수수)의 수확량을 조사했다: Curtis A. Deutsch et al., "Increase in Crop Losses to Insect Pests in a Warming Climate," *Science* 361, no. 6405 (2018): 916.

224쪽 ··· 영국에도 사람들이 원하지 않는 곤충이 유입될 것이다. 온도, 습도, 강우량의 변화 때문에 2080년이면 파리의 개체 수가 지금의 2배가 될 것이라는 예측도 있다: Dave Goulson et al., "Predicting Calyptrate Fly Populations from the Weather, and Probable Consequences of Climate Change," *Journal of Applied Ecology* 42, no. 5 (2005): 795.

224쪽 ··· "20~30년 후에는 이 일이 더는 '남의 일'이 아닐 겁니다": Vicky Stein, "How Climate Change Will Put Billions More at Risk of Mosquito-Borne Diseases," PBS, March 28, 2019, accessed February 25, 2021, https://www.pbs.org/newshour/science/how-climate-change-will-put-billions-more-at-risk-of-mosquito-borne-diseases

226쪽 ··· 고든 패터슨은 《모기와의 전쟁》에 '모기 떼 때문에 소가 질식하고 사람들이 자살했다'라고 썼다: Gordon Patterson, *The Mosquito Wars* (Gainesville, FL: University Press of Florida, 2004): foreword.

228쪽 ··· 이런 상황은 〈뉴욕 타임스〉의 관심을 끌었고, '미국에 '살인 말벌' 등장-장수말벌을 저지하기 위한 긴박한 노력'이라는 제목의 기사가 실렸다: Mike Baker, "'Murder Hornets' in the U.S.: The Rush to Stop the Asian Giant Hornet," *New York Times*, May 2, 2020, accessed February 25, 2021, https://www.nytimes.com/2020/05/02/us/asian-giant-hornet-washington.html

228쪽 ··· '살인 말벌이라고요? 2020년 참 대단하네요. 다 던지세요. 감당할 수 있습니다': Patton Oswalt, Twitter, May 2, 2020, accessed February 25, 2021, https://twitter.com/pattonoswalt/status/1256634924997607424

229쪽 ··· 캘리포니아주의 수석 곤충학자 더그 야네가는 〈로스앤젤레스 타임스〉와 나눈 인터뷰에서 이렇게 말했다. "일본, 중국, 한국에 있는 동료들은 우리가 호들갑을 떠는 모습을 보고 어이없어합니다": Jeanette Marantos, "Panicked over 'Murder Hornets,' People Kill Bees We Need," *Los Angeles Times*, May 8, 2020, accessed February 25, 2021, https://www.latimes.com/lifestyle/story/2020-05-08/panicked-over-murder-hornets-people-are-killing-the-native-bees-we-desperately-need

232쪽 ··· 2013년에는 실크로드의 출발지인 중국 북서부 산시성에서 적어도 28명이 장수말벌에 여러 번 쏘여 생을 마감했다: Chris Luo, "Wave of Hornet Attacks Kills 28 in Southern Shaanxi," *South China Morning Post*, September 26, 2013, accessed February 25, 2021, https://www.scmp.com/news/china-insider/article/1318293/wave-hornet-attacks-kills-28-southern-shaanxi

233쪽 ··· 슈미트 고통 지수: Natural History Museum, "The Schmidt sting pain index," accessed February 25, 2021, https://www.nhm.ac.uk/scroller-schmidt-painscale/#intro

234쪽 ··· 브리티시컬럼비아 곤충학회에서 배포한 포스터는 상황을 훨씬 긴박하게 묘사한다. 포스터는 1950년대에 유행한 외계인 침공 스타일의 그림: Entomological Society of British Columbia, "Giant Alien Hornet Invasion!," poster, accessed February 25, 2021, http://entsocbc.ca/wp-content/uploads/2019/10/Asian-Giant-Hornet-poster-2019.pdf

237쪽 ··· 시드니도 연기에 휩싸였다. 반짝거리는 항구와 오페라하우스가 짙은 연기 때문에 보이지 않을 지경이었다: Melissa Davey, "NSW bushfires: Doctors Sound Alarm over

'Disastrous' Impact of Smoke on Air Pollution," *The Guardian*, December 10, 2019, accessed February 25, 2021, https://www.theguardian.com/environment/2019/dec/10/nsw-bushfires-doctors-sound-alarm-over-disastrous-impact-of-smoke-on-air-pollution

242쪽 ··· 학자들이 평가한 자료에 의하면, '검은 여름' 때는 지구온난화가 나타나지 않았던 세상과 비교해 산불이 날 확률이 30% 이상 높았다고 한다: Pallab Ghosh, "Climate Change Boosted Australia Bushfire Risk by at Least 30%," BBC News, March 4, 2020, accessed February 25, 2021, https://www.bbc.com/news/science-environment-51742646

6장. 꿀벌의 노동과 수분의 위기

250쪽 ··· 한때 내륙해의 바닥이었던 계곡의 비옥한 토양은 미국에서 생산되는 과일, 견과류, 채소의 40%에 해당하는 수확물을 안겨준다: "California's Central Valley," United State Geological Survey, accessed February 25, 2021, https://ca.water.usgs.gov/projects/central-valley/about-central-valley.html

251쪽 ··· 캘리포니아주는 전 세계 아몬드 생산량의 80%를 책임진다: Robert Rodriguez, "Almond Acreage in California Grows to Record Total," *The Fresno Bee*, April 26, 2018,accessed February 25, 2021, https://www.fresnobee.com/news/business/agriculture/article209894464.html

253쪽 ··· 국제연합에 따르면 수분에 의지하는 농산물의 양은 지난 50년 동안 300%나 증가했다고 한다: "Pollinators Vital to Our Food Supply under Threat," Food and Agriculture Organization of the United Nations, February 26, 2016, accessed February 25, 2021, http://www.fao.org/news/story/en/item/384726/icode/

254쪽 ··· 2014년에 유럽연합 회원국 17개국은 꿀벌에 대해 처음으로 포괄적인 연구를 진행했다: Daniel Cressey, "EU States Lose Up to One-Third of Honeybees per Year," *Nature*, April 9, 2014, accessed February 25, 2021, https://www.nature.com/news/eu-states-lose-up-to-one-third-of-honeybees-per-year-1.15016

256쪽 ··· "만일 벌이 없어지면 과일, 채소, 곡물도 없어질 겁니다": Ivy Scott, "French Honey at Risk as Dying Bees Put Industry in Danger," France 24, June 27, 2019, accessed February 25, 2021, https://www.france24.com/en/20190627-french-honey-bees-climate-change-pesticides-farming

256쪽 ··· 레딩대학교에 따르면 1985년부터 2008년까지 꿀벌 군집은 54%나 없어졌다고 한다: University of Reading, "Sustainable Pollination Services for UK Crops," accessed February 25, 2021, https://www.reading.ac.uk/web/files/food-security/cfs_case_studies_-_sustainable_pollination_services.pdf

259쪽 ··· 2013년에는 〈타임〉지 표지에 '벌이 없는 세상'이라는 제목과 함께 꿀벌 한 마리의 사진이 실렸다: "A World Without Bees," cover of *Time*, August 19, 2013, accessed February 25, 2021, http://content.time.com/time/covers/0,16641,20130819,00.html

259쪽 ··· 하버드대학교에서 실시한 연구에서는 건강한 꿀벌에게 곤충의 중추신경계를 공격하는 네오니코티노이드의 일종인 이미다클로프리드가 함유된 액상과당을 먹였다: Harvard University, "Use of Common Pesticide Linked to Bee Colony Collapse," April 5, 2012, accessed February 25, 2021, https://www.hsph.harvard.edu/news/press-releases/colony-collapse-disorder-pesticide/

260쪽 ··· "모기가 피부에 앉아 피를 빨아먹는 것보다는 모기가 피부에 앉아 간을 액체로 만들고 그 액체를 다 뽑아버리고 나서 날아가는 것과 비슷합니다": Peter Hess, "Bee Collapse:

The *Varroa* Mite Is More Destructive Than Scientists Ever Knew," *Inverse*, January 18, 2019, accessed February 25, 2021, https://www.inverse.com/article/52529-scientists-finally-understand-why-varroa-mites-kill-bees

262쪽 ··· 2018년에서 2019년으로 넘어가던 겨울에 미국에서 관리하는 꿀벌 군집 중 거의 40% 가 사라졌다고 한다: Susie Neilson, "More Bad Buzz for Bees: Record Number of Honeybee Colonies Died Last Winter," NPR, June 19, 2019, accessed February 25, 2021, https://www.npr.org/sections/thesalt/2019/06/19/733761393/more-bad-buzz-for-bees-record-numbers-of-honey-bee-colonies-died-last-winter

272쪽 ··· "사람들이 꿀벌의 역할을 인정하고 높이 평가하면서 꿀벌 덕택에 농장의 건강한 환경 이 인간의 건강과 연결된다는 사실이 널리 알려졌습니다": University of Hawaii, "To Bee, or Not to Bee, a Question for Almond Growers," February 28, 2020, accessed February 25, 2021, https://www.hawaii.edu/news/2020/02/28/to-bee-or-not-to-bee/

279쪽 ··· 2019년에 벌 실험실은 날개 기형을 유발하는 바이러스가 유전적으로 더 다양해졌다 는 사실을 발견했다: Eugene V. Ryabov et al., "Dynamic Evolution in the Key Honey Bee Pathogen Deformed Wing Virus: Novel Insights into Virulence and Competition Using Reverse Genetics," *PLOS Biology* 17, no. 10 (2019): e3000502.

282쪽 ··· '국가적으로 또는 국제적으로 수분 매개자와 수분 활동을 장기적으로 모니터하 는 일이 시급하다': S. G. Potts, V. L. Imperatriz-Fonseca, and H. T. Ngo, eds., *The Assessment Report of the Intergovernmental Science-Policy Platform on Biodiversity and Ecosystem Services on Pollinators, Pollination and Food Production* (Bonn, Germany: IPBES, 2016).

283쪽 ··· 뉴잉글랜드에 서식하는 벌 14종의 개체 수가 지난 100년 동안 최대 90%나 감소했다 는 것이 밝혀졌다: Minna E. Mathiasson and Sandra M. Rehan, "Status Changes in the Wild Bees of North-Eastern North America over 125 Years Revealed through Museum Specimens," *Insect Conservation and Diversity* 12, no. 4 (2019): 278.

283쪽 ··· 생물 다양성 센터는 북아메리카와 하와이에 서식하는 토종벌 4,000종 이상을 살 펴본 결과, 연구 데이터가 충분한 종의 절반 이상이 개체 수가 줄어들고 있다는 것 을 알아냈다: Kelsey Kopec and Lori Ann Burd, "Pollinators in Peril," Center for Biological Diversity, March 1, 2017, accessed February 25, 2021, https://www.biologicaldiversity.org/campaigns/native_pollinators/pdfs/Pollinators_in_Peril.pdf

288쪽 ··· 데이브 굴슨은 2010년에 쓴 논문에서 호박벌이 벌새를 포함한 그 어떤 생물보다 대 사율이 높다고 밝혔다: Dave Goulson, "Bumblebees," in *Silent Summer: The State of Wildlife in Britain and Ireland*, ed. Norman Maclean (Cambridge, UK: Cambridge University Press, 2010), 416.

288쪽 ··· 2019년에 발표된 한 연구에서는 영국에 서식하는 야생벌과 꽃등에의 3분의 1이 개체 수가 감소하고 있다는 결론을 내렸다: Helen Briggs, "Bees: Many British Pollinating Insects in Decline, Study Shows," BBC News, March 26, 2019, accessed February 25, 2021, https://www.bbc.com/news/science-environment-47698294

290쪽 ··· 버몬트대학교의 수분 전문가 서맨사 앨저는 2019년 여름에 동료 3명과 함께 꿀벌 이 야생벌에게 질병을 옮긴다는 것을 증명하기 위한 연구에 돌입했다: Samantha A. Alger et al., "RNA Virus Spillover from Managed Honeybees (*Apis mellifera*) to Wild Bumblebees (*Bombus* spp.)," *PLOS One* 14, no. 6 (2019): e0217822.

291쪽 ··· 2016년에 발표된 과학 논문에서는 바로아응애가 꽃에 앉아 있다가 호박벌처럼 꽃 을 찾아오는 벌의 등에 '민첩하게 올라갈' 수 있다는 것을 발견했다: David T. Peck et al., "*Varroa destructor* Mites Can Nimbly Climb from Flowers onto Foraging Honey Bees," *PLOS One* 11, no. 12 (2016): e0167798.

291쪽 … "도시 양봉은 요새 인기가 많습니다. 사람들은 발코니 어딘가에 벌집을 걸어두고 자신이 자연을 위해서 노력한다고 생각합니다": Palko Karasz and Christopher F. Schuetze, "Bees Swarm Berlin, Where Beekeeping Is Booming," *New York Times*, August 11, 2019, accessed February 25, 2021, https://www.nytimes.com/2019/08/11/world/europe/berlin-bees-swarm.html

7장. 제왕나비의 여정

300쪽 … 한 연구에서는 나비 여러 마리를 초소형 모의 비행 장치에 넣었다: Henrik Mouritsen and Barrie J. Frost, "Virtual Migration in Tethered Flying Monarch Butterflies Reveals Their Orientation Mechanisms," *Proceedings of the National Academy of Sciences of the USA* 99, no. 15 (2002): 10162.

301쪽 … 100만 마리가 넘는 제왕나비에게 작고 동그란 태그를 부착하는 고된 작업을 했다: Elizabeth Pennisi, "Mysterious Monarch Migrations May Be Triggered by the Angle of the Sun," *Science*, December 18, 2019, accessed February 25, 2021, https://www.sciencemag.org/news/2019/12/mysterious-monarch-migrations-may-be-triggered-angle-sun

304쪽 … "상황이 달라지지 않는다면 35년 후에는 우리가 아는 서양 제왕나비는 존재하지 않을 겁니다": Eric Sorensen, "Monarch Butterflies Disappearing from Western North America," Washington State University news, September 7, 2017, accessed February 25, 2021, https://news.wsu.edu/2017/09/07/monarch-butterflies-disappearing/

305쪽 … 2015년 미국 어류 및 야생동물 관리국은 1990년 이후로 제왕나비가 약 10억 마리나 사라졌다는 우울한 소식을 전했다: Darryl Fears, "The Monarch Massacre: Nearly a Billion Butterflies Have Vanished," *Washington Post*, February 9, 2015, accessed February 25, 2021, https://www.washingtonpost.com/news/energy-environment/wp/2015/02/09/the-monarch-massacre-nearly-a-billion-butterflies-have-vanished

306쪽 … 사엔스-로메로가 2012년에 참여한 연구 논문: Cuauhtemoc Saenz-Romero et al., "*Abies religiosa* Habitat Prediction in Climatic Change Scenarios and Implications for Monarch Butterfly Conservation in Mexico," *Forest Ecology and Management* 275 (2012): 98.

318쪽 … 싱가포르에 사는 토종 나비 종의 거의 절반이 지난 160년 동안 사라졌다는 사실은 알고 있다: Meryl Theng et al., "A Comprehensive Assessment of Diversity Loss in a Well-Documented Tropical Insect Fauna: Almost Half of Singapore's Butterfly Species Extirpated in 160 Years," *Biological Conservation* 242 (2020), accessed February 25, 2021, doi.org/10.1016/j.biocon.2019.108401

318쪽 … 2005년에서 2017년까지 흔히 볼 수 있는 나비 종의 40%가 감소한 것으로 나타났다: "Drastic Decline in Japan's Butterfly Population; Other Wildlife Also Feared Endangered," *The Mainichi*, November 17, 2019, accessed February 25, 2021, https://mainichi.jp/english/articles/20191116/p2a/00m/0na/023000c

322쪽 … 초원이나 초지에 서식하는 초지성 나비들이 1990년부터 2011년까지 50% 가까이 감소했다: "Populations of Grassland Butterflies Decline Almost 50 % over Two Decades," European Environment Agency, July 17, 2013, accessed February 25, 2021, https://www.eea.europa.eu/highlights/populations-of-grassland-butterflies-decline

324쪽 … 핀으로 고정된 채 가장 오래 보존된 곤충은 풀흰나비다. 풀흰나비는 영국을 자주 찾지 않는데, 이 표본은 1702년 5월에 케임브리지셔에서 포획되었다: "*Pontia daplidice* (circa 1702) [OUMNH]," UK Butterflies, accessed February 25, 2021, https://www.

ukbutterflies.co.uk/album_photo.php?id=14265

326쪽 … 영국 정부에서 제시한 수치에 따르면 1976년 이후 특정한 곳(황야 지대나 백악 지대)에 서만 사는 나비가 68%나 감소했다고 한다: Martin S. Warren et al., "The Decline of Butterflies in Europe: Problems, Significance, and Possible Solutions," *Proceedings of the National Academy of Sciences of the USA* 118, no. 2 (2020): e2002551117.

327쪽 … 2015년에는 '국가의 상태'라고 불리는 자료가 발표되었다: "The State of Britain's Butterflies," Butterfly Conversation, 2015, accessed February 25, 2021, https://butterfly-conservation.org/butterflies/the-state-of-britains-butterflies

328쪽 … '듀크 오브 버건디'라는 고귀한 이름의 나비는 1970년대 이후 분포 지역이 84%나 감소했다: Patrick Barkham, "The Butterfly Effect: What One Species' Miraculous Comeback Can Teach Us," *The Guardian*, May 27, 2019, accessed February 25, 2021, https://www.theguardian.com/environment/2019/may/27/butterfly-miraculous-comeback-save-planet-duke-burgundy

329쪽 … 2013년에 진행된 한 주요 연구는 영국에 서식하는 흔한 나방 337종이 2007년까지 40년에 걸쳐 개체 수가 3분의 2나 줄어들었다는 것을 보여줬다: "The State of Britain's Larger Moths 2013," Butterfly Conservation, 2013, accessed February 25, 2021, https://butterfly-conservation.org/sites/default/files/1state-of-britains-larger-moths-2013-report.pdf

329쪽 … 농지에 서식하는 다양한 나비 종이 2000년과 2009년 사이에 58%나 감소했다고 밝혔다: Andre S. Gilburn et al., "Are Neonicotinoid Insecticides Driving Declines of Widespread Butterflies?," *PeerJ* 3 (2015), accessed February 25, 2021, doi.org/10.7717/peerj.1402

342쪽 … "우리가 모나리자나 모차르트 곡의 아름다움에 신경 쓰는 것처럼 제왕나비에게도 신경 써야 합니다": Elizabeth Howard, "Farewell, Dr. Lincoln Brower," Journey North, July 23, 2018, accessed February 25, 2021, https://journeynorth.org/monarchs/news/spring-2018/071718-dr-lincoln-brower

8장. 곤충 멸종에 저항하는 다양한 시도

348쪽 … 청원자들은 농지의 30%를 곤충에게 호의적인 유기농 농지로 전환해달라고 요청했다: Kate Connolly, "Bavaria Campaigners Abuzz as Bees Petition Forces Farming Changes," *The Guardian*, February 14, 2019, accessed February 25, 2021, https://www.theguardian.com/world/2019/feb/14/bavaria-campaigners-abuzz-as-bees-petition-forces-farming-changes

349쪽 … '원자의 비밀을 풀고 조류의 흐름을 바꿀 수는 있다. 그러나 인류 역사상 가장 오래된 일, 즉 땅을 망가뜨리지 않으면서 살아가는 일을 할 수는 없다': Aldo Leopold, *The River of the Mother of God and Other Essays by Aldo Leopold*, ed. Susan L. Flader and J. Baird Callicott (Madison, WI: The University of Wisconsin Press, 1991), 254.

354쪽 … 국제연합은 매년 세계적으로 표토 400억 톤이 침식으로 사라지고 있다고 추정한다: Food and Agriculture Organization of the United Nations, "Status of the World's Soil Resources," 2015, accessed February 25, 2021, http://www.fao.org/3/i5228e/I5228E.pdf

355쪽 … 넵은 트리가 넵에 대해 쓴 책 제목처럼 '야생화'를 실현하고 있는 곳이다: Isabella Tree, *Wilding* (London: Picador, 2018).

357쪽 … 이 논문에서는 우리가 울창한 열대우림부터 철로 옆에 난 지저분해 보이는 풀에 이르기까지 모든 것을 보호하면서도 곤충을 위한 이런 피난처를 서로 연결해야 한다

고 주장했다: Pedro Cardoso et al., "Scientists' Warning to Humanity on Insect Extinctions," *Biological Conservation* 242 (2020), accessed February 25, 2021, doi. org/10.1016/j.biocon.2020.108426

358쪽 ⋯ 크리스트만은 농부들이 더 좋아할 만한 대안이 있다고 생각한다: Stefanie Christmann et al., "Farming with Alternative Pollinators Increases Yields and Incomes of Cucumber and Sour Cherry," *Agronomy for Sustainable Development* 37, no. 24 (2017), accessed February 25, 2021, doi.org/10.1007/s13593-017-0433-y

361쪽 ⋯ 영국의 곤충 보호 단체 '버그라이프': Buglife, "B-Lines," accessed February 25, 2021, https://www.buglife.org.uk/our-work/b-lines/

364쪽 ⋯ 미국 해안경비대 순찰 요원이 기름이 수로로 흘러 들어가는 광경을 목격한 것이 다: Newtown Creek Alliance, "Greenpoint Oil Spill," accessed February 25, 2021, http://www.newtowncreekalliance.org/greenpoint-oil-spill

367쪽 ⋯ 위트레흐트는 버스 정류장을 벌 보호구역으로 전환하고 있다: Michiel de Gooijer, "This Dutch City Has Transformed Its Bus Stops into Bee Stops," *EcoWatch*, July 8, 2019, accessed February 25, 2021, https://www.ecowatch.com/dutch-city-bus-stops-into-bee-stops-2639127437.html

371쪽 ⋯ 박물관에는 심지어 고대 파리매의 표본도 있다: Erica McAlister, "Celebrating Robber Flies—Big, Beautiful Venomous Assassins," Natural History Museum, April 30, 2018, accessed February 25, 2021, https://naturalhistorymuseum.blog/2018/04/30/celebrating-robber-flies-big-beautiful-venomous-assassinscurator-of-diptera/

9장. 곤충 없는 세상, 인류의 위기

381쪽 ⋯ 미국 기업 드롭콥터가 운영하는 드론 군단처럼 말이다. 이 군단은 2018년에 처음으로 뉴욕에 있는 사과 과수원을 자동으로 수분했다: Christina Herrick, "New York Apple Orchard Claims World First in Pollination by Drone," *Growing Produce*, June 12, 2018, accessed February 25, 2021, https://www.growingproduce.com/fruits/apples-pears/new-york-apple-orchard-claims-world-first-in-pollination-by-drone/

381쪽 ⋯ 이 프로젝트는 "자연적인 수분 과정을 실제로 대체할 수 있을 것으로, 그리고 자연적인 수분 매개자인 벌만큼 또는 그보다 더 효율적일 것으로 기대된다고"한다: Scott Weybright, "Robotic Crop Pollination Awarded $1 Million Grant," Washington State University, June 19, 2020, accessed February 25, 2021, https://news.wsu.edu/2020/06/19/robotic-crop-pollination-goal-new-1-million-grant/

382쪽 ⋯ "벌을 로봇으로 대체하려면 비용이 얼마나 들까요?": Dave Goulson, "Are Robotic Bees the Future?" University of Sussex blog, accessed February 25, 2021, http://www.sussex.ac.uk/lifesci/goulsonlab/blog/robotic-bees

384쪽 ⋯ 영국에서 처음으로 곤충식을 상시 판매하는 음식점도 있다: Sarah Benyon, "Bug Burgers, Anyone? Why We're Opening the UK's First Insect Restaurant," *The Conversation*, October 22, 2015, accessed February 25, 2021, https://theconversation.com/bug-burgers-anyone-why-were-opening-the-uks-first-insect-restaurant-49078

385쪽 ⋯ 이제는 세상에 있는 포유동물의 96%가 인간과 인간이 키우는 소와 돼지인 것처럼 꿀벌이 곤충의 세계에서 차지하는 비율도 점점 높아질 것이다: Damian Carrington, "Humans Just 0.01% of All Life but Have Destroyed 83% of Wild Mammals—Study," *The Guardian*, May 21, 2018, accessed February 25, 2021, https://www.theguardian.com/environment/2018/may/21/human-race-just-001-of-all-lifebut-has-destroyed-over-80-of-wild-mammals-study

386쪽 ··· 최신 연구에 따르면 벌의 수가 줄어드는 바람에 사과, 블루베리, 체리 같은 핵심 식용작물의 공급이 제한되기 시작했다고 한다: J. R Reilly et al., "Crop Production in the USA Is Frequently Limited by a Lack of Pollinators," *Proceedings of the Royal Society B: Biological Sciences* 287, no. 1931 (2020), accessed February 25, 2021, doi.org/10.1098/rspb.2020.0922

386쪽 ··· 곤충을 잡아먹는 새는 이제 프랑스의 특징 없는 들판에서만 사라지는 것이 아니라 아마존 열대우림의 외진 지역에서도 사라지고 있다: Daniel Grossman, "Nine Insect-Eating Bird Species in Amazon in Sharp Decline, Scientists Find," *The Guardian*, October 26, 2020, accessed February 25, 2021, https://www.theguardian.com/environment/2020/oct/26/nine-insect-eating-bird-species-in-amazon-in-sharp-decline-scientists-find

386쪽 ··· 와그녀와 그의 동료들은 최근에 전 세계적으로 여러 곤충의 개체 수가 매년 1~2%씩 감소하고 있다는 사실을 확인했다: David L. Wagner et al., "Insect Decline in the Anthropocene: Death by a Thousand Cuts," *Proceedings of the National Academy of Sciences of the USA* 118, no. 2 (2021): e2023989118.

388쪽 ··· 스코틀랜드의 사암 속에서 납작하게 눌린 채 발견된 '리니오그나타 히르스티'라고 알려진 종이었다: Paul Rincon, "Oldest Insect Delights Experts," BBC News, February 11, 2004, accessed February 25, 2021, http://news.bbc.co.uk/2/hi/science/nature/3478915.stm

389쪽 ··· 메가네우라의 그림이 나온다. 거대한 잠자리처럼 생긴 이 곤충은 날개 길이가 최대 71cm나 되었다고 한다: Ker Than, "Giant Bugs Eaten Out of Existence by First Birds?," *National Geographic*, June 5, 2012, accessed February 25, 2021, https://www.nationalgeographic.com/animals/article/120601-insects-birds-giant-prehistoric-clapham-proceedings-science-bugs

390쪽 ··· 2020년 12월 31일, 즉 괴로웠던 해를 마감하는 마지막 날에 한 연구 논문이 시기적절하게 발표되었다: Sandra R. Schachat and Conrad C. Labandeira, "Are Insects Heading Toward Their First Mass Extinction? Distinguishing Turnover from Crises in Their Fossil Record," *Annals of the Entomological Society of America* (2020), accessed February 25, 2021, doi.org/10.1093/aesa/saaa042

392쪽 ··· 쇼클리는 관광객들이 코끼리 밑에서 셀카를 찍는 모습을 보면서 이렇게 말한다. "인간이 다른 행성을 지배하는 첫 침입종이 될지 몰라도 두 번째 침입종은 벌이 될 겁니다": "African Bush Elephant," National Museum of Natural History, Smithsonian Institution, accessed February 25, 2021, https://naturalhistory.si.edu/exhibits/african-bush-elephant